Gli struzzi   520

Un nuovo Vaticano?

Ma il Vaticano del 1963 appariva, agli occhi del mondo comunista, e cominciava — ciò che era il più importante — dell'Unione Sovietica, in una luce poi diversa da quella in cui era stato visto ~~dopo completata~~ fino a cinque anni prima.

La "novità" si chiamava Giovanni XXIII. Con la sua elezione, il 28 ottobre 1958, era per chiudersi un'epoca e aprirsene un'altra, per la Chiesa Cattolica e per i suoi rapporti con le altre Comunità religiose e con il mondo. La novità non riguardava le dottrine, ma piuttosto il modo di esporle e, talvolta, di interpretarle e di applicarle. Riguardava, più, lo "stile", per così dire, nel parlare e nell'agire, sia all'interno che all'esterno

# Agostino Casaroli
# Il martirio della pazienza
## La Santa Sede e i paesi comunisti (1963-89)

Introduzione di Achille Silvestrini

A cura di Carlo Felice Casula e Giovanni Maria Vian

Einaudi

www.einaudi.it

ISBN 88-06-15542-3

# Indice

# Il martirio della pazienza

# Introduzione

Queste pagine non sono le memorie del cardinale Agostino Casaroli. Sono il racconto che egli, negli ultimi anni della vita, ha voluto affidare alla riflessione degli storici, ma anche e soprattutto degli uomini di Chiesa. Narrazione pacata, vigile e discreta come il suo carattere, corretta nell'esporre i fatti, onesta nel non celare difficoltà e obiezioni in una vicenda che parte nel 1963 e arriva al 1989.

## La desolazione delle Chiese all'Est.

Antefatto della narrazione è lo sconvolgimento gravissimo avvenuto nella vita della Chiesa nei paesi caduti dal 1945 sotto l'egemonia sovietica. Dopo gli arresti, le condanne, la prigionia o la relegazione della maggioranza dei vescovi cattolici negli anni posteriori al '45 e in primo luogo di monsignor Stepinac, del cardinal Mindszenty, di monsignor Beran, di monsignor Wyszyński, e la rottura delle relazioni diplomatiche con la Santa Sede, nei paesi comunisti dell'Europa orientale e centrale era scesa sulla Chiesa una pesante coltre di gelo. Pastori incarcerati e confinati, case religiose e monasteri confiscati, seminari chiusi o ridotti al minimo, congregazioni religiose, scuole cattoliche e organizzazioni giovanili soppresse, curie vescovili controllate da emissari governativi, clero falcidiato e tenuto estraneo a ogni realtà sociale, i giovani, i funzionari, i militari, gli insegnanti impediti nel frequentare le chiese. Unica eccezione la Polonia, dove la Chiesa con il vigore di una fede antica e fervente e col suo forte radicamento nella realtà nazionale, riusciva a tener testa, tra privazioni e sacrifici pesanti, alle pressioni del regime.

Qualche segnale nuovo era apparso, timidamente, negli anni di Giovanni XXIII. All'apertura del concilio ecumenico Vaticano II era venuto a Roma un certo numero di vescovi da Oltrecortina: quelli della Polonia, alcuni dall'Ungheria e dalla Cecoslovacchia; inoltre due osservatori ortodossi del patriarcato di Mosca. La novità scaturiva anche dallo stile del papa: una carica di simpatia nel guardare ai piú lontani, la capacità di rendersi conto delle reali difficoltà in cui versavano i popoli dell'Est, l'arte di creare un clima di fiducia, la cura di non ferire le persone anche quando si proclama la verità.

C'erano stati gli auguri di Nikita Krusciov per gli ottant'anni del papa (novembre 1961), l'appello di Giovanni XXIII a Kennedy e Krusciov per la crisi di Cuba (ottobre 1962), la liberazione del metropolita greco-cattolico di Leopoli monsignor Slipyj dal carcere in Siberia (febbraio 1963), l'udienza al direttore delle «Izvestija», Alexei Adjubei, e alla moglie Rada (marzo 1963).

*Un timido segno pasquale.*

Nella Settimana santa di quell'anno era misteriosamente pervenuta in Vaticano per posta una lettera con cui monsignor Beran, arcivescovo di Praga, da anni relegato in località sconosciuta, chiedeva al papa che cosa si potesse fare per la sua diocesi e la sua persona. Giovanni XXIII ricevette la missiva come un annuncio pasquale; di lí partí l'incoraggiamento al cardinale König a prendere qualche iniziativa e l'istruzione a monsignor Casaroli, che era a Vienna per una conferenza diplomatica, di visitare Budapest e Praga.

Cominciò cosí la solitaria avventura. Lasciando il prelato vaticano alla frontiera ungherese, l'autista della nunziatura era rientrato a Vienna. Monsignor Casaroli si era trovato lí, in cravatta e abito borghese, una «figura solitaria di fronte a quello che era ancora per me l'Oriente sconosciuto».

Un'esperienza di solitudine che egli riprovò a Budapest la notte in cui usciva dalla legazione americana dove aveva visitato il cardinale Mindszenty che vi era rifugiato: «La sera avanzava e io mi sentivo sempre piú preso dalla preoccupazione di come avrei potuto poi raggiungere la mia residenza, in una città sconosciuta, di cui ignoravo completamente la lingua [...]. Il viaggio di ritorno fu quasi "a rischio", ma qualche buon angelo guidò i miei passi insicuri fino al porto desiderato, presso una piazza di cui fortunosamente avevo ricordato il nome. Mi infilai nella mia residenza nascosto dalla oscurità della notte».

La sera, la città sconosciuta, i passi insicuri verso una residenza appena intravista nella notte appaiono come la metafora biblica di chi si avventura in una traccia mai percorsa soltanto per rispondere a una misteriosa chiamata di Dio. Una solitudine che lo accompagnerà per oltre venticinque anni nell'accidentato, insidioso cammino, tanto piú solitario non solo perché compiuto attraverso un mondo ostile e diffidente, ma perché assillato da continui dubbi e timori che periodicamente risorgevano in vari ambienti della Chiesa.

*Grandi figure di pastori.*

Davanti a sé egli aveva una distesa gelata per la desolazione degli animi e l'impotenza delle istituzioni ecclesiali; in mezzo si ergevano alcune figure di pastori intrepidi, che si battevano per un ministero religioso da anni perseguitato o coartato.

Tre di essi erano dei giganti: il cardinale ungherese József Mindszenty, arcivescovo di Esztergom, condannato nel 1949 con un processo farsa e, dopo la rivoluzione del 1956 schiacciata dai carri armati sovietici, riparato nella rappresentanza diplomatica americana di Budapest; l'arcivescovo di Praga, monsignor Josef Beran, coraggioso testimone in Boemia della resistenza antinazista e, dopo il colpo di Stato comunista del 1948, relegato a confino, senza processo, in una località ignota; l'arcivescovo di Gniezno e Varsavia, cardinale Stefan Wyszyński, incarcerato e poi relegato dal 1953 al 1956, e da sempre prestigiosa e forte guida della Chiesa e del popolo polacco. Tre diverse figure di pastori, ciascuna con una visuale propria, tutti dotati di una forza d'animo salda come diamante.

Nella penombra della legazione statunitense, il 3 maggio 1963 il cardinale Mindszenty gli era apparso «chiuso nella sua nera sottana sacerdotale, un po' curvo come sotto il peso di troppo gravi preoccupazioni, ma con la tranquilla fierezza di chi si sente investito di una dignità saldamente radicata nella storia e nel diritto, anche se misconosciuta, il volto bianco illuminato dal fuoco di due occhi d'acciaio [...]. Grande figura, che sembrava impersonare la tragedia della Chiesa e del popolo ungherese [...] dava l'impressione di una lama d'acciaio, inflessibile, pronta allo scontro senza esclusione di colpi con una realtà ugualmente determinata anch'essa a non lasciarsi piegare».

Il cardinale era – e resterà sempre – decisamente contrario a ogni ipotesi di colloqui o negoziati col governo ungherese: la strada per aiutare la Chiesa e il popolo avrebbe potuto essere solo l'eliminazione del regime comunista. A suo parere, gravi responsabilità avevano gli americani che nel '45, nonostante il possesso dell'arma nucleare, avevano lasciato che l'Urss imponesse il proprio giogo su tanta parte d'Europa.

Il 13 maggio, a Praga, Casaroli incontrò monsignor Beran, ancora al confino: «Una figura umile e dignitosa che, dietro un sorriso quasi giovanile e una grande gentilezza di modi, riusciva appena a nascondere l'indomabile energia di un carattere sostenuto da uno spirito soprannaturale e da un amore verso la Chiesa davvero edificanti [...]. L'arcivescovo, nel farmisi incontro, trasudava quasi serenità e letizia, il volto illuminato da un largo sorriso. Era minuto, rapido e vivace "come un passero" mi disse poi qualcuno; dopo tutti quegli anni di detenzione comunista riusciva ancora – con mia meraviglia – a esprimere un certo ottimismo persino circa la situazione della Chiesa in Cecoslovacchia».

Questa ipotesi di un margine di «possibilismo» non era ricusata neppure dal cardinale Wyszyński. Dopo il 1956 egli aveva impresso un forte impulso alla vita della Chiesa in Polonia, infondendo coraggio ai fedeli, alle famiglie, organizzando una rete di catechesi in tutto il paese, reagendo a ogni vessazione; teneva uniti sotto la sua guida l'episcopato, il clero, il popolo, evitando sempre di legittimare il potere marxista ma prevenendo rotture che potessero fare piombare sulla nazione la calamità di un intervento sovietico. Piú tardi il capolavoro di Wyszyński sarà la celebrazione del Millennio del Battesimo della nazione (1966), preparato con nove anni di preghiere, di imponenti pellegrinaggi, di catechesi basate sui temi della «vita della grazia» e della «fedeltà della nazione alla Chiesa». L'episcopato aveva invitato in Polonia Paolo VI, che dopo il viaggio in Terra Santa (1964) e la visita all'Onu (1965) avrebbe desiderato recarsi pellegrino al santuario della Vergine di Częstochowa. Senonché, nel novembre del '65, i vescovi polacchi inviarono «dai banchi del concilio» la celebre lettera «di riconciliazione» all'episcopato tedesco «accordando perdono e domandando perdono» per le guerre, gli odi e le violenze che avevano contrapposti i due popoli, e auspicando che l'accettazione della nuova frontiera dell'Oder-Neisse potesse divenire tra Germania e Polonia un fattore di pace. I vescovi tedeschi accolsero il documento «con gioia ed emozione», ma il governo comunista di Varsavia, pressato da Mosca, reagí con durezza inaudita. Il cardinale replicò: «Aspettiamo che trionfi il buon senso. Un giorno diranno che i vescovi polacchi hanno reso un grande servizio alla loro patria». Dallo scontro col primate nacque la tendenza del governo a cercare interlocutori a Roma, con la Santa Sede. Naturalmente il cardinale temette che il «negoziatore» venuto da Roma potesse ingannarsi, perché ingannato, e il governo volesse ricavarne prestigio e fare accettare alla Chiesa pretese di fronte alle quali Roma non avesse sufficiente lucidità per opporsi e ricusarle. È evidente che il cardinale Wyszyński prese a stimare Casaroli via via che ne accertò non solo l'abilità, ma anche la lealtà e correttezza e capí che era uomo esperto, di convinzioni ferme, capace di difenderle. Il lungo viaggio del 1967 attraverso l'intera Polonia per visitare tutti i vescovi, nel quale monsignor Casaroli ebbe collaboratore prezioso monsignor Andrzej Deskur, e poté incontrare il giovane arcivescovo di Cracovia Karol Wojtyła, fu importante per chiarire che tra la Santa Sede e l'episcopato polacco c'era piena intesa di vedute e di azione. L'incontro con il cardinale Wojtyła fu molto cordiale: «Giovane ancora (47 anni), di un prestigio assai superiore all'età [...] assai legato agli uomini di cultura cattolica, molto popolare specialmente tra i giovani».

*Il dilemma assillante.*

È un fatto che per tutti gli anni della Ostpolitik si ebbe nella Chiesa un confronto serrato e incalzante, mosso dall'interrogativo drammatico che periodicamente emergeva. Tale confronto si giocava non sulle posizioni di trincea a cui la Chiesa era costretta, ma a livello delle opzioni di «politica» ecclesiale. Né il dilemma riguardava le previsioni se il comunismo sarebbe caduto a breve o a lunga scadenza: in quegli anni il sentimento prevalente, dentro e fuori dei paesi socialisti, era che un cambiamento non potesse attendersi se non da una guerra, la quale sarebbe stata inevitabilmente nucleare. Oggi si rischia di dimenticare che la contrapposizione tra Est e Ovest, con la corsa agli armamenti, tenne per decenni l'umanità sotto la prospettiva angosciosa di non poter sperimentare – come si espressero i padri del concilio Vaticano II nel paragrafo 82 della *Gaudium et spes* – «altra pace se non quella di una orribile morte». Di fatto, l'«equilibrio del terrore» contribuiva ad allontanare la speranza di una liberazione di quei popoli dai loro regimi. Il confronto non era neppure tra un clero intransigente e un clero collaborazionista, minoranza ridottissima, senza significato né credito. Le posizioni del comunismo, ispirate all'ateismo, erano cosí assolute che non propiziavano cedimenti o compromissioni; il programma di «demolizione» della Chiesa era dichiarato e perseguito cosí decisamente, che al piú l'unico appiglio di speranza poteva venire dal fatto che l'effetto della lotta antireligiosa risultava assai inferiore al progetto.

La sfida invece era se giovasse di piú alla Chiesa far fronte al comunismo con una resistenza a oltranza, oppure se questa resistenza, fermissima nei principi, ammettesse limitate intese su cose possibili e oneste. Si discuteva se il negoziare potesse fare guadagnare alla vita religiosa spazio e respiro oppure si risolvesse in un'illusione utile solo al prestigio dei regimi senza risultati durevoli per la Chiesa.

Meglio dunque una posizione di totale resistenza della Chiesa – *impavidam ferient ruinae* –, la quale un giorno sarebbe uscita gloriosa dalla prova, o un tentativo di raccogliere per i propri figli briciole oneste che cadessero dalla mensa del potere tirannico? La Chiesa, si osservava, piú che preoccuparsi della fama che le avrebbe riservato la storia, non poteva non provvedere, come una madre, alle necessità spirituali dei fedeli.

Tale era stata l'opzione pastorale di Giovanni XXIII. Proprio nella Pasqua del 1963, egli aveva aperto il pensiero alla speranza di qualche possibile cambiamento cosí argomentando nella *Pacem in Terris* (n. 7): «Non si dovrà mai confondere l'errore con l'errante [...]. L'errante è sempre e anzitutto un essere umano e conserva, in ogni caso, la sua dignità di persona [...]. E l'azione di Dio in lui non viene mai meno». Concludeva con parole quasi profetiche: «Può verificarsi che un avvicinamento o un incontro di ordine pratico, ieri ritenuto non opportuno o non fecondo, oggi invece lo sia o lo possa divenire domani» (n. 7).

Appena monsignor Casaroli tornò a Roma il papa, benché malato (gli restavano tre settimane di vita), volle riceverlo subito, per piú di due ore. Era soddisfatto che, alla fine del suo servizio pontificale, un passo importante avesse aperto la strada al dialogo con un mondo tanto ostile. Intuiva che «niente avrebbe potuto richiudere la breccia che egli era riuscito ad aprire nella Cortina di ferro». Restava sereno, lieto che le cose avessero cominciato a muoversi, ma ricordando che esse avrebbero richiesto ancora tempo. Il colloquio fu bellissimo e i minuti passavano rapidamente. Finita la conversazione, il papa accompagnò Casaroli alla porta e di nuovo volle ricordargli: «Andiamo avanti con buona volontà e fiducia, ma senza fretta».

Il nuovo papa Paolo VI, eletto il 21 giugno 1963, veniva da un'esperienza diversa. Credeva nelle possibilità della diplomazia come strumento che la Santa Sede aveva per tutelare la libertà religiosa, l'esistenza e l'attività della Chiesa e per servire le «grandi cause dell'umanità», la giustizia, il progresso sociale, la cultura, la pace. Per tali fini pensava di non dovere ricusare collaborazione neppure a governi di paesi in cui la situazione della Chiesa non fosse soddisfacente e ideale.

Ma il dialogo con i regimi comunisti gli appariva impraticabile. Nella prima enciclica *Ecclesiam suam* (6 agosto 1964), scrisse che questo dialogo era «assai difficile, per non dire impossibile» a causa della «mancanza di sufficiente libertà di giudizio e di azione e per l'abuso dialettico della parola, non già rivolta alla ricerca e all'espressione della verità obiettiva, ma posta al servizio di scopi utilitari prestabiliti» (n. 42). «La Chiesa del silenzio tace, – scriveva con tristezza il papa, – parlando solo con la sua sofferenza, e le fa compagnia quella d'una società compressa e avvilita, dove i diritti dello spirito sono soverchiati da quelli di chi dispone delle sue sorti». Dopo aver cercato di comprendere «con pastorale riflessione» i complessi motivi del turbamento e della negazione che convivono nell'intimo spirito dei seguaci dell'ateismo moderno – questa pagina si legge ancora con ammirazione! – accoglieva l'ipotesi di Giovanni XXIII che se «le dottrine, una volta elaborate e definite, rimangono sempre le stesse, i movimenti non possono non evolversi e non andare soggetti a mutamenti anche profondi. Noi non disperiamo, – concludeva, – che essi possano aprire un giorno con la Chiesa altro positivo colloquio, che non quello presente della nostra deplorazione e del nostro obbligato lamento» (n. 45).

*«Noi non disperiamo».*

Casaroli chiosa che se «Giovanni XXIII sembrava non aver dubbi, Paolo VI ne aveva molti: sentiva la responsabilità veramente storica essendo in gioco non solo l'avvenire della Chiesa, ma anche quello della libertà dell'uomo in tante parti del mondo, e dell'Europa in particolare».

Si infittivano le obiezioni, insistenti e molteplici: le trattative erano inutili, perché il comunismo, forte e impiantato, aveva un disegno di distruzione chiaro e indiscusso; erano dannose, perché accettare di divenire interlocutori di quei regimi equivaleva a dar loro un riconoscimento di affidabilità; il loro risultato era irrisorio, perché le concessioni erano minime, non sarebbero state mantenute e significavano un abbandono di quella parte della Chiesa perseguitata che si dimostrava piú eroica nella sua resistenza; le trattative infine avrebbero tolto alla Santa Sede la libertà di denunciare l'oppressione.

Paolo VI riuní i cardinali della Congregazione per gli Affari ecclesiastici straordinari, per avere un giudizio sull'opportunità o meno delle trattative. Il parere, accompagnato da varie considerazioni, avvertimenti e consigli di cautela, fu positivo. In sostanza, corrispondeva al pensiero di Paolo VI secondo il quale la Santa Sede si trovava «davanti a uno di quei doveri storici che non può rifiutarsi di affrontare», con prudenza e chiaroveggenza ma anche con il coraggio necessario. Avanti, «in nomine Domini», come diceva il motto del pontificato.

Concretamente, monsignor Casaroli era convinto che, dopo la devastazione delle incarcerazioni e deportazioni che avevano spopolato le diocesi, fosse prioritario ridare a quei paesi una gerarchia di vescovi moralmente degni, fedeli alla Chiesa, che, riconosciuti dai governi, potessero provvedere a una sufficiente cura pastorale della maggioranza dei cattolici – madri di famiglia, fanciulli, giovani e anche operai e contadini – che non avrebbero avuto altra possibilità per la propria vita religiosa (neppure ricorrendo a formazioni ecclesiali clandestine, inevitabilmente elitarie, come in Cecoslovacchia). Naturalmente insieme con le nomine, la Santa Sede chiedeva che i vescovi e il clero avessero reali possibilità di esercitare il loro ministero e che si ristabilissero le comunicazioni tra loro e la Santa Sede.

Queste priorità, che monsignor Casaroli definiva costrette «entro i limiti» delle possibilità in atto, erano considerate «riduttive» e inefficaci dai critici dell'Ostpolitik. Si ironizzava affermando che i *modus vivendi* erano piuttosto dei *modus non moriendi*, non considerando che proprio a questa ostinazione nell'assicurare una base per la sopravvivenza della Chiesa erano affidate le possibilità per la sua vita futura.

In Ungheria la prima difficoltà da affrontare fu la situazione dei vescovi: su dodici diocesi, solo cinque avevano un proprio vescovo; gli altri erano «impediti». Le curie erano governate da commissari ministeriali: i vescovi avevano l'impressione di vivere in un «carcere nazionale» e speravano che la Santa Sede avrebbe avuto abbastanza forza per ottenere alle diocesi legittimi e degni pastori.

La logorante trattativa si concentrò sulla scelta dei candidati che il governo voleva fossero «suoi uomini», presi dal Movimento per la pace, mentre l'opinione pubblica cattolica era preoccupata che fossero veri vescovi della Chiesa e non del regime. Inoltre, era da trovare una soluzione al «problema Mindszenty». Il cardinale accettò di lasciare l'Ungheria alla fine del settembre 1971 venendo a Roma all'assemblea del sinodo dei vescovi. Ma non era contento, né tranquillo. «Ego debuissem mori in Hungaria», disse amareggiato.

Poi si trasferí a Vienna, nell'antico e glorioso Pazmaneum ungherese. Alla fine del 1973 il papa Paolo VI non potendo provvedere altrimenti al governo pastorale dell'arcidiocesi ritenne di dover nominare un nuovo pastore. Con una lettera scritta personalmente chiese al grande campione il doloroso sacrificio di rinunciare al titolo di arcivescovo di Esztergom e di primate di Ungheria: «Solenne il tono, quanto grave e inusuale il passo, vibrante di venerazione, di affetto, di emozione [...]. Terribile il colpo che il papa cercava di lenire in qualche modo con la delicatezza delle sue parole e l'elevatezza delle sue considerazioni». Il cardinale rispose con rispetto, ma con un netto rifiuto. Paolo VI riscrisse che, non volendo forzarlo a un atto contrario alla sua coscienza, aveva deciso di prendere su di sé la responsabilità di dichiarare vacante l'arcidiocesi primaziale.

Fu un caso unico, il piú doloroso per Paolo VI, in tutto il pontificato. Un caso che credo abbia un precedente solo nelle «rinunce» dolorose richieste a vescovi francesi da Pio VII al tempo del concordato con Napoleone Bonaparte.


Se il negoziato con l'Ungheria si protrasse a lungo, quello con la Cecoslovacchia non arrivò mai a conclusione. Furono «trattative impossibili». Dopo il colpo di Stato di Gottwald nel 1948, la Chiesa era totalmente prostrata: nazionalizzate le scuole cattoliche, espropriati i beni ecclesiastici, soppressi gli ordini religiosi, i seminari ridotti a due sotto il controllo dello Stato per l'ammissione e il numero dei candidati, la gioventú strappata alla famiglia e alla Chiesa, l'estromissione quasi totale della gerarchia legittima, la soppressione della diocesi greco-cattolica di Prešov. In un primo tempo, il regime aveva tentato invano di mettere in piedi una Chiesa nazionale, poi aveva utilizzato il sistema dei «vicari capitolari», imponendo a tempo indeterminato alle diocesi ecclesiastici di scelta governativa presi dal movimento filogovernativo della *Pacem in terris*. Con la formula della «lealtà allo Stato» il piú ostile giurisdizionalismo pretendeva la subordinazione totale di ogni ecclesiastico ai funzionari del regime. I vescovi piú significativi e scampati alla morte – Vojtaššák, Hopko, Trochta, Tomášek e altri – erano colpiti da condanne di 15-20 anni di carcere che tuttora scontavano, mentre Beran era sempre al confino. Quando Casaroli li incontrò nell'ottobre 1963 gli sembrò che fossero dei fuoriusciti: «La modestia, anzi la povertà dell'abbigliamento nulla toglieva a un atteggiamento dignitoso che lunghi anni di sofferenze e di umiliazioni non avevano potuto modificare. E, unita a questa dignità, una grande serenità, dovuta alla coscienza di aver compiuto il proprio dovere». Monsignor Beran si dichiarò pronto al sacrificio di se stesso, a lasciare il paese, purché giovasse al bene della diocesi e della Chiesa.

La diocesi di Praga fu affidata all'amministratore apostolico monsignor František Tomášek, divenuto piú tardi arcivescovo e cardinale. Le trattative si trascinarono, da una stagione all'altra, anno per anno, con confronti senza esito, salvo la nomina di due vescovi e di due amministratori apostolici nel febbraio 1973 e l'elevazione al cardinalato dell'intrepido monsignor Trochta. Piú volte Paolo VI volle riflettere a lungo; ogni volta, nonostante l'assenza di risultati, decise di non rinunciare ai negoziati: «Sta bene. Continuare. Il Signore aiuterà». Ancora nel marzo 1977, ricevendo i cinque vescovi cecoslovacchi il papa osservava con tristezza che otto diocesi su tredici erano private da molti anni dei loro pastori. Ciononostante, la Santa Sede «che nulla ha finora tralasciato, nulla tralascerà» per aiutarle. Il confronto col governo cecoslovacco si rinnovò infruttuoso, per anni, fino al fatidico 1989.

Non si vogliono riassumere qui tutte le fasi dell'Ostpolitik descritte da monsignor Casaroli, ma solo rilevarne il profilo e le ragioni. Lo stesso autore non ha incluso nel testo casi importanti come la Romania e la Germania dell'Est (ed è un indizio, forse, che non abbia avuto tempo di integrarvi tutte le situazioni). Egli ha concentrato l'attenzione sull'Ungheria, sulla Cecoslovacchia, sulla Polonia, mettendo in evidenza ciò che era comune ai tre paesi (l'ideologia marxista e il fatto che la politica di quei regimi verso la Chiesa cattolica era influenzata pesantemente, specialmente nel primo decennio, dalle direttive di Mosca) e ciò che diversificava profondamente l'una nazione dall'altra per situazioni religiose, storiche e culturali (una Polonia dal cattolicesimo forte e compatto, un'Ungheria con la Chiesa dissanguata e privata delle sue strutture, una Cecoslovacchia con una Chiesa devastata nelle persone e negli istituti). Tre situazioni disomogenee, ma tre Chiese tutte gloriose nel martirio e convergenti nell'invocare la libertà. Accanto a queste trattative monsignor Casaroli rievoca con ampiezza di dati il negoziato con la Jugoslavia, avviato dopo che si era consumato il dramma del cardinale Stepinac e quando il governo federale di Tito, libero da condizionamenti di Mosca, aveva motivi propri per pervenire a un *modus vivendi*.

*La Conferenza di Helsinki.*

L'autore sottolinea che negli anni Settanta un sostegno significativo ai negoziati bilaterali tra la Santa Sede e i governi comunisti dell'Europa centrale e orientale venne dalla Conferenza sulla sicurezza e la cooperazione in

Europa, avviata a Helsinki con i negoziati preliminari del novembre 1972 e conclusa con l'atto finale del 1° agosto 1975 di cui Casaroli fu firmatario accanto ai capi di Stato e di governo di 34 altri paesi. Il riconoscimento dei diritti dell'uomo e delle libertà fondamentali, tra cui era sottolineata «la libertà dell'individuo di professare e praticare, solo o in comune con altri, una religione o un credo agendo secondo i dettami della propria coscienza» (VII principio dell'atto finale), offrí un quadro inedito di sostegno alle richieste della Santa Sede in favore della libertà religiosa e ai negoziati bilaterali. Tra l'altro, permise che alla riunione di Belgrado (1977) potesse essere finalmente denunciata l'enorme ingiustizia operata nel 1946 con la soppressione delle Chiese cattoliche orientali in Ucraina e Romania.

Nel gennaio 1978, nell'ultimo suo discorso al Corpo diplomatico, Paolo VI dava voce alla richiesta corale di libertà per la fede con una domanda incalzante in favore non solo dei cattolici, ma di tutti i credenti: «Les temps ne sont-ils pas mûrs désormais, l'évolution historique n'est-elle pas suffisamment avancée que certaines raideurs du passé soient surmontées, que soit accueillie la supplication de millions de personnes, et pour que tous – dans la parité de condition entre concitoyens et dans le concours solidaire de tous au bien civique et social de leur pays – puissent bénéficier du juste espace de liberté pour leur foi, dans ses expressions personnelles et communautaires?»[1].

C'è, in questa vicenda storica, un passaggio che colpisce profondamente. Giovanni XXIII aveva lasciato a Paolo VI l'indicazione di tentare un dialogo possibile sulle cose. Ora Paolo VI affidava al successore, Giovanni Paolo II, di lanciare a tutte le dimensioni la grande invocazione dei credenti alla libertà.

---

[1] «Insegnamenti di Paolo VI», XVI, 1978, pp. 29-30.

*Il papa venuto dall'Est.*

L'elezione a papa del cardinale Karol Wojtyła il 16 ottobre 1978 fu l'improvviso evento che, sommovendo dal profondo la realtà dei paesi a regime comunista, impresse una forza straordinaria, inedita e imprevista, alla resistenza della Chiesa e alle richieste di libertà religiosa. Apparve subito che il papa venuto dall'Est portava, in una personalità vigorosamente carismatica, alcuni elementi che nel decennio dal 1979 al 1989 divennero fattori di sfida e di totale confronto: 1) l'esperienza personale che un pastore della Chiesa aveva delle oppressioni e ingiustizie sofferte, nel corpo e nello spirito, dalla propria gente; 2) l'affermazione che i diritti dell'uomo affondano nell'unica radice della dignità della persona, sono strettamente connessi fra loro (scelte di coscienza, espressioni del pensiero, libertà di lavoro e di associazione, ecc.) e costituiscono la verifica per la legittimità degli Stati e dei governi; e questa fu la spinta che mosse il grande slancio di Solidarność in Polonia; 3) la fierezza di una nazione che, come diceva il cardinale Wyszyński, avendo avuto confiscate la libertà e sovranità, rivendicava la restituzione della propria dignità storica e cristiana. È esattamente la rivendicazione che Giovanni Paolo II assunse in prima persona già a Gniezno il 3 giugno 1979, nel primo viaggio in Polonia: «Non vuole forse Cristo, non dispone lo Spirito Santo che questo papa – il quale porta nel suo animo profondamente impressa la storia della propria nazione dai suoi stessi inizi, e anche la storia dei popoli fratelli e limitrofi – manifesti e confermi, in modo particolare, nella nostra epoca la loro presenza nella Chiesa e il loro peculiare contributo alla storia della cristianità? [...] Non vuole forse Cristo, non dispone forse lo Spirito Santo, che questo Papa polacco, Papa slavo, proprio ora manifesti l'unità spirituale dell'Europa cristiana?»[2]. E la forza profetica

---

[2]  «Insegnamenti di Giovanni Paolo II», II, 1979, p. 1403.

di queste domande avrebbe trovato un'impressionante conferma meno di due anni dopo nel tributo di sangue offerto da Giovanni Paolo II il 13 maggio 1981 in piazza San Pietro.

Quanto alla libertà religiosa il papa, nella sua prima enciclica *Redemptor hominis,* diceva a chiare lettere che la sua negazione costituiva «una ingiustizia radicale riguardo a ciò che è particolarmente profondo nell'uomo, riguardo a ciò che è autenticamente umano» (n. 13). E in nome di questo umanesimo egli rivolse a tutti i capi di Stato firmatari dell'atto finale di Helsinki una lettera personale in cui chiedeva che le legislazioni dessero piena attuazione alla libertà di coscienza e di religione nelle sue dimensioni individuali e comunitarie.

Con questo spirito egli diede convinto e vigoroso impulso ai negoziati bilaterali con i singoli governi per la libertà della Chiesa, condotti e sviluppati infaticabilmente sotto la direzione del cardinale Casaroli, che il papa aveva scelto come segretario di Stato.


*«Voglio destare l'aurora».*

Da che cosa era stato animato monsignor Casaroli, questo sacerdote discreto, garbato nei gesti e rispettoso nel linguaggio, quando, armato della piccola fionda della sua tenacia prese a misurarsi col Golia comunista?

Certamente, da una grande fede nella missione della Chiesa, chiamata ad annunciare la speranza del regno di Dio a poveri e a ricchi, a dotti e a indotti, a credenti e ad agnostici. E perché non anche ad atei? «Destati, anima mia, destatevi arpa e cetra, perché possa destare l'aurora». È il salmo 56 che monsignor Casaroli aveva tradotto personalmente dalla *Vulgata* e teneva tra le sue carte.

Si propose di «destare l'aurora». L'aurora di una speranza per le comunità di credenti oppressi e umiliati dai regimi del «socialismo reale». Egli dice che «quella enorme convulsione epocale che ha nome comunismo, nella sua concreta realizzazione storica» era stata per lui oggetto di un «interesse seducente anche se angoscioso». Seduzione e angoscia: egli parla del fenomeno marxista-leninista come di qualcosa che simultaneamente appariva terribile e immane. Grandioso nell'ambiziosa utopia di forgiare un'umanità nuova, orribile nella spietatezza impiegata per costringere gli uomini a quella immaginaria felicità.

In quel contesto la Chiesa era considerata nemica perché predicando la speranza in un mondo ultraterreno, il perdono dei torti e delle ingiustizie e l'amore dei nemici, minava alle radici quella lotta di classe nella quale il marxismo vedeva la molla del progresso dell'umanità verso il futuro felice a cui dovevano sospingerla le leggi della storia.

Ma egli ricordava la parola mormoratagli da Giovanni XXIII in un colloquio: la Chiesa può avere molti nemici, ma essa non è nemica di nessuno. Perché la Chiesa ama gli uomini. Essa, chiosa Casaroli, è «una società cosí debole e cosí forte, tanto soggetta alle limitazioni e alle miserie degli uomini che la compongono, e pervasa insieme, anche nelle epoche buie della sua storia, da ondate luminose di eroismo e di santità, cosí fragile che ne è stata piú volte profetizzata la fine e pur continuamente risorgente».

Qual era lo stile di questo approccio? Nasceva da una fede saldissima coniugata con una rara finezza intellettuale. Dalla prima gli veniva il coraggio biblico di operare, anche nelle situazioni piú ardue, *contra spem in spem* e di sopportarne il peso e la solitudine; dalla seconda una capacità di analisi che gli dava il senso delle *cose possibili*. Dall'una e dall'altra traeva la limpida valutazione delle *cose necessarie*. Intuitivo e concreto, sapeva imporsi la pazienza nelle situazioni, non rassegnarsi mai e preparare la soluzione che in seguito sarebbe apparsa come una scelta coerente e creativa. Nel negoziato era attento a cogliere le ragioni da cui era mosso l'interlocutore, per un senso di realtà e per un debito di lealtà, sicuro che se ne sarebbero giovate la chiarezza del confronto e la credibilità delle posizioni. Fiducioso che anche quando gli uomini apparivano chiusi nelle corazze di posizioni pregiudiziali, c'era sempre qualche spiraglio per arrivare al cuore delle persone. Aveva fiducia che nella coscienza degli uomini esiste una luce misteriosa, che non può essere spenta neppure nella morsa della piú spietata delle istituzioni.

*«L'uomo è la prima e fondamentale via della Chiesa»*.

Questa teologia della grazia lo portava a vedere attorno a sé uomini, non nemici. Se ci sono uomini lontani da Dio, Dio in Cristo non resta lontano dall'uomo. Lo ricordava nella *Redemptor hominis* Giovanni Paolo II nella sua prima enciclica, riprendendo la *Gaudium et spes* (n. 22): «Con l'incarnazione il Figlio di Dio *si è unito* in certo modo *a ogni uomo*». L'enciclica raccoglie le speranze che avevano sostenuto le profezie di Giovanni XXIII e gli sforzi di Paolo VI, e orienta la Chiesa a operare «senza paura» e senza temere le «porte chiuse», perché sulla «via sulla quale Cristo si unisce a ogni uomo, la Chiesa non può essere fermata da nessuno» (n. 13). «La Chiesa non può abbandonare l'uomo, la cui "sorte", cioè la scelta, la chiamata, la nascita e la morte, la salvezza o la perdizione, sono in modo cosí stretto e indissolubile unite al Cristo [...]. L'uomo, nella piena verità della sua esistenza, del suo essere personale e insieme comunitario e sociale [...] è la prima e fondamentale via della Chiesa» (n. 14). Si può comprendere, allora, che nella visione di monsignor Casaroli le situazioni fossero non solo osservate, ma trasfigurate: gli occhi della fede sapevano cercare dove altri si arrestavano. Chi era dall'altra parte poteva non cogliere questo «mistero», ma gli avversari stimavano la rettitudine e l'affidabilità dell'uomo. Egli si presentava ogni volta con un proposito tenace, paziente, pervicace, che non cedeva, che inesausto riproponeva (come nelle «trattative impossibili» con i cecoslovacchi) le ragioni morali per cui la Santa Sede non avrebbe mai potuto accettare per la Chiesa vescovi moralmente e dottrinalmente non degni, strumentalizzati dal regime. Ciò significava prolungare i tentativi all'infinito, nell'incertezza dei risultati, ma senza rinunciare a speranze possibili. «È il martirio della prudenza», gli aveva detto un giorno un vescovo lituano che, scontata una lunga condanna, aveva ricevuto dall'autorità civile il «consenso» a tornare al governo della sua diocesi. «Ho passato tanti anni in Siberia e non ho mai pianto; sapevo di soffrire per la mia fedeltà alla Chiesa, e ciò mi dava pace e tranquillità; dormivo i miei sonni sereni, e svegliandomi al mattino sapevo che cosa avrei dovuto fare durante il giorno. Ora non piú. Ogni giorno sono a chiedermi quali decisioni devo prendere, al servizio della Chiesa, dei sacerdoti e dei fedeli affidati alle mie responsabilità. Critiche, lagnanze, esortazioni da tutte le parti: chi mi giudica troppo debole o arrendevole di fronte al governo e chi mi rimprovera di essere poco prudente o poco previdente». Molto simile è il martirio della pazienza che, per anni, provò Casaroli accompagnando il martirio della sofferenza delle Chiese oppresse dai regimi comunisti.

*Fedeltà alla missione.*

Si è tentato piú volte, e lo si farà ancora, di fare un bilancio dell'Ostpolitik. I pareri sono diversi, perché diversi sono i metri con cui si valutano quegli eventi. Prevalente è spesso il criterio dell'*efficacia*: quali sono stati i risultati, quali i vantaggi venuti alla Chiesa?

Monsignor Casaroli è il primo a riconoscere che gli esiti erano, in varia misura, limitati e ristretti. Dopo il 1945 la Chiesa era stata investita nella sua libertà e nelle sue istituzioni da un uragano che avrebbe potuto inabissarla mortalmente. La pesantezza dell'oppressione la teneva sommersa a diversi livelli di profondità, tutti al di sotto di desiderate emersioni all'aria e alla luce. Ogni miglioramento era qualcosa, ma mai arrivava al livello della normale libertà religiosa. D'altra parte il «margine ridottissimo» era da vedere piuttosto in senso costruttivo, cioè valutando quanto potesse restare alla Chiesa per non scomparire del tutto. Bisognava tentare un dialogo attivo, paziente, instancabile, per garantire alla Chiesa e alla vita religiosa almeno un respiro lungo di sopravvivenza. Bisognava tenere socchiusa la porta, senza legittimare i regimi, accettare la sfida rivolta al futuro, ciò che poi corrispondeva alla fiducia cristiana nella provvidenza.

Ne deriva che, in tali condizioni, il criterio da considerare non è soltanto l'efficacia (anche se questa risulta indiscutibile, per i tangibili miglioramenti ottenuti), ma la *fedeltà alla missione*. Questa fedeltà fu cosí descritta da Paolo VI in un discorso al collegio dei cardinali (21 giugno 1976): «È per porre rimedio a un cosí doloroso stato di cose, per correggerne il corso nel senso della giustizia, che la Santa Sede ha intrapreso un dialogo attivo e instancabile, paziente, franco, tanto fermo nell'affermazione dei principî e del buon diritto della Chiesa e dei credenti quanto pronto alle intese oneste e leali che con quei principî siano conciliabili»[3].

Ed è interessante il giudizio che già ne diede nel 1983, in un convegno, una studiosa di valore, Hélène Carrère d'Encausse, di cui pure erano note le riserve sull'Ostpolitik: «En imposant aux États communistes le maintien d'un certain niveau de vie religieuse, contrepartie de concessions non discutables et parfois malheureuses, l'Ostpolitik tend à préserver dans les pays concernés des lieux de rassemblement, des moyens de diffusion des idées, des thèmes enfin, qui, étrangers à l'idéologie et au fonctionnement du monde communiste, contribuent à arracher les esprits à un environnement mono-idéologique. Cette *érosion du système* dans ce qu'il a d'essentiel – le côntrole des esprits – est

---

[3] «Insegnamenti di Paolo VI», XIV, 1976, pp. 505-6.

l'acquit le plus remarquable et le plus irréversible pro-
bablement d'une telle politique»[4].

Nel 1992, nel ricordare i venticinque anni dell'ordinazione episcopale del cardinal Casaroli, Giovanni
Paolo II scrisse che «la convinzione del valore dell'intelligenza umana e insieme la consapevolezza delle con-
naturate fragilità dell'uomo» avevano fatto maturare
in lui «quel tipico realismo storico» che l'aveva accompagnato nel lavoro di ogni giorno e che «rimane
anche per noi, – concludeva il papa, – un'utile lezione
di vita».

Una «lezione di vita» che il cardinale ha voluto offrire appunto a noi, senza pretese, con leggerezza di
tocco, con il ragionare pacato che è stato sempre suo;
che è come un fruscio leggero, un passo che sfiora il
terreno e muove verso la speranza.

Questa lezione è rivolta da «padre Agostino» soprattutto ai giovani. Nelle visite che faceva ai paesi
comunisti egli sempre indagava con curiosità lo stato
d'animo della gioventú. Si andava convincendo che,
dietro la facciata totalitaria, in quei regimi si stavano
producendo trasformazioni profonde «nei modi di
pensare, nei sentimenti, nelle aspirazioni soprattutto
della parte piú giovane della popolazione, operaia e intellettuale: quella che sarebbe diventata la protagonista della vita intellettuale e politica del domani delle
nazioni». Discutendo una volta, nelle trattative con la
Jugoslavia, sulle garanzie per il rispetto della libertà di
coscienza e delle convinzioni degli alunni cattolici delle scuole di Stato, di fronte a un reciso rifiuto dell'interlocutore governativo, Casaroli perse la pazienza e
sbottò: «Conoscendo i giovani sono sicuro che piú insisterete per imporre le vostre idee piú essi reagiranno chiudendosi in se stessi [...] in un futuro piú o meno lontano vi accorgerete di aver costruito sul vuoto
e di aver ottenuto l'effetto contrario».

---

[4] H. Carrère d'Encausse, *Paul VI et l'*Ostpolitik , in *Paul VI et la mo-
dernité dans l'Eglise*, Rome 1984, p. 554.

I giovani furono l'affidamento lasciatogli da Giovanni XXIII. Nell'ultimo colloquio, al momento di congedarlo, il papa chiese a monsignor Casaroli: «Va sempre da quei ragazzi?» Erano i giovani del carcere minorile di Roma che il prelato visitava ogni settimana. «Risposi semplicemente: "Sí, Santo Padre". Ed egli: "Non li abbandoni mai!"»

Questa la consegna che il papa volle dare al sottile, raffinato, suo agente diplomatico dell'Ostpolitik.

CARDINALE ACHILLE SILVESTRINI

Ringrazio gli amici professori Carlo Felice Casula, dell'Università di Cagliari, e Giovanni Maria Vian, dell'Università di Roma La Sapienza, che hanno elaborato le note relative rispettivamente ai personaggi politici e agli ecclesiastici.

# Premessa

Ringrazio le persone che hanno reso possibile e hanno collaborato alla pubblicazione di queste pagine scritte da mio zio, il cardinale Agostino Casaroli.

Piú volte era stato sollecitato, in Italia e all'estero, a mettere per iscritto i suoi ricordi, ma solo nel silenzio degli ultimi anni, spinto dal desiderio di lasciare ai giovani una testimonianza, anzi, com'egli diceva, «una lezione di storia», ha scritto queste pagine, che io ho raccolto dopo la morte dalla sua scrivania. Forse avrebbe voluto aggiungere qualche altro paragrafo, o «limare» ancora, com'era sua abitudine, il racconto, nella ricerca continua dell'espressione piú appropriata.

Pur consapevole di questa apparente incompiutezza ho affidato il manoscritto originale e il dattiloscritto, rivisto e corretto dallo stesso autore, al cardinale Achille Silvestrini.

Mi sono rivolta a lui in nome di un'amicizia che risale a molti anni fa, quando lo zio già dedicava il proprio impegno a quello che chiamava «il diritto alla libertà di religione e di fede», o meglio «il diritto alla libertà di scegliere, secondo la propria coscienza, che ogni persona deve avere in ogni paese».

Conservo il bel ricordo delle visite compiute da don Achille e da mio zio nella nostra casa di Milano per le nascite di Matteo e di Davide, nel 1973 e nel 1975, avvenute proprio in coincidenza dei due vertici di Helsinki dove i due prelati erano andati insieme.

ORIETTA CASAROLI ZANONI

# Agostino Casaroli: nota biografica

1914  (24 novembre) Nasce a Castel San Giovanni (Piacenza) in una famiglia di modeste condizioni economiche.

1937  (maggio) È ordinato sacerdote dopo aver studiato al Seminario vescovile di Bedonia e al Collegio Alberoni di Piacenza. Nello stesso anno entra, a Roma, nella Pontificia accademia ecclesiastica per seguire i corsi preparatori alla diplomazia vaticana.

1939  Si laurea in diritto canonico presso l'Ateneo Lateranense, dove si era iscritto tre anni prima.

1940  Entra in servizio in Segreteria di Stato, nella Sezione degli Affari ecclesiastici straordinari, in qualità d'archivista.

1947  Segue un corso di perfezionamento presso la Società Italiana per l'Organizzazione Internazionale.

1950-61 In Segreteria di Stato, come minutante, si occupa specificamente dell'America Latina, compiendo anche alcune missioni. Nel 1955 accompagna il cardinale Piazza e monsignor Antonio Samorè a Rio de Janeiro per la prima conferenza dell'episcopato latino-americano, alla cui preparazione egli aveva lavorato da Roma. Nel 1958, in qualità di ablegato pontificio, si reca in Spagna, per la consegna della berretta cardinalizia al cardinale arcivescovo di Siviglia, Bueno y Monreal. Dal 1958 al 1961 insegna stile diplomatico alla Pontificia accademia ecclesiastica.

1961  (marzo) È nominato da Giovanni XXIII sottosegretario della Congregazione per gli Affari ecclesiastici straordinari accanto a monsignor Giovanni Battista Scapinelli di Lèguigno. Lo stesso mese guida la delegazione della Santa Sede alla Conferenza delle Nazioni Unite sulle relazioni diplomatiche che si svolge a Vienna.

1963  Sempre a Vienna, partecipa alla Conferenza delle Nazioni Unite sulle relazioni consolari, firmando per conto della Santa Sede la relativa convenzione. Partendo da Vienna compie, su di-

sposizione del papa, due viaggi a Budapest e a Praga per riprendere i contatti, interrotti da anni, con i governi comunisti.

1964    (luglio) Si reca a Tunisi per lo scambio degli strumenti di ratifica del *modus vivendi* stipulato tra la Santa Sede e la Tunisia sulla presenza della Chiesa cattolica nel paese. (settembre) Firma a Budapest un primo parziale *agreement* tra
la Santa Sede e l'Ungheria.

1965    (febbraio) Si reca a Praga per concordare con il governo la
concessione del permesso per monsignor Josef Beran, arcivescovo di Praga, di potersi recare a Roma per essere creato
cardinale. Il governo cecoslovacco impone che Beran non faccia piú ritorno in patria, ma accetta la nomina da parte della
Santa Sede di un amministratore *sede plena* di quell'arcidiocesi nella persona di monsignor František Tomášek.

1966    (giugno) Firma a Belgrado un «protocollo» tra la Santa Sede e la Repubblica federativa jugoslava che comporta la ripresa, tramite lo scambio di «inviati», dei rapporti interrotti nel 1952.

1967    (luglio) Il giorno 4 è nominato segretario della Congregazione
per gli Affari ecclesiastici straordinari, che l'anno successivo,
nel 1968, assumerà la nuova denominazione di Consiglio per
gli Affari pubblici della Chiesa. Il 16 nella Basilica vaticana è
ordinato vescovo da Paolo VI. Lo stesso papa lo avrebbe suc-
cessivamente nominato anche presidente della Pontificia commissione per la Russia e membro di quelle per l'America Latina e per la Pastorale delle migrazioni e del turismo e consul-
tore delle Congregazioni per la Dottrina della fede e per i
vescovi e della Pontificia Commissione per la revisione del Codice di diritto canonico. Nell'autunno dello stesso anno compie diversi prolungati viaggi in Polonia per stabilire dei contatti con l'episcopato, il clero e il laicato cattolico.

1970    (agosto) In occasione del ristabilimento dei rapporti diplomatici tra la Santa Sede e la Jugoslavia, vi compie una visita ufficiale, incontrando il presidente della Repubblica, il
ministro degli Esteri, esponenti dei governi delle repubbliche federate della Croazia e della Slovenia e il patriarca serbo-ortodosso.

1971    (febbraio-marzo) Si reca a Mosca per depositare il documento
ufficiale di adesione della Santa Sede al Trattato sulla non
proliferazione delle armi nucleari. Incontra per l'occasione
dirigenti del ministero degli Esteri e della Commissione affari religiosi dell'Urss. È la prima volta, dopo cinquant'anni, che si hanno contatti a livello ufficiale diplomatico tra
rappresentanti del governo sovietico e della Santa Sede.

1973  (marzo) Si reca in Cecoslovacchia, dove consacra quattro nuovi vescovi, dopo che per diversi decenni questo era stato impossibile. (luglio) Partecipa a Helsinki, in rappresentanza della Santa Sede, alla riunione dei ministri degli Esteri per la Conferenza per la sicurezza e la cooperazione in Europa.

1974  (febbraio) Si reca in Polonia, su invito del ministro degli Affari esteri, incontrando a Varsavia le massime autorità dello Stato. Ospite del cardinale primate, Wyszyński, ha colloqui con i rappresentanti dell'episcopato polacco. Alla fine di marzo e nei primi giorni di aprile si reca a Cuba per partecipare all'assemblea della Conferenza episcopale, visitando tutte le diocesi e incontrando anche il presidente della Repubblica, il capo del governo e il ministro degli Esteri.

1975  (febbraio) Compie una breve visita in Cecoslovacchia, dove incontra il ministro degli Esteri. (giugno) Si reca nella Repubblica democratica tedesca, incontrando a Berlino Est il presidente del Consiglio e, visitando, ospite dell'episcopato, alcune sedi vescovili. (luglio-agosto) Prende parte a Helsinki, come delegato speciale del papa, alla fase conclusiva della Conferenza europea per la sicurezza e la cooperazione in Europa, firmando il documento finale. (ottobre) Compie una visita nella Repubblica federale tedesca, incontrando il cancelliere Helmut Schmidt.

1978  (gennaio) Dopo aver partecipato in una parrocchia cattolica di New York a un incontro ecumenico in occasione della giornata mondiale della pace, incontra, a Washington, il segretario di Stato Cyrus Vance e la Commissione senatoriale per i diritti dell'uomo. In una conferenza presso l'Istituto di studi strategici e internazionali dell'Università di Georgetown illustra l'azione della Santa Sede in campo internazionale. (giugno) A New York interviene all'Assemblea speciale delle Nazioni Unite sul disarmo, leggendo il messaggio inviato da Paolo VI. (agosto-ottobre) Giovanni Paolo I e poi Giovanni Paolo II lo riconfermano segretario del Consiglio per gli Affari pubblici della Chiesa.

1979  (marzo) Si reca in Polonia per predisporre la visita di Giovanni Paolo II. (aprile) è nominato pro-segretario di Stato e pro-prefetto del Consiglio per gli Affari pubblici della Chiesa. (giugno-luglio) Creato cardinale, è nominato segretario di Stato, prefetto del Consiglio per gli Affari pubblici della Chiesa e presidente della Pontifica Commissione per lo Stato della Città del Vaticano.

1980  (marzo) Si reca in Libano, in occasione dell'ordinazione episcopale del pro-nunzio monsignor Paul Tabet, partecipando alla riunione della Gerarchia cattolica assieme al Patriarca maronita. Incontra anche esponenti delle diverse confessioni religiose presenti in Libano e ha colloqui con il presidente della Repubblica, Elias Sarkis. (settembre) Partecipa in Ungheria alle celebrazioni per il millennio della nascita di san Gerardo. Incontra per l'occasione il segretario del Posu, János Kádár.

1981   (gennaio) È nominato presidente dell'Amministrazione del patrimonio della Sede Apostolica. Questa responsabilità sarà nel 1984 sostituita dal conferimento da parte del papa di uno speciale mandato a rappresentarlo nel governo civile dello Stato della Città del Vaticano. (maggio) Presiede in Polonia i solenni funerali del primate cardinale Wyszyński. (dicembre) È inviato speciale di Giovanni Paolo II per la chiusura delle celebrazioni del 450° anniversario dell'apparizione della Madonna di Guadalupe, patrona delle Americhe. A Washington incontra il presidente Ronald Reagan, il vicepresidente George Bush e il segretario di Stato, George Schultz. Li incontrerà ancora, nel 1982, a Hartford e, nel 1983, nuovamente a Washington.

1984   (febbraio) Firma per conto della Santa Sede l'accordo di revisione del Concordato con l'Italia. (ottobre) Nell'Argentina appena uscita dalla lunga dittatura militare partecipa, come legato del papa, all'ottavo Congresso eucaristico nazionale, incontrando, per l'occasione, le massime autorità civili con il nuovo presidente della Repubblica, Raúl Alfonsín.

1985   (maggio) È elevato all'ordine dei vescovi col titolo della diocesi di Porto e Santa Rufina, pur conservando quello dei Santi XII Apostoli. (giugno) Presiede, a nome del papa, alla firma da parte del Cile e dell'Argentina del Trattato di pace e di amicizia, il cui testo era stato elaborato grazie alla mediazione della Santa Sede a superamento della controversia sul Canale di Beagle. (luglio) Partecipa alle celebrazioni in onore dei santi Cirillo e Metodio, nella ricorrenza dell'XI centenario della morte di san Metodio, che si svolgono a Djakovo in Jugoslavia e a Velehrad, in Cecoslovacchia. Incontra per l'occasione gli episcopati locali e le autorità civili, il vicepresidente della Jugoslavia Sinan Hasani e il presidente della Repubblica cecoslovacca, Gustav Husák. (ottobre) Nel quarantesimo anniversario dell'entrata in vigore della Carta delle Nazioni Unite, a New York, di fronte all'Assemblea generale dell'Onu, legge il messaggio inviato da Giovanni Paolo II.

1986   (giugno) In occasione della benedizione della cappella della nuova sede della nunziatura in Grecia, ad Atene partecipa a una serie di incontri con autorità religiose e civili.

1987   (maggio) Per il cinquantesimo anniversario della sua ordinazione sacerdotale, Giovanni Paolo II gli indirizza una let-

tera di apprezzamento e di gratitudine per l'importantissi-
mo lavoro da lui svolto.

1988    (giugno) Si reca in Unione Sovietica per le celebrazioni del
Millennio della Russia cristiana. Incontra, in questa occasione, il nuovo segretario del Pcus, Michail Gorbaciov.

1989    (febbraio) Interviene a Ginevra alla Conferenza sul disarmo e
alla Commissione sui diritti umani. (novembre-dicembre) Incontra prima il presidente degli Stati Uniti George Bush, poi
Gorbaciov, in occasione della sua storica visita in Vaticano.

1990    Partecipa in Ungheria alla solenne celebrazione in memoria
del cardinale József Mindszenty. Firma nel Parlamento di
Budapest l'accordo per il ristabilimento delle relazioni diplomatiche tra Ungheria e Santa Sede. (settembre) Firma a
New York, per conto della Santa Sede, la Carta dell'Unicef
sui diritti dei bambini. (novembre) Partecipa a Parigi, unico tra i firmatari della Conferenza di Helsinki, al summit
dei capi di Stato e di governo della Csce. Il 1° dicembre Giovanni Paolo II accetta le dimissioni di Casaroli dalla carica
di segretario di Stato già presentate al raggiungimento del
settantacinquesimo anno di età. Negli anni di servizio attivo Casaroli ha accompagnato Paolo VI e Giovanni Paolo II
in molti dei loro viaggi e ha ricevuto lauree e dottorati *honoris causa* in Europa e nelle Americhe.

1991-98 Senza piú impegni diplomatici e di governo, Casaroli ha
proseguito con assiduità e forte personale coinvolgimento
l'esercizio del proprio ministero sacerdotale tra i giovani de-
tenuti del carcere minorile di Casal del Marmo di Roma e
ha riordinato molti suoi scritti, partendo da una vasta raccolta di documenti. Nel gennaio 1995 per un programma
della Rai, *Gli anni che cambiarono il mondo. Il cardinale Casaroli racconta*, ha rievocato alcuni episodi della sua lunga
attività diplomatica. Muore il 9 giugno 1998 per sopravve-
nute complicazioni cardiocircolatorie.

Del cardinale Casaroli sono già stati pubblicati i seguenti volumi:
*Nella Chiesa per il mondo. Omelie e discorsi*, prefazione di J. Guit-
ton, Rusconi, Milano 1987.
*Der Heilige Stuhl und die Völkergemeinschaft. Reden und Aufsätze*,
a cura di H. Schambeck, Duncker & Humblot, Berlin 1981.
*Glaube und Verantwortung. Ansprachen und Predigten*, a cura di H.
Schambeck, Duncker & Humblot, Berlin 1989.
*Wegbereiter zur Zeitenwende. Letzte Beitrage*, a cura di H. Scham-
beck, Duncker & Humblot, Berlin 1999.

CARLO FELICE CASULA

# Il martirio della pazienza

# Capitolo primo
## Qualche segno di schiarita

L'aprile viennese s'avviava tranquillamente a termine. Abituata a riunioni internazionali di vario genere, che frequentemente la sceglievano a sede, Vienna non era troppo impressionata dalla Conferenza dell'Onu sui rapporti consolari, che si svolgeva all'Hofburg. Essa seguiva, a due anni di distanza, quella che fra marzo e aprile del 1961 aveva affrontato il tema, certamente piú importante, dei rapporti diplomatici fra gli Stati: con una certa generosità di fantasia, alcuni giornalisti avevano allora evocato il ricordo del famoso Congresso di Vienna del 1815.

Alla Conferenza del 1961 io avevo guidato la delegazione della Santa Sede. Da poco ero stato nominato sottosegretario di quell'organismo della Curia romana che si chiamava allora Sacra congregazione per gli Affari ecclesiastici straordinari e che corrisponde ora alla seconda sezione della Segreteria di Stato. Tale nomina era venuta ad allargare considerevolmente il campo dei miei compiti, prima limitati al settore, del resto assai vasto, dell'America Latina.

Anche alla Conferenza del 1963 ero stato designato capo della delegazione della Santa Sede. Questa aveva accettato l'invito a partecipare sia per le ragioni di ordine generale che la legano a varie attività dell'Onu, sia, nel caso specifico, per l'importanza che essa vedeva nel prendere parte alla formulazione del capitolo del *Corpus* del Diritto internazionale riguardante il settore consolare: un settore estraneo, per la verità, alla Santa Sede in quanto tale; ma il diritto consolare era già e avrebbe ancor piú potuto essere applicato, in certe sue disposizioni, a quelle figure di rappresentanti pontifici, privi del carattere diplomatico, che sono i delegati apostolici.

Ad ogni modo, attesa la minore rilevanza di questa seconda riunione, non partecipai all'intero suo svolgimento, restringendo la mia presenza all'apertura, a un breve periodo a metà Conferenza e alla sua conclusione, con la firma del documento finale. Proprio in vista di questa, avevo fatto ritorno a Vienna il 19 aprile, inconsapevole di quello che mi attendeva.

Il giorno precedente l'arcivescovo di Vienna, cardinal Franz König[1], aveva compiuto, quasi di nascosto, un gesto destinato ad avere notevoli conseguenze. Accompagnato dall'ambasciatore d'Austria in Ungheria, in una vettura protetta dalla targa diplomatica, il cardinale aveva effettuato, dal mattino alla sera, una specie di blitz, recandosi a visitare il cardinal József Mindszenty[2] nel suo rifugio all'interno della legazione degli Stati Uniti d'America a Budapest. Ne era al corrente, naturalmente, l'incaricato d'Affari nordamericano nella capitale ungherese, che era stato autorizzato dal proprio governo ad aprire all'illustre visitatore la porta della sede diplomatica. Il governo ungherese sapeva dell'invito a recarsi in Ungheria rivolto al cardinal König dal facente funzione di presidente della Conferenza episcopale ungherese, monsignor Hamvas[3], certamente non senza il suo permesso, durante la prima fase del concilio Vaticano II; non parve però che fosse stato direttamente informato dell'improvvisa visita (essa, ad ogni modo, non avrebbe potuto sfuggire all'occhio vi-

---

[1]  Franz König (1905), storico delle religioni, fu vescovo coadiutore di Sankt Pölten (1952-56); arcivescovo di Vienna (1956-85) e dal 1958 cardinale. È stato tra i protagonisti del concilio Vaticano II e primo presidente del Segretariato per i non credenti (1965-80).

[2]  József Mindszenty (1892-1975), vescovo di Veszprém (1944-45) e arcivescovo di Esztergom (1945-74), fu creato cardinale nel 1946; incarcerato nel 1948, nel 1956 si rifugiò nella legazione statunitense a Budapest e vi rimase fino al 1971, quando venne a Roma per stabilirsi poi a Vienna.

[3]  Endre Hamvas (1890-1970), vescovo di Csanád (1944-64), fu poi arcivescovo di Kalocsa (1964-69).

gile della sua polizia, già al passaggio dell'autovettura alla frontiera austriaca). Seppi poi che quel governo si era fortemente risentito per la «scortesia» usata dall'arcivescovo di Vienna a monsignor Hamvas il quale, pur essendo l'autore dell'invito, non aveva poi ricevuto da lui né una visita, né, almeno, un colpo di telefono, che egli, mi dissero, aveva invano atteso per l'intera giornata. La stessa nunziatura apostolica a Vienna fu messa a conoscenza della cosa solo a fatto compiuto: a motivo, se ne scusò poi il cardinal König, della ristrettezza del tempo intercorso tra la decisione rapidamente presa e la sua esecuzione.

Qualcosa incominciava, dunque, a muoversi nello scacchiere della vita della Chiesa cattolica nei paesi d'Oltrecortina, come erano chiamati; uno scacchiere che sembrava congelato in una desolante e minacciosa immobilità, rotta solo da qualche movimento di difficile interpretazione. Naturalmente la stampa, tenuta prima all'oscuro di tutto, non mancò di ricamarci sopra i suoi commenti.

Il meno sorpreso del gesto del cardinal König fu certamente il papa Giovanni XXIII[4]. Del resto gliel'aveva lui stesso suggerito a suo tempo, incoraggiandolo poi a rompere gli indugi.

Quel che l'arcivescovo di Vienna poté far sapere al papa del suo viaggio, come del colloquio con il cardinale rifugiato nella legazione americana a Budapest, confermò verosimilmente Giovanni XXIII nella sua impressione che fosse ormai giunto per la Santa Sede il tempo per tentare di rompere in qualche modo il lungo periodo di silenzio con il mondo comunista, e incominciando proprio da un caso concreto, particolarmente spinoso e mondialmente conosciuto come quello del cardinal Mindszenty: spinoso ma tanto importante, per le

---

[4] Angelo Giuseppe Roncalli (1881-1963) fu rappresentante pontificio in Bulgaria (1925-34), Turchia e Grecia (1934-44) e nunzio in Francia (1944-53); patriarca di Venezia e cardinale dal 1953; fu eletto papa nel 1958 e prese il nome di Giovanni XXIII; convocò e aprì il concilio Vaticano II, di cui, nel 1962, guidò il primo periodo.

sue conseguenze, sia per la Chiesa, sia per il governo ungherese (ma le attese e le speranze di una sua sollecita conclusione, se il papa ne ebbe, risultarono non troppo fondate).

Come per un disegno della provvidenza, nella cui azione Giovanni XXIII credeva cosí fermamente, anche un altro debole segno di qualche possibile mutamento nei rapporti Chiesa-Stato nel centro-est dell'Europa era pervenuto al papa in quegli stessi giorni dalla Cecoslovacchia. Esso veniva dall'anziano arcivescovo di Praga, monsignor Josef Beran[5], da tanti anni allontanato dal governo della sua arcidiocesi e segregato senza alcun processo, come altri vescovi della Boemia e della Moravia, in località sconosciuta.

Una lettera di monsignor Beran – impostata da mano anonima a Roma – era arrivata al papa durante la Settimana Santa: egli vi aveva ravvisato quasi «una speranza di gioia pasquale». La lettera dell'arcivescovo era cauta, ma conteneva almeno l'indizio che forse qualcosa avrebbe potuto essere fatto per chiarire la sua situazione, con riflessi, dunque, sulla situazione dell'arcidiocesi di Praga e su quella della Chiesa cecoslovacca in generale. Era già molto significativo che l'arcivescovo avesse potuto comunicare con Roma dopo tanti anni di assoluto isolamento. Ovviamente il regime aveva dato il suo assenso, e forse piú di un assenso, per quel passo.

I due casi rappresentavano senza dubbio solo due problemi, importanti ma ben delimitati, nel vasto e oscuro panorama del mondo d'Oltrecortina. Risolti eventualmente i problemi personali connessi con il prolungato rifugio del cardinal Mindszenty nella sede diplomatica americana o con il lungo esilio di monsignor Beran dalla sua sede, quali conseguenze avrebbero potuto prevedersi per la situazione della Chiesa nei rispettivi paesi? Questa situazione dipendeva infatti da

[5] Josef Beran (1888-1969), dal 1946 arcivescovo di Praga, per molti anni confinato dal regime comunista e impedito d'esercitare le sue funzioni, fu creato cardinale nel 1965.

un'ideologia e da una politica antireligiosa dalle radici assai profonde: lo scontro avvenuto con due personaggi della Chiesa, benché tanto rappresentativi, ne erano soltanto un segno.

Ma il fatto stesso di potere iniziare un colloquio con regimi sino ad allora assolutamente chiusi al dialogo avrebbe rotto un muro di silenzio prima infranto solo da reciproche condanne, deplorazioni e accuse. E il dialogo, una volta aperto, avrebbe forse potuto allargarsi, anche sino ad abbracciare l'insieme del reciproco contenzioso, e non soltanto nei due paesi ora direttamente interessati.

Se poi fosse stato possibile, non solo parlare, ma arrivare a una composizione accettabile di casi che – specialmente quello del cardinal Mindszenty – pesavano come macigni per la Chiesa e per due Stati del mondo comunista, ciò avrebbe certamente potuto aprire la strada a un colloquio un po' meno teso, anche su un piano piú generale.

In ogni caso, la vasta immobile palude formatasi in Europa oltre i confini tracciati da Yalta sembrava ora finalmente incominciare a incresparsi, sia pur lievemente, sotto il vento della storia. O piuttosto – agli occhi di un credente come papa Giovanni – sotto quello incalzante dello Spirito, che tutto vede e tutto governa.

Illusione? Oppure fondata, se pur tenue, speranza di nuove possibilità per la Chiesa? Che cosa, con precisione, andava passando nell'animo di un pontefice in cui, sul finire d'una lunga vita, il naturale ottimismo, la quasi incorreggibile fiducia nella fondamentale bontà dell'uomo sembravano unirsi in una visione quasi profetica che superava, senza escluderle o deprezzarle, le analisi razionali dell'esperienza e della diplomazia?

Qualche mese prima, nell'autunno del 1962, alcuni vescovi dell'Ungheria e della Cecoslovacchia – come pure di altre parti del mondo comunista – avevano potuto assistere alla prima sessione del concilio Vaticano II e questo agli occhi del papa era già un segnale assai positivo. I due governi, nel consentire ai vescovi di andare a Roma, sapevano certamente che essi avrebbero parlato con la Santa Sede della situazione della Chiesa nei loro paesi. Probabilmente avrebbero anche cercato di incoraggiare la Santa Sede a cercare un qualche aggiustamento, almeno per certe situazioni fattesi sempre piú incomode per gli stessi governi, oltre che per la Chiesa.

Per il tramite di alcuni di quei vescovi, una specie di dialogo indiretto, ancora del tutto confuso e incerto, era cosí incominciato. Da parte della Santa Sede era stato però difficile, per il momento, incaricare i vescovi di far sapere al loro governo che una qualche normalizzazione della situazione doveva partire naturalmente dal riconoscimento dei diritti essenziali della Chiesa.

Ritornati i vescovi ai loro paesi dopo l'8 dicembre 1962, giorno della conclusione della prima Sessione conciliare, restava da vedere se il seme, incertamente gettato, avrebbe dato qualche frutto.

Le speranze piú concrete parvero venire dall'Ungheria. Ho ricordato sopra il nome di monsignor Endre Hamvas; questi era allora vescovo di Csanád ma, essendo il primate cardinal Mindszenty impedito, e vacanti le sedi arcivescovili di Kalocsa e di Eger, faceva funzione di presidente di quella Conferenza episcopale. In tale veste, approfittando degli incontri resi possibili dal concilio, egli volle invitare il cardinal König a visitarlo in patria. Il che sarebbe stato osare molto, se l'avesse fatto – cosa impensabile – senza conoscenza e consenso del governo.

La stampa, per qualche non insolita indiscrezione, incominciò subito a sospettare che qualcosa fosse nell'aria; sembrò pertanto opportuno che il cardinale rimandasse il suo viaggio, in attesa di poterlo poi effettuare piú discretamente. Cosí, egli scelse un momento nel quale gli parve che la cosa fosse meno attesa. E cambiò anche il destinatario della visita: il cardinal Mindszenty anziché monsignor Hamvas...

La conclusione di tutto fu, per me, un telegramma che mi raggiunse improvvisamente a Vienna: vedessi di recarmi a Budapest e a Praga, per incontrare, per parlare, per incominciare a trattare. Le «istruzioni» non erano, né potevano essere molto precise; ma, insomma, si trattava di vedere che cosa fosse possibile fare al servizio della Chiesa nell'Ungheria e nella Cecoslovacchia comuniste, cercando di non limitare il dialogo ai soli «casi» Mindszenty e Beran.

Parlare per me di sorpresa sarebbe poco. E poco anche parlare di perplessità, di fronte a una missione cosí nuova, dai contorni cosí incerti, dagli esiti cosí imprevedibili, ma sicuramente non molto promettenti, e presso poteri di cui tanto avevo letto e sentito. Tanto, ma non di molto rassicurante: specialmente per un ecclesiastico, e per un inviato dal Vaticano!

Capitolo secondo

Un nuovo Vaticano?

È vero, però, che il Vaticano del 1963 appariva, anche agli occhi del mondo comunista a cominciare proprio dall'Unione Sovietica, sotto una nuova luce, un po' diversa da quella in cui era stato visto sino a pochi anni prima.

La «novità» si chiamava Giovanni XXIII. Con la sua elezione, il 28 ottobre 1958, era parso chiudersi un'epoca e aprirsene un'altra per la Chiesa cattolica e per i suoi rapporti con le altre Chiese o religioni e con il mondo. La novità non riguardava la dottrina, ma piuttosto il modo di esporla e forse, talvolta, d'interpretarla, senza tradirla o modificarla mai. E di applicarla alle situazioni concrete. Riguardava poi, per cosí dire, lo stile, nel parlare e nell'agire, sia all'interno sia all'esterno della Chiesa: una maggiore prontezza alla comprensione dell'«altro»; una carica di «simpatia» nello sforzarsi di valutare la mentalità o gli atteggiamenti anche dei piú lontani; una capacità di rendersi conto delle loro difficoltà obiettive e l'arte di saper creare un clima di fiducia, nonostante la distanza, o addirittura l'opposizione frontale delle posizioni reciproche; la cura di non offendere le persone pur dicendo la verità. Una delle osservazioni caratteristiche che talvolta il papa rivolgeva a noi suoi collaboratori, incaricati spesso di preparare la «minuta» di qualche importante documento era: «Un po' piú di garbo!» Dove il garbo non significava solo gentilezza formale, ma riguardo alla sensibilità dei destinatari; una forma, insomma, di «carità» verso il prossimo, che il buon pontefice considerava dovere distin-

tivo di un cristiano: quanto piú, poi, di un papa e della
Santa Sede! Egli era aiutato anche in ciò, da una naturale bontà di carattere che si esprimeva nei tratti e nel
sorriso, senza riuscire a nascondere l'acume del suo in-
gegno e una vasta cultura fondata su solidi studi e ar-
ricchita da un'ampia esperienza di uomini e di cose.

Una novità in contrasto con l'immediato passato?

### 1. *Defensor fidei*.

Pio XII[6] resterà nella storia come uno dei papi piú
ricordati. Intelligenza superiore; ricchezza e acutezza
di idee; precisione nella loro espressione – che egli cu-
rava nei minimi particolari, anche in molte lingue stra-
niere principalmente in quella tedesca nella quale era
maestro –; santità di vita; preoccupazione profonda e
quasi dolorosa per le sorti della Chiesa e della comunità mondiale; infaticabile capacità di lavoro.

Eletto papa alla vigilia della seconda guerra mondiale, gli toccò viverne le alterne vicende e affrontare
poi i problemi connessi con una pace trasformatasi quasi immediatamente in una pericolosa «guerra fredda».
Sullo sfondo, la minaccia delle armi nucleari in continuo processo di espansione e di sviluppo. Gli toccò soffrire in particolare l'affermarsi del comunismo in versione staliniana, nel Centro e nell'Est europeo che l'intesa di Yalta aveva assegnato al predominio sovietico.
Un rigido e spesso sanguinoso sbarramento teneva quei
territori separati dal resto del continente, dietro quella che Churchill[7] e, dopo lui, l'intero mondo occidentale chiamava la Cortina di ferro. La Chiesa cattolica,

---

[6] Eugenio Pacelli (1876-1958) fu segretario della Congregazione per gli
Affari straordinari (1914-17), nunzio apostolico a Monaco (1917-20) e poi
a Berlino (1920-29) e dal 1929 cardinale segretario di Stato; eletto papa nel
1939 prese il nome di Pio XII.

[7] Winston Churchill (1874-1965), politico e deputato conservatore, fu
primo ministro britannico dal 1940 al 1945 e quindi dal 1951 al 1955; per
la sua opera storica e letteraria nel 1953 gli fu assegnato il premio Nobel
per la letteratura.

presente in forza in buona parte dell'Europa centro-orientale, come del resto altre realtà ecclesiali e la religione in generale, stavano conoscendo uno dei tempi piú duri della loro storia, ad opera di un'ideologia totalizzante, salita al potere con la forza e che con la forza cercava di modellare secondo i propri princípî la società sottoposta al suo regime.

Inflessibili furono la denuncia e la condanna del papa contro l'ateismo comunista e contro il tentativo stalinista di sovvertire radicalmente l'ordine sociale. Di questo ordine l'insegnamento pontificio e la dottrina cristiana – a partire dall'epoca di Leone XIII[8], l'autore della grande enciclica *Rerum novarum* (15 maggio 1891) –, avevano progressivamente precisato le linee fondamentali: in relazione, appunto, all'avanzante minaccia comunista, da una parte; ma anche di fronte agli eccessi di un capitalismo teorico e pratico colpevole, in gran parte, delle fortune della reazione socialista e comunista.

Era impossibile sperare, almeno al momento, in un cambiamento della situazione nell'Europa occupata da regimi comunisti. Ma si poteva e si doveva almeno cercare di premunire dal pericolo i paesi non ancora dominati dal comunismo, affermando chiaramente i princípî negati dalla teoria marxista e rinnegati da una prassi posta violentemente al suo servizio. Pio XII lo considerò suo gravissimo dovere. Contro la voce del papa e della Chiesa si alzava, martellante, una propaganda che, dai suoi centri di Mosca, Praga e altre capitali centroeuropee, si diffondeva in Occidente e nei paesi del Terzo Mondo, aiutata dai partiti comunisti, o già fiorenti, come specialmente nell'Italia cosí vicina al papa, o in via di formazione, come nelle nazioni in lotta per la loro liberazione nazionale.

Nel papa, il vigore nella difesa assumeva facilmente il tono della severità, anche nei confronti di quei cat-

---

[8] Gioacchino Pecci (1810-1903) fu rappresentante pontificio in Belgio (1841-43) e poi vescovo di Perugia (1846-78); cardinale dal 1853, fu eletto papa nel 1878 e prese il nome di Leone XIII.

tolici che, non poche volte, si lasciavano sedurre dalla propaganda marxista, spinti per lo piú da un desiderio – del tutto comprensibile in sé – di giustizia sociale e da un senso di ribellione contro le ingiustizie delle quali erano vittime intere classi e popoli. Alcuni di quei cattolici, nel loro desiderio di vedere cambiata una società che consideravano ingiusta e anticristiana, si mostravano pronti persino a chiudere gli occhi di fronte alla violenta oppressione della Chiesa e alla sistematica violazione dei diritti religiosi e civili di intere popolazioni, prive della possibilità di difendersi o anche solo di far conoscere al mondo la realtà della loro situazione.

Per scuotere la coscienza dei credenti nel luglio 1949 la «Suprema sacra congregazione del Sant'Ufficio» (tale era allora il suo nome) pubblicò, con l'approvazione del papa, una «dichiarazione» che al mondo comunista, al di qua e al di là della Cortina di ferro, suonò come una dichiarazione di guerra: senza riconoscere che si trattava, semmai, di una guerra di difesa.

L'impatto psicologico che ebbe la dichiarazione, soprattutto nel mondo occidentale, e la violenta reazione comunista che provocò contro la Chiesa e contro il papa personalmente furono accresciuti da una certa atmosfera di equivoco che la circondò e che in parecchi casi non fu, forse, del tutto inconsapevole. Il documento della Santa Sede, infatti, non stabiliva nuove norme e nuove pene ecclesiastiche, create appositamente per il comunismo. Essa enunciava principî e sanzioni già previste, sia nella dottrina sia nel diritto canonico, riguardo all'apostasia dalla religione e ai movimenti che la promuovevano. Il documento del Sant'Ufficio applicava tali principî a quella moderna forma di radicale negazione di Dio, e quindi di apostasia dalla fede cristiana, che è il comunismo ateo. Si trattava come diceva il suo titolo stesso, di una *dichiarazione* (non di un decreto): ed essa dichiarava, appunto, che «chi professa la dottrina del comunismo materialistico e anticristiano» cadeva sotto la pena che la legge generale della Chiesa stabiliva per gli apostati dalla fede, ossia la scomunica;

mentre l'appoggio dato al comunismo, soprattutto con la volontaria iscrizione ai partiti di quel nome, era denunciato come una pubblica cooperazione al «male» (e quale «male»!), e quindi colpa morale, o grave peccato, con le conseguenze previste anch'esse dalle leggi generali della Chiesa.

Simili precisazioni sfuggivano però a gran parte dell'opinione pubblica, anche cattolica. Cosí si diffuse la convinzione che tutti i comunisti – non esclusi quelli che poco sapevano di materialismo storico o dialettico, ed erano mossi piuttosto da motivi di lotta economica e sociale – erano considerati dalla Chiesa, o dal papa, non solo come «pubblici peccatori», ma come «carnaccia scomunicata» (la frase era spesso ripetuta dispettosamente da gente del popolo romano). E chi conosce il terrore, si può ben dire, che ancora a quel tempo provocava nei cattolici il solo nome di scomunica (anche se la realtà di una colpa o di un peccato particolarmente grave era, in sé, ancora piú da temere) può rendersi conto dell'impressione provocata dalla dichiarazione del Sant'Ufficio, nell'interpretazione indifferenziata che se ne dava.

La sanzione della «scomunica» operava prevalentemente, per il fedele comune, sul piano psicologico; l'esclusione degli iscritti ai partiti comunisti dai sacramenti della Chiesa incideva invece sulla vita quotidiana di milioni di persone, in un Occidente legato ancora a certe consuetudini o tradizioni religiose, anche se troppo spesso formali e di superficie. L'effetto della dichiarazione fu senza dubbio di chiarificazione: non sempre o assai di rado, purtroppo, di «conversione».

Pio XII rimane cosí, sullo sfondo di quel periodo turbolento, come il «Defensor fidei»: oggetto, per questo, di grande amore e di forti avversioni. Egli era diplomatico per temperamento ed era vissuto per molti anni nell'esercizio della negoziazione con poteri non amici. A lui era toccato, a suo tempo, di condurre i negoziati concordatari con la Germania di Hitler. Ma con il «socialismo reale» ora imperante la situazione era per molti aspetti profondamente differente. La stessa opera di chiarificazione dottrinale e disciplinare, svolta dal papa in compimento di quello che sentiva suo ineludibile dovere pastorale, gli avrebbe impedito ogni eventuale tentativo di trattative. E il ricordo dei colloqui da lui condotti con rappresentanti sovietici mentre era nunzio apostolico in Germania, negli anni 1924-26, non poteva dargli grande incoraggiamento.

Dopo venti anni di pontificato, Pio XII lasciava la scena della storia come simbolo, fra l'altro, di un irriducibile «anticomunismo».

Intanto, nell'altra parte d'Europa, qualcosa stava accennando a staccarsi dalla rigidità staliniana: un movimento ancora incerto e indistinto, legato in gran parte alla personalità del nuovo capo dell'Unione Sovietica, ma che rispondeva anche a necessità obiettive. In particolare, all'urgenza di allentare la tensione fra Est e Ovest: una tensione che non poteva durare indefinitamente e che rendeva sempre piú prossimo e minaccioso il pericolo di un conflitto frontale tra le due Alleanze mondiali: e con quali armi!

Nikita Krusciov[9] era apparso sulla ribalta mondiale, successore ma anche accusatore della grandiosa barbarie di Stalin[10].

Per cinque anni il nuovo esuberante e assai poco raffinato signore del Cremlino, sicuro di sé e della forza del comunismo, fiero del suo materialismo e del suo ateismo, convisse sulla scena internazionale con l'an-

---

[9] Nikita Sergeevič Krusciov (1894-1971) come segretario generale del Pcus nel XX Congresso del 1956 denunciò gli orrori dello stalinismo, addossandone origini e responsabilità esclusive al dittatore georgiano. Divenuto nel 1958 anche presidente del Consiglio, dopo aver represso con durezza la rivolta ungherese nel 1956 si fece promotore e interprete di una politica di coesistenza internazionale, ma fu, nel 1964, destituito dalle sue cariche ed emarginato.

[10] Iosif Vissarionovič Džugašvili, detto Stalin (1879-1953), successore di Lenin e segretario generale del Comitato centrale del partito bolscevico, condusse l'industrializzazione forzata dell'Unione Sovietica eliminando ogni opposizione; guidò il paese durante la seconda guerra mondiale e l'espansione sovietica nell'Europa orientale e centrale dopo il 1945 e negli anni della guerra fredda.

ziano pontefice simbolo e paladino dei valori dello spirito, quasi involontariamente aristocratico nei gesti e nella parola. Figure distanti e inevitabilmente opposte, in un mondo che stava divenendo sempre piú piccolo.

## 2. *Bonus pastor.*

Ed ecco, quasi inopinatamente, venire ad assidersi sulla cattedra di Pietro un nuovo papa, non di molto piú giovane di quello scomparso. La bontà, l'umanità, unite a una profonda ispirazione religiosa, ne distinguevano la personalità. Questa aveva tutti i tratti di un'alta nobiltà spirituale, ma non nascondeva l'origine contadina del nuovo capo della Chiesa cattolica: una particolarità, questa, che poteva contribuire un poco a guadagnargli qualche simpatia, quasi naturale, da parte d'un altro figlio di contadini, giunto ai vertici della gerarchia sovietica.

Ben altre, e piú profonde, furono però le cause che riuscirono a conquistare il cuore del mondo al «papa buono», come il popolo, e non solo a Roma, si abituò ben presto a chiamarlo.

Parve come se un nuovo calore, sprigionandosi da entro le antiche mura del Vaticano, andasse insensibilmente diffondendosi, sciogliendo barriere di ghiaccio che sembravano avere lo spessore di centinaia di metri. Alla sua tranquilla forza difficilmente riuscivano a sottrarsi gli stessi avversari piú convinti della Chiesa cattolica, quali i comunisti, che dal nuovo papa non si sentivano respinti, ma guardati benevolmente anch'essi, come figli sbandati, assai lontani e ribelli, ma pure figli.

Naturalmente, la cosa non era priva di possibili inconvenienti e pericoli. Fra l'altro, la sensazione di molti, tra i piú fedeli, di trovarsi quasi messi in secondo ordine, con un papa che sembrava volere estendere a tutti il suo amore: privilegiando semmai, o almeno cosí poteva talvolta parere, i piú distanti. La parabola evangelica del

figliol prodigo, del padre e del fratello maggiore trovava
cosí, spesso, una nuova e aggiornata edizione.

Bisogna riconoscere che inconvenienti e pericoli non
furono sempre evitati del tutto: non per colpa del papa – sarebbe ingeneroso affermarlo –, ma per l'abuso
che politici e ideologi interessati facevano delle parole
e dei gesti di Giovanni XXIII. In ciò essi erano aiuta-
ti dalla straordinaria simpatia che il nuovo papa aveva
suscitata in tutto il mondo e dall'eco immediata che
certe sue idee, per la loro novità almeno apparente e
per la loro semplicità, trovavano nell'intelligenza e nel
cuore, non solo dei piú umili. Non sempre, invece, si
teneva sufficiente conto che il papa, in sintonia con i
suoi predecessori, manteneva ben fermi i principî che
il magistero della Chiesa aveva chiaramente affermati
in materia di ateismo e di visione cristiana dell'uomo
e della società.

Tutto ciò e le accuse che si alzavano, piú discretamente e quasi sommessamente da qualche parte della
Chiesa, ma quasi brutalmente, talvolta, da certi circoli integralisti, anche di cattolici, furono una grossa croce per il papa. Ma egli, anche se ne rimaneva profondamente afflitto, seppe sopportarla con la serena consapevolezza del servizio che stava prestando alla Chiesa
e all'umanità.

La mano della provvidenza (o, per i non credenti,
un concorso davvero straordinario di circostanze im-
previste) aveva portato alla responsabilità suprema nel
governo della Chiesa questo cardinale settantasette-
ne, già diplomatico, stimato piú per il suo robusto buon
senso e la sua carica di simpatia che per le doti proprie
della professione. Cosa che non poteva non colpire gli
osservatori. Quasi di sorpresa, specialmente proprio
per gli «addetti ai lavori» nella Segreteria di Stato vaticana, Pio XII lo aveva promosso da un posto diplomatico che non era fra i piú importanti, Istanbul, alla
sede prestigiosa di Parigi, nominandolo poi cardinale,
come voleva allora la prassi, quindi patriarca a Venezia, già carico di anni. Infine la scelta fatta dai cardi-

nali nel conclave del 1958 forse con il pensiero di poter, abbastanza presto, scegliere, a suo successore, altra persona piú rispondente alle esigenze dei tempi. «Papa di transizione» fu detto; e lo stesso papa lo ricordava qualche volta, tra il faceto e il dispiaciuto. In ogni caso un «papa di transizione» molto a modo suo!

Giovanni XXIII meravigliò subito la Chiesa e il mondo indicendo un concilio ecumenico, ossia mobilitando l'intero episcopato cattolico intorno al papa, in un momento in cui il pianeta continuava a essere lacerato da tante profonde divisioni. L'istinto, diciamo pure, profetico del papa andò facilmente al di là di ciò che egli intendeva e prevedeva nel compiere un gesto cosí audace. Un gesto che tante conseguenze ebbe per la vita della Chiesa cattolica e per l'ecumenismo nel mondo cristiano, con tanta risonanza anche fuori del campo ecclesiastico e religioso.

Molte altre sorprese il nuovo papa avrebbe riservato alla Chiesa e al mondo, segnate sempre dal suo stile permeato di bontà e di rispetto per l'uomo, per ogni uomo. Era proprio questo che aveva tanto impressionato, ad esempio, un ministro ungherese il quale, ormai alla vigilia della morte di Giovanni XXIII, ebbe a dirmi: «Noi amiamo questo papa, perché sentiamo che anche lui ci ama e guarda a noi come a uomini; gli "altri" ci consideravano solo dei comunisti!» Giudizio superficiale, ma significativo di uno stato d'animo largamente diffuso, al di qua e al di là della Cortina.

È vero, purtroppo, che ciò non bastava a cambiare l'atteggiamento negativo, anzi oppressivo, dei regimi comunisti verso la Chiesa. Un lungo e difficile cammino rimaneva ancora da compiere. Tre anni passarono, in ogni caso, prima che i sentimenti risvegliati dal nuovo papa nel mondo comunista trovassero una qualche autorevole espressione.

Il 25 novembre 1961 Giovanni XXIII compiva ottant'anni. Molti i rallegramenti e gli auguri, di grandi e di piccoli, da quasi tutte le parti del mondo. Nulla di sorprendente: la cosa si era verificata, in analoghe cir-

costanze, anche per i papi immediatamente precedenti. Allora però varie «parti del mondo» erano rimaste
assenti: in particolare l'Unione Sovietica, e con essa il
blocco delle nazioni dell'Europa centro-orientale. Anche qui nulla di sorprendente; quei paesi, non solo non
avevano alcun rapporto con il papa, ma lo consideravа-
no ufficialmente un nemico: uno dei piú grandi, se non
il piú grande e il piú irriducibile dei loro nemici.

Ed ecco invece che, inaspettatamente, quel 25 novembre un messaggio giunse in Vaticano dall'ambasciata sovietica a Roma. L'ambasciatore del Cremlino
scriveva:

> In compliance with instructions I have received from Mr.
> Nikita Khrushchev, may I express my congratulations to His
> Holiness John XXIII on the occasion of his 80th birthday, with
> the sincere wish for his health and success in his noble efforts
> toward strengthening and consolidating peace in the world by
> solving international problems through frank negotiations.

Un lungo tempo di astioso silenzio veniva rotto da
una parola amichevole e cordiale.

Il meno sorpreso sembrò proprio il papa, benché meglio di altri egli potesse apprezzare il significato, si può
ben dire davvero storico, di un tale atto di cortesia: lui
che vi aveva preparato la strada con la sua bontà e con
la calda sincerità del suo impegno per la pace. La risposta che Giovanni XXIII fece subito inviare rispec-
chiava, insieme, la gentilezza del suo animo e lo spirito religioso che animava tutte le sue azioni.

Il gesto di Krusciov giungeva un paio di mesi dopo
che egli aveva pubblicamente espresso il suo apprezzamento per l'azione del papa in favore della pace, in una
intervista pubblicata sulla «Pravda». Il 10 settembre
precedente Giovanni XXIII aveva inviato un messaggio alla Conferenza dei non allineati a Belgrado; rife-
rendosi a tale messaggio Krusciov affermava: «Non possiamo mancare di salutare questo appello a lavorare
nell'interesse della pace». «L'Osservatore Romano»
presentava l'intervista come il primo segno che la diri-
genza sovietica apprezzava la posizione della Chiesa ver-

so la pace. «Un fatto nuovo, degno di nota», scriveva l'organo sempre tanto misurato della Santa Sede.

Intanto si stava svolgendo la preparazione del concilio ecumenico voluto dal papa. Tra i vari problemi connessi con quella riunione mondiale due questioni presentavano per lui un interesse speciale. Esse riguardavano il mondo del Centro ed Est-Europa e precisamente: la partecipazione al concilio dei vescovi dei paesi comunisti, da tanto tempo chiusi dietro la Cortina di ferro, e la presenza, cosí fortemente desiderata da Giovanni XXIII, di «osservatori» delle Chiese ortodosse, compresi in particolare, per ovvie ragioni, quelli del patriarcato di Mosca.

Il primo problema avrebbe trovato una soluzione, se pur molto parziale e non completamente soddisfacente (con esclusione assoluta, in ogni caso, della Cina e dell'Albania): rappresentanti degli episcopati, non solo di Jugoslavia, ma anche di Polonia, di Ungheria, di Cecoslovacchia, della Germania dell'Est e altri erano presenti all'assise ecumenica. Ciò, evidentemente, presupponeva un consenso dei governi del blocco sovietico, ma soprattutto del Cremlino. Ed era senza dubbio un segnale fra i piú indicativi di un'incipiente novità che apriva il cuore del papa a piú grandi speranze.

La questione degli «osservatori» ortodossi diede inizialmente luogo a una specie di «giallo», con interpretazioni e supposizioni disparate. Il fatto è che, non appena iniziato il concilio, solo due «osservatori», e precisamente i rappresentanti del patriarcato di Mosca, si erano resi presenti nell'aula conciliare. Assenti gli osservatori delle altre Chiese ortodosse. Assenti, in particolare, quelli del patriarcato ecumenico di Costantinopoli, ossia di quello al quale per primo era stato mandato l'invito, anche perché se ne facesse tramite con il resto dell'ortodossia.

Frutto di un calcolo? O risultato di qualche malinteso?

La presenza russa, in ogni caso, venne a rendere ancora piú acutamente sentito un altro problema assai serio. La Chiesa cattolica ucraina – soppressa in patria, nel 1946, per un colpo di mano di marca staliniana – partecipava al concilio con la schiera dei suoi vescovi della diaspora: specialmente dagli Stati Uniti e dal Canada. Tanto piú risaltava l'assenza di colui che quella Chiesa continuava a considerare suo capo gerarchico: il metropolita di Leopoli, Jozef Slipyj[11].

Condannato dopo la fine dell'ultima guerra a diciassette anni di detenzione, dodici dei quali ai lavori forzati, egli viveva ancora, confinato in Siberia, quale unico superstite dei tredici vescovi ucraini come lui incarcerati. Come impedire che i vescovi ucraini denunziassero l'assenza di monsignor Slipyj, risollevando anche il doloroso ricordo della soppressione violenta della loro Chiesa nel 1946? Senza contare che per il papa la liberazione del grande confessore della fede sarebbe stata di incalcolabile conforto e avrebbe portato un nuovo segno di speranza.

Il caso di monsignor Slipyj fu risolto un po' piú tardi, terminata la prima sessione del concilio. E l'azione dei due osservatori del patriarcato di Mosca non fu senza influsso per tale soluzione.


### 3. 11 ottobre. Apertura del concilio.

Ma mentre si inaugurava solennemente la grande riunione il mondo era venuto a trovarsi sull'orlo dell'abisso. La crisi provocata dai missili sovietici istallati a Cuba aveva improvvisamente messo le due superpotenze nucleari, Stati Uniti e Unione Sovietica, di fronte alla necessità di decisioni drammatiche: esse avrebbero anche potuto portare alla distruzione di gran parte dell'umanità e dell'intero pianeta. Poteva essere questione di giorni, se non di ore. I due protagonisti,

---

[11] Jozef Slipyj (1892-1984), coadiutore (1939-44), poi arcivescovo (1944-63) e quindi dal 1963 arcivescovo maggiore di Leopoli degli Ucraini, fu incarcerato per quasi trent'anni dal regime sovietico; rilasciato e venuto a Roma, fu creato cardinale nel 1965.

passato il primo momento di eccitazione, se ne rendevano ben conto; ma come uscire dall'impasse? A freddo, di fronte alla imminente pericolo di un conflitto globale Usa-Urss, la soluzione del problema creato dall'iniziativa sovietica poteva sembrare quasi ovvia, e fu poi fortunatamente prescelta: ritiro dei missili sovietici da Cuba, dietro o insieme alla rinuncia nordamericana a un eventuale progetto di invadere l'isola.

Però al punto al quale erano arrivati appariva quasi impossibile per i due giganti della politica mondiale fare marcia indietro, non solo per le resistenze e le spinte degli «zoccoli duri» dei due schieramenti, ma per una difficoltà almeno apparentemente quasi insuperabile per le due superpotenze: perdere, non tanto la faccia, quanto il prestigio e la credibilità nella competizione ideologico-politica e di potere in corso.

La parte presa da papa Giovanni alla crisi, e soprattutto alla ricerca del suo superamento, fu tanto discreta quanto, in realtà, efficace. La testimonianza pubblica piú concreta ce ne è stata lasciata dall'americano Norman Cousins[12], direttore della «Saturday Review», amico del presidente J. F. Kennedy[13], il quale si fece allora tramite di contatti confidenziali con la Santa Sede e con Krusciov. In quei giorni cruciali l'opinione mondiale conobbe solo quel che fu il frutto di un febbrile lavorio nascosto e allora neppure sospettato: il radiomessaggio che il 25 ottobre il papa lanciò al mondo dalla Radio Vaticana: «Noi ricordiamo i gravi doveri di coloro che portano la responsabilità del potere [...]. Noi supplichiamo tutti i governanti di non restare sor-

[12] Norman Cousins, editore americano e collaboratore di Kennedy, direttore della rivista «Saturday Review», ha rievocato questi fatti in *The improbable Triumvirate*, W. W. Norton, New York 1972.

[13] John Fitzgerald Kennedy (1917-63) divenne nel 1961 il primo presidente cattolico degli Stati Uniti. Sul piano internazionale promosse l'Alleanza per il progresso in America Latina e avviò una politica di distensione e di dialogo con l'Unione Sovietica, rafforzando contemporaneamente gli armamenti missilistici e mostrando in talune occasioni, come nel 1962, per la crisi dei missili a Cuba, l'intransigenza della potenza americana. Fu assassinato il 22 novembre 1963.

di al grido dell'umanità. Che essi facciano tutto ciò che
è in loro per salvare la pace [...] che essi continuino a
trattare». I «governanti» non restarono sordi a un appello che, senza comprometterli, rispondeva tanto bene alla loro stessa attesa. La «Pravda» del 26 ottobre
lo rese pubblico, sottolineando quanto il papa aveva
detto sulla necessità di trattative leali e aperte. Il 28
ottobre la crisi poteva considerarsi superata.

Norman Cousins ha raccontato che, essendo stato
ricevuto al Cremlino il 13 dicembre seguente, Krusciov
gli aveva parlato di quanto papa Giovanni aveva fatto
per la pace, aggiungendo: «Il suo intervento è stato un
intervento umanistico, che sarà ricordato nella storia».
È un po' melanconico notare che, né le «memorie» di
Krusciov (o almeno quelle che furono pubblicate come
tali), né le memorie del ministro degli Esteri sovietico
Gromyko, parlando della crisi dei missili di Cuba facciano cenno dell'appello papale.

A Norman Cousins Krusciov affidò per il papa un
messaggio di auguri per le vicine festività. Giovanni
XXIII rispose con la consueta cortesia e con la sua caratteristica intonazione religiosa. Con Norman Cousins
il capo del Cremlino aveva anche assunto l'impegno di
pensare seriamente al caso dell'arcivescovo ucraino
Slipyj, già presentato agli osservatori del patriarcato di
Mosca al concilio e di nuovo richiamato con calore dal
Cousins come cosa che stava molto a cuore al papa. Krusciov mantenne la promessa. E pur insistendo sulla col-
pevolezza dell'arcivescovo e sull'assoluta necessità di
evitare che il caso e la sua soluzione diventassero occasione per attacchi antisovietici, decise alla fine di concedere il «perdono» all'anziano prelato. Nella decisione entrò senza dubbio un bel po' di calcolo politico ma
forse, e ancor piú, il desiderio di far cosa gradita al vecchio pontefice, tanto impegnato a favore della pace. Cosí monsignor Slipyj tornò a libertà, benché certamente
non lieto di esser stato oggetto di un atto di «clemenza», anziché di giustizia e lasciò l'Urss per Roma, dove
giunse la sera del 9 febbraio 1963.

Poco dopo, all'inizio di marzo, il direttore del quotidiano «Izvestija», Alexei Adjubei[14], accompagnato dalla moglie Rada, figlia del capo sovietico, ebbe con il papa, ormai prossimo alla morte, un incontro che parve coronamento di una strana vicenda, di rispetto da una parte, di bontà dall'altra, impensabile sino a alcuni mesi prima. Era la prima volta, dopo la Rivoluzione di ottobre, che personalità sovietiche cosí in vista trovassero modo di chiedere e ottenere udienza dal papa. L'iniziativa aveva naturalmente creato sorpresa, ma anche perplessità in Vaticano; però alla fine il papa decise personalmente che non poteva respingere la richiesta, tanto piú che Adjubei aveva fatto sapere di esser latore dei saluti e di un presente di Krusciov.

Tutto fu fatto con ogni discrezione. Con un gruppo di una cinquantina di giornalisti, i coniugi Adjubei furono ammessi a prender parte a un'udienza concessa ai rappresentanti della stampa convenuti a Roma in occasione del conferimento del «Premio Balzan» per la pace al papa. Alla fine dell'udienza i due vennero, poi, quasi fatti scivolare nella Biblioteca privata del papa dove egli li intrattenne per oltre mezz'ora.

Nessun annuncio prima, nessuna notizia ufficiale dopo, non solo sul contenuto del colloquio, ma sull'incontro stesso, che però fu oggetto di molti commenti. Nonostante il silenzio ufficiale, trapelarono alcuni particolari di assai disuguale importanza. Ad esempio che, mentre il papa salutava Rada, questa guardando alle mani del pontefice osservò fra sé che esse erano come le mani di suo padre, quelle di un contadino. Ma quando Adjubei tentò di introdurre nella conversazione il tema delle relazioni fra il Cremlino e la Santa Sede, il papa si sottrasse, quasi un po' scherzosamente, osservando: Dio ha avuto bisogno di sei giorni per compie-

---

[14] Alexei Ivanovič Adjubei (1925-93), membro del Comitato centrale del Pcus e direttore del quotidiano «Izvestija», organo ufficiale del Presidium del Soviet supremo dell'Urss, sposò la figlia di Krusciov, che in piú occasioni lo utilizzò come rappresentante personale, come nel caso famoso dell'udienza straordinaria da Giovanni XXIII, il 6 marzo 1963.

re la sua creazione. Noi siamo al primo giorno: ci vorrà
il suo tempo. Parlò dei tre figli degli Adjubei, mo-
strandosi lieto che uno di essi si chiamasse Ivan, Giovanni in russo e diede un rosario a Rada e delle meda-
glie pontificie al marito.

L'incontro non portò ad alcuna conclusione sostanziale, ma fu estremamente importante per rompere una
grande barriera psicologica, creando il precedente che
le porte del Vaticano non erano chiuse a personalità del
blocco sovietico.

Su questo sfondo, i tenui segnali giunti da Budapest e dalla Cecoslovacchia parvero al papa sufficienti per
tentare di dare inizio a un dialogo, non solo con l'Urss,
e non limitato a piccole cortesie o sui temi, certamente di vitalissima importanza, della pace tra i popoli. Bisognava affrontare anche i problemi riguardanti la vita della Chiesa: a cominciare, intanto, da due questioni concrete che toccavano paesi dove la Chiesa cattolica
aveva una lunga storia e una presenza ancora conside-
revole, insieme purtroppo a tanti problemi e a tante
difficoltà.

Cosí Giovanni XXIII lanciò quella che abbastanza
impropriamente fu chiamata la «Ostpolitik» della Santa Sede, con quel tocco di intuizione che aveva manifestato in molte altre occasioni. Egli non poteva avere,
o almeno non la manifestava, un'idea precisa di dove il
tentativo avrebbe potuto portare, ma aveva la visione
e il sentimento che si stava vivendo un momento di possibilità che non dovevano andare perdute.

Motivo di perplessità per me fu, fra l'altro, la natu-
ralezza con la quale mi si ordinava di varcare frontiere a noi da tempo ferreamente chiuse. Posso però aggiungere che questa fu la parte meno difficile dell'impresa: i funzionari delle ambasciate di Ungheria e di
Cecoslovacchia a Vienna, con le quali dovetti prendere contatto per l'organizzazione del mio viaggio nelle
rispettive capitali, non sembrarono sorprendersi di una
domanda di «visto» che in altri tempi li avrebbe fatti
sobbalzare di incredulità: come se l'attendessero e aves-

sero già istruzioni per accoglierla e favorire il mio viaggio. Cosa che meravigliò invece me, allora ancora un po' inesperto di certi sentieri o canali coperti delle diplomazie.

Mi si apriva dunque, inaspettatamente, un campo del tutto nuovo di attività (supposto, naturalmente che questa non dovesse rimanere congelata già sul nascere, cosa non del tutto improbabile, visti i precedenti). Un po' di panico? Di paura? Dovrei invece dire che la nuova missione mi arrivò quasi come qualcosa di rispondente a certe intime inclinazioni del mio spirito, piú che la prospettiva che mi aveva accompagnato sino ad allora: un lavoro tranquillo, anche se intenso e non privo di problemi e di difficoltà, nei silenziosi corridoi della diplomazia pontificia (e Dio sa quale interesse e anche quali soddisfazioni erano legate al lavoro che vi avevo svolto per tanti anni!)

Non che mi illudessi di essere particolarmente predisposto per una simile svolta, nel mio servizio alla Chiesa e alla Santa Sede. Ma forse mi venne in aiuto una vecchia e mai del tutto sopita nostalgia per la cosiddetta «filosofia della storia», cioè il desiderio della ricerca delle cause profonde dei grandi eventi della storia e delle possibilità di qualche intervento per orientarne o correggerne il corso. Senza dubbio quell'enorme convulsione epocale che ha nome comunismo, nella sua concreta realizzazione storica, era stato per me un argomento di interesse, seducente, anche se angoscioso; ed ecco che, senza averlo immaginato, venivo ora a trovarmi confrontato, e non come semplice spettatore dall'esterno, con la viva realtà di un simile fenomeno nella sua mostruosa grandiosità.

Piú di una volta, nel corso degli anni di attiva partecipazione agli alti e bassi della Ostpolitik della Santa Sede, mi è venuto allo spirito un pensiero: e cioè che, se avessi previsto le difficoltà e le contrarietà che avrei incontrato, forse non avrei avuto il coraggio di accettare l'incarico.

L'ordine di papa Giovanni comportava intanto, per

me, la necessità di un'attenta preparazione immediata, per mettere bene a fuoco, per cosí dire, i problemi che avrei dovuto affrontare e la linea che avrei dovuto seguire nel farlo. Il tempo urgeva.

Nella pace dei pochi giorni che mi restavano, non ancora insidiati dalla legittima curiosità di altri, cercai quindi di concentrare la mia attenzione non solo sui due casi del cardinal Mindszenty e di monsignor Beran, ma anche su quel che sapevamo della concreta situazione religiosa ed ecclesiastica esistente in Ungheria e in Cecoslovacchia: una situazione che presentava per noi vari lati ancora abbastanza oscuri.

Ci si trovava forse davanti a una possibile svolta nei rapporti della Santa Sede e della Chiesa cattolica con il piú dichiarato e deciso avversario della religione, e del cristianesimo in particolare. Nessuno sforzo, di prudenza e di coraggio, sarebbe stato di troppo.

Mentre attendevo di dar inizio alla mia missione nell'Est, una visita inattesa venne a sorprendermi nel silenzio ben protetto della nunziatura di Vienna. Il vescovo monsignor Hamvas, dopo aver inutilmente aspettato a Budapest il cardinal König, si presentò chiedendo di incontrarmi; lo accompagnava l'amministratore apostolico di Eger, monsignor Brezanóczy[15] – che già avevo visto a Roma durante la prima Sessione del concilio. Probabilmente la loro iniziativa era stata, piú che permessa, incoraggiata dalle autorità governative: altro segno del loro interesse a cercare qualche forma d'intesa con la Santa Sede. I due visitatori, mentre riferivano sulle condizioni della Chiesa nel loro paese, insistevano perché il Vaticano intervenisse: confermando la debolezza, quasi l'impotenza dell'episcopato di fronte al governo. Ragione di piú per un impegno volenteroso e deciso, nonostante le difficoltà.

---

[15] Pál Brezanóczy (1912-72) fu amministratore apostolico (1959-69) e poi arcivescovo (dal 1969) di Eger.

Capitolo terzo

Abominatio desolationis

1. *Costretti alla felicità.*

Papa Pio XI[16] ha affrontato con vigore e determinazione, nell'enciclica *Divini Redemptoris* del 19 marzo 1937, il problema del «comunismo ateo». Piú precisamente l'enciclica parlava di «comunismo bolscevico e ateo» e si riferiva ai princípi del «comunismo ateo come si manifestano principalmente nel bolscevismo». Egli parlava anche del «comunismo di oggi» contrapponendolo in qualche modo ad «altri simili movimenti del passato»: un comunismo che «in sostanza si fonda oggi sui princípi già predicati da Marx[17] del materialismo dialettico e materialismo storico».

L'espressione «comunismo ateo», staccata dal contesto, diede motivo ad alcuni di pensare che il papa avesse voluto sottolineare di non escludere la possibilità, per quanto ipotetica, di un comunismo *non* ateo. La domanda si è ripresentata piú d'una volta, in una forma o in un'altra: se cioè l'ateismo e la conseguente lotta contro la religione e contro la Chiesa fossero essenzialmente inseparabili dal comunismo, o se fosse pensabile, con un rivoluzionario sforzo di intelligenza

[16] Achille Ratti (1857-1939) fu prefetto della Biblioteca Ambrosiana (1907-14) e della Biblioteca Vaticana (1914-18), e quindi visitatore apostolico in Polonia e Lituania (1918-21); arcivescovo di Milano e cardinale dal 1921, fu eletto papa nel 1922 e prese il nome di Pio XI.

[17] Karl Marx (1818-83), filosofo ed economista tedesco, scrisse con Friedrich Engels il *Manifesto del partito comunista* (1848) e *Il capitale*, apparso in tre volumi tra il 1867 e il 1894 (il secondo e il terzo furono pubblicati postumi da Engels).

e di volontà, separare da un comunismo sociale, anche nella forma del «socialismo reale» perseguito dall'Unione Sovietica e dagli Stati a essa legati, l'ipoteca atea che storicamente ne ha costituito una caratteristica costante, anzi fondamentale.

La questione ebbe una grande importanza pratica nei paesi nei quali il comunismo si stava impegnando nella lotta contro il capitalismo e le sue conseguenze in campo economico-sociale, e dove esso urgeva per una collaborazione da parte delle forze sociali non comuniste, anche di quelle legate alla Chiesa o alle tradizioni religiose: cosa contro la quale il papa metteva fortemente in guardia. Nei paesi già retti dal comunismo l'urgenza del regime diventava una vera pressione, talvolta insopportabile. Ciò ha creato molti difficili problemi di coscienza, per i laici ma anche, e piú, per sacerdoti e vescovi.

I governi comunisti, già da Lenin[18], hanno cercato di facilitare in qualche modo una risposta al problema, asserendo che l'ateismo era caratteristica propria del partito, fondato sull'ideologia del materialismo dialettico marxista, non invece dello Stato guidato dal Partito, che poteva e doveva mostrarsi neutrale di fronte alle convinzioni religiose dei cittadini. L'esperienza ha mostrato quanto illusoria fosse in pratica questa distinzione nella vita degli Stati comunisti, dove il Partito dominava e guidava l'azione dello Stato.

I regimi comunisti non nascondevano la volontà di fare ogni sforzo per diffondere o imporre l'ideologia marxista, principalmente fra i giovani; ciò in teoria era compito del Partito. Ma, per parte sua, lo Stato voleva realizzare la nuova società corrispondente ai princípî di quella ideologia: e a questa realizzazione dovevano collaborare, o almeno non opporsi, tutti i cittadini, indipendentemente dalle loro convinzioni ideologiche, filosofiche e religiose.

---

[18] Vladimir Iliič Ulianov, detto Lenin (1870-1924), politico russo, fu capo della corrente estremista dei bolscevichi e guidò la rivoluzione del 1917, fondando poi il nuovo stato socialista sulla base delle dottrine elaborate da Marx ed Engels.

## 2. *Una nuova società.*

Il progetto sociale del comunismo marxista prevedeva la creazione di una società radicalmente nuova, con uomini nuovi o rinnovati: di qui il particolarissimo interesse dedicato alla formazione della gioventú che avrebbe dovuto prendere il posto delle vecchie generazioni, ancora impreparate e in gran parte ostili a tanto cambiamento.

Il marxismo presentava il suo progetto come frutto di una visione davvero scientifica della realtà dell'uomo e della sua storia. Secondo tale «visione del mondo», la faticosa evoluzione millenaria dell'umanità rendeva finalmente possibile dare vita, sulla terra, a quel regno di giustizia e di benessere che gli uomini, sino ad allora, avevano sognato come loro futuro nel cielo.

Erano in molti però quelli che continuavano a disconoscere tale possibilità. Essi, soprattutto, cercavano di opporsi in ogni modo alla realizzazione della nuova società, dando luogo a conflitti, anche lunghi e sanguinosi. Le forze «reazionarie» non possono impedire la vittoria finale del grande disegno della storia, ma potevano e possono ancora rallentarne anche a lungo il compimento, nelle singole nazioni e nel mondo. Spettava e spetta alle avanguardie, intellettuali e operaie, opporsi a tali forze, anche con la violenza al bisogno. «Con pugno di ferro – proclamava un manifesto sovietico del 1918 – costringeremo l'umanità a essere felice».

L'orgoglio di intellettuali, fieri di aver scoperto una verità nascosta ai secoli precedenti. La fede di adepti fanaticamente accesi dalla prospettiva di un rinnovamento che doveva metter fine a millenni di ingiustizie, di disuguaglianze, di servitú, di sfruttamenti. Sullo sfondo le speranze di masse chiamate a risvegliarsi da un lungo sonno di apatia e di scoraggiamento. Ciò permise a un pugno di uomini, spinti dal verbo messianico di Karl Marx e favoriti da straordinari eventi storici, di dare inizio a quella avventura che, incominciata nel

1917 nei territori dell'antico impero zarista, si è diffusa poi in Europa ed è terminata con i crolli del 1989; essa però continua tuttora in altre parti del globo e potrebbe forse nuovamente minacciarne altre parti.

Ci si può chiedere quanto a lungo una simile utopia abbia continuato a sopravvivere veramente, nella sua purezza teorica, nelle convinzioni degli intellettuali e dei governanti dei Partiti e degli Stati comunisti europei. Ancor più ci si può chiedere sino a quando le masse dei paesi del «socialismo reale» siano riuscite a prestar fede alle previsioni e alle promesse loro fatte, sopportando il peso di pesanti sacrifici e resistendo all'urto delle delusioni con le quali si andavano scontrando, anno dopo anno, le grandi speranze che erano state fatte brillare davanti ai loro occhi. Non è facile una risposta generale, sicura e documentata.

In ogni caso, l'organizzazione messa in piedi in tanta parte d'Europa dopo la prima e la seconda guerra mondiale ha continuato a funzionare per decenni, come se ripensamenti teorici ed esperienze pratiche tanto negative non avessero intaccato sostanzialmente le sue basi. E le masse sembravano seguirle, senza ribellarsi, anzi dando il loro appoggio, anche con manifestazioni «oceaniche», generalmente promosse dalle organizzazioni di partito.

Il «pugno di ferro» continuava a far sentire la sua stretta inesorabile, benché la «felicità» annunziata apparisse sempre più lontana, problematica e quasi tragicamente illusoria. Nel 1963 e negli anni seguenti, ai più sembrava che sarebbe continuato ancora a lungo così.

## 3. *Il nemico ideologico.*

Ma con chi, o contro chi, il pugno di ferro doveva essere usato? Naturalmente contro tutto ciò e contro tutti coloro che, consapevolmente o inconsapevolmente, volontariamente o per la forza delle cose, si opponevano alla marcia verso la «felicità» annunciata: oppositori politici o ideologici, intere categorie sociali renitenti a inserirsi nel nuovo corso, deviazionisti o dissenzienti. Siccome la marcia verso il socialismo era affidata a uomini, non sarebbero mancati, e bisognava schiacciarli, episodi di corruzione o di interesse privato in seno agli stessi Partiti dei lavoratori. Anche le masse destinatarie dei previsti benefici della rivoluzione comunista incominciavano a mostrarsi, sempre piú spesso, opposte agli sforzi del Partito, o almeno sorde ai suoi appelli alla cooperazione e alla lotta, apatiche quando non simpatizzanti per gli avversari di classe.

Ed ecco, in questo quadro, la religione! Pio XI, nella *Divini Redemptoris* (n. 22), aveva osservato: «Il comunismo è per sua natura antireligioso e considera la religione come "l'oppio del popolo" perché i principî religiosi che parlano della vita d'oltretomba distolgono il proletario dal mirare al conseguimento del paradiso sovietico, che è di questa terra». Antireligioso dunque, il comunismo, non tanto o non soltanto perché è ateo, senza Dio, ma perché è decisamente impegnato a distogliere il popolo dall'attesa di un'illusoria vita futura e a obbligarlo a guardare e ad agire nella vita reale, che è quella terrena; su questa deve concentrarsi tutta l'attenzione e tutto l'impegno. Il sogno di un futuro riequilibrio di ragioni e di torti, di ingiustizie e della loro riparazione, di castighi e di premi, e soprattutto la promessa di una futura felicità ultraterrena, sono quanto di piú contrario possa esservi alla visione marxista dell'uomo e della storia, e quanto di piú debilitante nella lotta per le conquiste terrestri che il marxismo propone. Vero «oppio del popolo», la religione assopisce intelligenze e volontà.

Le Chiese (e, nei paesi in questione, la Chiesa cattolica in modo particolare) erano le forze che sistematicamente organizzavano, per cosí dire, la diffusione e la penetrazione di questo «oppio». Esse predicavano la speranza in un mondo futuro, la sopportazione e il perdono dei torti e delle ingiustizie, l'amore dei nemici: tutti veleni mortiferi per quella lotta di classe nella quale il marxismo vede la molla del progresso dell'umanità verso il futuro felice al quale la sospingono le leggi della storia.

La stessa dottrina e l'azione «sociale», che la Chiesa cattolica sbandiera come sue benemerenze a favore dei poveri e degli emarginati, tendono invece, secondo il marxismo, a perpetuare situazioni di radicale ingiustizia, solo lenendone certe asprezze e impedendo cosí la decisa e definitiva soluzione che il marxismo assicura. I suoi sacerdoti, nei paesi di vecchia tradizione cattolica, godevano di un radicato prestigio ed esercitavano un influsso capillare e in profondità, specialmente fra le donne e i fanciulli. Cosí essi potevano, piú e meglio di altri, sabotare tutto il lavoro di formazione ideologica e l'organizzazione di lotta e di attività del Partito «dei lavoratori». Pericolosissimi avversari, dunque; contro di loro il «pugno di ferro» doveva essere usato in modo vigilante e inflessibile.

Una logica perversa ma, ai loro occhi, giustificata dalla realtà delle cose ha portato pertanto i regimi comunisti, pur nella diversità delle situazioni e delle persone, ad assumere un atteggiamento comune di difesa e di attacco nei confronti della religione e della Chiesa cattolica. Sempre però affermavano che la loro lotta non era contro attività religiose, ma contro attività politiche antistatali.

Nella previsione marxista, per la verità, la religione era destinata a scomparire, come una «sovrastruttura» alla quale venissero meno le strutture sulle quali si reggeva. Ma ciò avrebbe richiesto tempi troppo lunghi. Era perciò auspicabile veder di accorciarli, anche con un'intensa lotta ideologica, favorendo i progressi della «scienza», smascherando il vuoto, i torti, i «delitti» legati alle religioni e alla Chiesa.

Strette, cosí, e soffocate dalle spire di un potere ostile, la vita religiosa e con essa la Chiesa avrebbero dovuto soccombere per morte «naturale», accompagnata e favorita dalle «provvidenze» dello Stato-partito.

Che tale fosse il proposito del comunismo, una vol-

ta arrivato al potere, risultava sin troppo chiaramente.
La determinazione dei governi comunisti europei, sostenuta da una legislazione ormai consolidata e fedelmente applicata dalle autorità amministrative e dai tribunali, obbligava a prevedere che il tentativo di distruzione sarebbe proseguito nonostante ogni dialogo
e qualche possibile intesa parziale.

Capitolo quarto

Contro ogni speranza?


Se ce ne fosse stato bisogno, la mia esperienza me ne avrebbe dato conferma. Sul piano personale i miei rapporti con i vari rappresentanti governativi che incontravo potevano dirsi buoni, ma ciononostante i momenti di grosse difficoltà e di forti tensioni erano all'ordine del giorno. Si trattava pur sempre di funzionari di partito, solidamente legati all'ideologia del regime e dipendenti da istruzioni e decisioni superiori, per noi molte volte misteriose. Il dialogo era tanto faticoso da diventare quasi estenuante. Per di piú ci accompagnava la consapevolezza che si era esposti all'accusa di porre la nostra fiducia prevalentemente nella ricerca di accomodamenti pratici e insicuri, a scapito di quel confronto aperto che aveva fatto la gloria del cattolicesimo dei decenni passati. E con quali speranze?

Nessuna, continuavano a pensare in molti.

Se avesse condiviso questa risposta, la Santa Sede avrebbe ben presto abbandonato la sua Ostpolitik. Ma Paolo VI[19], pur non possedendo quell'ottimismo sereno che era quasi naturale in Giovanni XXIII, partecipava pienamente del suo vivissimo senso di responsabilità pastorale e della sua fiducia nella provvidenza: anche «contro la speranza».

[19] Giovanni Battista Montini (1897-1978), entrato in Segreteria di Stato nel 1922, fu ai suoi vertici prima come sostituto (1937-52) e dal 1952, insieme a Domenico Tardini, come pro-segretario di Stato; arcivescovo di Milano dal 1954 e primo cardinale di Giovanni XXIII nel 1958, fu eletto suo successore nel 1963 e prese il nome di Paolo VI; guidò e concluse nel 1965 il concilio Vaticano II.

Il dialogo intrapreso andava mostrando sempre piú i suoi limiti ma, entro questi limiti, mostrava anche la sua utilità. Intanto esso dava alla Santa Sede la possibilità, che ormai raramente avevano i vescovi, di insistere chiaramente sulle richieste e sulle rivendicazioni della Chiesa, per impedire che fossero dimenticate e per mettere sempre meglio in luce i motivi, di fede ma anche di ragione e di ragionevolezza, sui quali si basavano. E ciò non era sempre senza qualche risultato pratico.

Nelle preoccupazioni della Santa Sede vi erano certi punti sui quali essa giudicava necessario ritornare con insistenza, senza lasciarsi bloccare dalle difficoltà. In primo luogo bisognava cercare di assicurare una sufficiente assistenza religiosa a quella grande maggioranza di cattolici – madri di famiglia, fanciulli, giovani e anche operai e contadini – che non avrebbero avuto il modo (e forse neppure il coraggio) di ricorrere a quelle attività pastorali «illegali» e nascoste che sostenevano, invece, certi gruppi piú impegnati e coraggiosi.

Non meno grave era la preoccupazione di cercare che non venisse a mancare, nella misura del possibile, la presenza di vescovi legittimi, fedeli alla Chiesa e alla Santa Sede ma riconosciuti anche dal governo. Al di fuori della Polonia e della Germania orientale ciò diventava impresa di disperante difficoltà (non per mancanza di buoni candidati, ma per le pretese dei governi, che avrebbero voluto vescovi «loro» anziché della Chiesa).

Restava poi il cumulo degli altri problemi, sui quali portare la discussione. Ma soprattutto restavano il problema fondamentale della libertà di coscienza dei credenti e quello della reale possibilità, per i vescovi e i sacerdoti, di esercitare il loro ministero.

La tentazione dello scoraggiamento si ripresentava spesso. Ma, a confortare la nostra pazienza e le nostre speranze venne ben presto a profilarsi, facendosi sempre piú evidente, la consapevolezza che, al di là del dialogo e della sua laboriosa vicenda, un'altra realtà vi era, indipendente dalla volontà del regime e dei suoi uomini e che si imponeva con la forza delle leggi che, provvidenzialmente, reggono la storia dell'uomo.

Il comunismo si sentiva forte e sicuro del proprio avvenire e perciò si manifestava cosí duro e intransigente nelle sue posizioni. Ma era davvero cosí forte? Ed era veramente destinato a durare per secoli, come assicuravano i suoi profeti?

## 1. La debolezza dei forti.

Forti, anzi fortissime, apparivano in realtà le strutture del «socialismo reale». Inespugnabili. Esse erano il frutto di tante lotte, di immensi sacrifici, di innumerevoli morti e delitti. Nessuna apprezzabile opposizione interna, almeno visibile e organizzata, dopo purghe e repressioni inesorabili. All'esterno, il grande blocco dei paesi anticomunisti sembrava preoccupato piú di «contenere» che di attaccare o di sostenere efficacemente i disperati tentativi esplosi a piú d'una ripresa, nell'uno o nell'altro paese del blocco, per scuotere il giogo di regimi divenuti insopportabili.

La «guerra fredda» si protraeva da anni, dura, tenace, ma attenta a evitare il pericolo di trasformarsi in una guerra «calda»; le potenti alleanze militari, dell'una e dell'altra parte, si dichiaravano destinate alla difesa, anziché all'offesa. Il relativo disgelo della «coesistenza pacifica» era venuto a confermare, in qualche modo, la rinuncia dell'Occidente a un eventuale attacco diretto contro l'Oriente comunista. Questo, intanto, sembrava svilupparsi e rafforzarsi, sul piano militare, nella gara per la conquista dello spazio, nell'industrializzazione e nell'economia agricola. In un momento di euforia certo eccessiva, a dir poco, Krusciov, visitando gli Usa, aveva persino creduto di poter lanciare una sfida al potente paese ospite e all'Occidente in generale: «Fra dieci anni vi seppelliremo!»

Confesso che anch'io all'inizio, come tantissimi altri, ero rimasto colpito dall'imponenza di questo Prometeo che, orgoglioso della sua potenza e delle sue conquiste, osava sfidare frontalmente Dio, la religione, la Chiesa.

Ma il grandioso edificio si reggeva su un fondamento dove verità e falsità si mescolavano come, nel piede della grande statua vista in sogno da Nabucodonosor e interpretata da Daniele, si univano la forza del ferro e l'inconsistenza dell'argilla.

La sua «parte di vero» l'aveva ricordata il papa Pio XI nella *Divini Redemptoris* (benché quale «pretesto» messo avanti per abbagliare un'opinione mondiale poco attenta) ed era l'asserita volontà di «migliorare la sorte delle classi lavoratrici, togliere abusi reali prodotti – scriveva il papa – dall'economia liberale e ottenere una piú equa distribuzione dei beni terreni» (scopi senza dubbio pienamente legittimi). L'errore fondamentale, per usare l'espressione che sarebbe apparsa nell'enciclica *Centesimus annus* (1991) di Giovanni Paolo II[20], era «di carattere antropologico»: un'errata concezione dell'uomo, della sua natura, dei suoi comportamenti, e in particolare della possibilità di inquadrarlo nel disegno di radicale trasformazione della società sognata dal comunismo di Marx e di Lenin. Come ho già sopra accennato, per cercare di realizzare quel sogno era, di fatto, inevitabile per i regimi comunisti fare ricorso alla costrizione e a una violenza eretta a sistema.

Agli inizi degli anni Sessanta, quando incominciarono i nostri contatti di lavoro con i paesi del socialismo reale, le conseguenze pratiche di un simile errore antropologico diventavano sempre piú evidenti a un occhio non prevenuto, che sapesse guardare oltre la superficie e le apparenze.

Chi, come me, arrivava da fuori dell'universo comunista poteva incominciare, dopo poco, quasi a sentire un distacco che si andava progressivamente allargando fra la società – comprese le classi lavoratrici e

[20] Karol Wojtyła (1920) è stato vescovo ausiliare (1958-64) e arcivescovo (dal 1964) di Cracovia; creato cardinale nel 1967, il 16 ottobre 1978 è stato eletto papa (il primo non italiano dal 1523) e ha preso il nome di Giovanni Paolo II.

ancor piú i giovani – e il regime e i suoi programmi di «costruzione del socialismo».

Era come un tarlo che insensibilmente, ma inesorabilmente andava corrodendo all'interno un organismo che continuava a manifestarsi forte e come tale si comportava. Apatia, mancanza di convinzione e di entusiasmo, quando non antipatia e avversione prudentemente dissimulata minavano come un «mal sottile» la vitalità del sistema, con crescenti riflessi, fra l'altro, anche sul piano della produzione e dell'economia.

Il processo era lento senza dubbio e senza qualche forte «scossa» dall'esterno o una iniziativa quasi rivoluzionaria all'interno, come fu quella di Gorbaciov[21] nell'Unione Sovietica, poteva continuare a protrarsi per un tempo allora difficile da definire.

Dirò che era per me motivo di continua meraviglia notare come il regime, o i regimi, sembrassero non accorgersene o non preoccuparsene, quando non arrivavano addirittura ad aggravare la situazione con qualche loro decisione: fu per me inspiegabile ad esempio – ma qui precorro un po' troppo i tempi – la pertinacia con la quale l'Urss, nella sua corsa agli armamenti, volle competere con gli Usa anche quando questi si avventurarono nell'«Iniziativa strategica di difesa» spaziale (Sid): esponendo la sua economia a un gravissimo dissanguamento per motivi piú di prestigio che di vera necessità di difesa). Era evidentemente uno di quei fenomeni cosí facili a ripetersi ovunque manchi una reale dialettica fra potere e opposizione.

Spese militari, difficoltà economiche: questioni, tutte, che esulavano dal campo dei problemi e degli interessi ecclesiastici e religiosi. Ma le previsioni, che esse giustificavano, di un collasso non troppo lontano di quei regimi non potevano lasciarli indifferenti, ani-

---

[21] Michail Gorbaciov (1931) è stato segretario del Partito comunista sovietico (1985-91) e, tra il 1990 e il 1991, primo presidente della Repubblica; ha avviato una politica di riforme e di distensione internazionale guidando la transizione del suo paese verso la democrazia; nel 1990 gli è stato assegnato il premio Nobel per la pace.

mando la speranza di un cambiamento generale, che
avrebbe dovuto portare a un ritorno alla libertà anche
sul piano religioso e incoraggiando ad andare avanti
con maggiore fiducia e con tenacia negli sforzi per mantenere in piedi l'istituzione ecclesiastica e per favorire
la continuazione della vita religiosa.

Certo, non molti erano tanto ottimisti da prevedere
una caduta imminente dei regimi del blocco sovietico.
Altri invece sembravano non sperare in un cambiamento radicale senza lo scoppio di un altro grande conflitto:
spettro che tutti i responsabili si sforzavano di esorciz-
zare ma che alcuni, disperati, non si rassegnavano ad abbandonare. Alla Santa Sede sembrava invece che sostanziali cambiamenti potessero, anzi dovessero, verificarsi per una via assai meno traumatica, anche se piú
lenta, legata al cambio delle generazioni, grazie alle trasformazioni profonde che stavano affermandosi nei modi di pensare, nei sentimenti, nelle aspirazioni, soprattutto della parte piú giovane della popolazione, operaia
e intellettuale: quella che sarebbe diventata la protagonista della vita intellettuale e politica del domani delle
nazioni.


2. *La forza dei deboli.*

Di fronte all'imponenza dell'apparato statale e del
partito, sostenuto dall'esercito e dalla polizia, raffor-
zato dal prepotere incontrollato degli organismi giudi-
ziari e penali, la Chiesa appariva troppo debole, esclusa com'era dalla scuola, dalle organizzazioni giovanili,
dai mezzi di comunicazione sociale, guardata con sospetto, controllata puntigliosamente.

Nell'Urss, chiese, monasteri e altri edifici ecclesiastici
erano stati sistematicamente requisiti, distrutti o destinati a altri scopi (non di rado a «musei dell'ateismo»). Nei
paesi europei di nuova acquisizione comunista, invece, le
vestigia di un passato religioso lungo e glorioso non erano state, di norma, cancellate, specialmente nelle grandi

città, ove esse avevano spesso una grande valenza storica e artistica. Ma tali vestigia sembravano assumere sempre piú l'aspetto di «memorie», grandiose all'esterno, svuotate all'interno del loro contenuto. In forte diminuzione numerica e quasi confinati lontano dalla realtà sociale i sacerdoti; sempre meno i giovani nelle chiese e nelle manifestazioni religiose, dalle quali erano praticamente scomparse intere categorie di cittadini: funzionari pubblici, militari, insegnanti. All'infuori della Polonia, dove pure non mancavano gravissimi problemi, la Chiesa dava l'impressione di essere ormai quasi boccheggiante, secondo le speranze marxiste, o almeno talmente indebolita da non poter sperare se non di prolungare il piú possibile la propria agonia. Ma nel segreto, continuava a vivere una Chiesa «spirituale» e si organizzavano gruppi di élite costretti a condurre una vita clandestina, subendo spesso i rigori della legge, ma che continuavano a resistere e a propagarsi nonostante il veto dei governi. In tale situazione le speranze per la Chiesa poggiavano sull'aiuto di Dio, naturalmente, su un drappello di fedelissimi che minacciava però di diventare sempre piú esiguo e sulle sofferenze di vescovi, sacerdoti, religiosi, religiose e laici che il regime continuava a opprimere, anche se in modi meno brutali di tempi da poco passati.

Forse i regimi comunisti, per la loro stessa ideologia, non erano in grado di apprezzare la forza di questa «debolezza». Né d'altra parte, come ho già detto, sembravano rendersi ancora conto del loro progressivo indebolimento, al quale corrispondeva naturalmente un rafforzamento delle speranze delle loro vittime.

È vero che l'energia spirituale della Chiesa e il suo impatto sulla società erano assai deboli in paesi come l'Ungheria o la Cecoslovacchia (per non parlare dell'Unione Sovietica o degli altri paesi dove la presenza cattolica era poco o quasi per nulla rilevante). In questo quadro umanamente desolante per la Chiesa e relativamente tranquillizzante per i regimi comunisti vi era però un punto dove le situazioni erano rovesciate: la Polonia.

La Polonia di Solidarność e del periodo seguente

all'elezione a papa di Giovanni Paolo II non era certo prevedibile negli anni Sessanta. Ma era possibile già allora accorgersi che essa rappresentava l'anello debole della catena dei paesi del «socialismo reale» (non era ignoto il giudizio piuttosto negativo di Stalin sulla possibilità, per un polacco, di essere un vero comunista). E non era difficile rendersi conto che tale debolezza, sul piano sociale, era dovuta in buona parte alla forza di una Chiesa compatta nella sua gerarchia e nel suo clero stretto attorno a un primate della tempra del cardinal Wyszyński[22] e profondamente legata al popolo, di cui interpretava, insieme, le aspirazioni religiose e quelle alle sue libertà fondamentali. Ai tempi del primo segretario del partito comunista Władysław Gomułka[23] quando, nella seconda metà degli anni Sessanta, incominciarono i contatti diretti fra la Santa Sede e il governo polacco, era in corso uno scontro durissimo senza esclusione di colpi e non tutti, forse, sarebbero stati disposti allora a scommettere sul Davide-Chiesa contro il Golia statale. Pochi anni sarebbero bastati per dimostrare che il legame vitale fra la classe lavoratrice polacca – dai cantieri del Baltico alle miniere della Slesia – e le tradizioni religiose dell'intera popolazione, incarnato nella Chiesa, avrebbe assicurato a quest'ultima la vittoria.

Contrariamente a quanto credevano o temevano in molti, avversari da una parte, amici dall'altra, l'avvenire della Chiesa nel mondo comunista europeo non era quindi chiuso del tutto alla fiducia nel futuro, e l'azione decisa dalla Santa Sede meritava di essere portata avanti con coraggio, nel segno della speranza, nonostante difficoltà e incomprensioni.

[22] Stefan Wyszyński (1901-81), vescovo di Lublino (1946-48), fu dal 1948 arcivescovo di Gniezno e Varsavia; cardinale dal 1953 come primate di Polonia guidò per oltre trent'anni la Chiesa del suo paese e, con l'elezione di Giovanni Paolo II nel 1978, vide riconosciuto in tutto il mondo il ruolo cattolicesimo polacco.

[23] Władysław Gomułka (1905-82), iscritto al Partito comunista polacco clandestino dal 1926. Nel 1948 fu accusato di deviazionismo nazionale, espulso dal partito e arrestato. Riabilitato nel 1956, fu segretario del Poup fino al 1970, quando fu travolto dalle proteste operaie di Danzica e Stettino.

gio, esteriormente cosí tiepido e sereno. Un impiegato del ministero degli Esteri che parlava francese stava aspettandomi. Era stato incaricato di tenermi compagnia; però egli si scusò che quella sera non avrebbe potuto restare: c'era a teatro una rappresentazione che egli non voleva perdere. Cosí mi lasciò a cenare per conto mio, con la sola presenza del personale della villa, che pareva non sapere una parola all'infuori dell'ungherese. Ricordo bene la mia preoccupazione e le precauzioni che presi per «proteggere» la lettera del papa al cardinal Mindszenty che portavo con me.

I miei veri contatti con il regime cominciarono il giorno seguente, nell'ufficio degli Affari ecclesiastici dove potei conoscere il presidente dell'ufficio József Prantner, un comunista tutto d'un pezzo. Non potrei dire che con lui l'atmosfera sia stata immediatamente amichevole. Prantner tentò di fare il gioco che penso gli fosse abituale nel trattare con il clero ungherese, con il fare perfino un po' minaccioso di chi era abituato a comandare e a farsi ubbidire. Forse egli scambiò la mia abituale cortesia per debolezza e timidità e cercò di mettermi con le spalle al muro, quasi con un ultimatum: «Ho saputo da Vienna che Lei è venuto per giungere alla nomina a vescovi degli attuali amministratori delle diocesi». Senza assumere un tono che potesse appena appena apparire offensivo, dovetti precisare che non avevo avuto istruzioni di questo genere; ero venuto soltanto per prendere contatto e per parlare, naturalmente, anche circa la situazione del governo delle diocesi. Continuando nella sua tattica, Prantner insistette su quello che aveva detto, richiamandosi alle informazioni che avrebbe avute da Vienna. Adesso era il mio turno di essere fermo. Con calma dissi: «Signor ministro, sono veramente spiacente di questo malinteso; se realmente dovesse risultare che a Vienna non ci siamo ben capiti, non ho altra alternativa che lasciare subito Budapest e ritornare in Austria». Prantner batté in ritirata. Il suo modo di fare cambiò; ovviamente non voleva rischiare di rompere senz'altro le conversazioni.

Poco a poco l'atmosfera migliorò. Non ancora amichevole, ma assai piú distesa. Prossimo passo era di prendere accordi per la mia visita al cardinal Mindszenty. Il cardinale era una personalità di primo piano; egli era diventato primate di Ungheria pochi mesi dopo che le truppe sovietiche avevano occupato il paese, e in Ungheria tradizionalmente il primate era piú che un importante dignitario ecclesiastico. Durante la monarchia era considerato la seconda personalità del paese e aveva specialissimi poteri e responsabilità, specialmente in mancanza del re. Anche sotto l'occupazione sovietica dell'Ungheria, Mindszenty aveva continuato a presentarsi come «principe primate».

Sin da principio il «principe primate» si era mostrato decisamente opposto al comunismo. Come era da temere, egli fu ben presto arrestato e processato; durante il processo, per le pesantissime pressioni alle quali era stato sottoposto arrivò a confessare di aver complottato contro lo Stato e di essersi messo in illecite transazioni valutarie. La corte lo dichiarò colpevole e lo condannò alla prigione a vita. Già il suo arresto, il giorno dopo il Natale del 1948, aveva provocato enorme impressione nel mondo e fu visto come la prova decisiva della natura antireligiosa e oppressiva dei nuovi regimi dell'Europa dell'Est. Il cardinale era restato prigioniero, in carcere e poi a domicilio coatto, sino alla rivoluzione anticomunista dell'ottobre 1956; allora egli ricuperò la libertà, ma solo per trovarsi davanti a un nuovo pericolo di cattura, quando i tanks sovietici abbatterono il nuovo governo appena istallatosi a Budapest. Mindszenty si presentò allora alla legazione americana chiedendo asilo. E là lo trovai quando arrivai in Ungheria nel 1963.

Gli ungheresi pretendevano che il cardinal Mindszenty non fosse ormai piú un problema per loro: il pubblico lo aveva dimenticato ed egli non aveva piú alcuna influenza nel paese. Ciò era ben lontano dalla verità. In ogni modo il suo caso costituiva sempre un grosso problema per il governo, almeno per le sue relazioni con gli Stati Uniti e, naturalmente, con la Santa Sede; gli americani avevano affermato chiaramente che avrebbero continuato a dare rifugio al cardinale sino a che la sua vita e la sua libertà fossero state in pericolo. È vero tuttavia che, quando io arrivai, essi stavano cercando un nuovo rapporto con gli ungheresi, cosa a cui il cardinale era fieramente avverso; ad ogni modo con la sua sola presenza contribuiva a renderla praticamente impossibile. Inoltre gli Stati Uniti erano sempre piú preoccupati per gli ovvii problemi pratici, di salute e di invecchiamento, che il prolungarsi della permanenza del cardinale nella legazione come rifugiato andava inevitabilmente aggravando. Il papa, per parte sua, sentiva come un punto d'onore e un dovere, di fronte alla Chiesa e al mondo, di fare tutto il possibile per tentare di trovare una soluzione onorevole alla penosa situazione di un tale principe della Chiesa, eroe della resistenza religiosa. E poi, come avrebbe potuto essere «normalizzata» la situazione della gerarchia ungherese finché il primate continuava a essere considerato dalla giustizia ungherese un criminale e restava di fatto prigioniero?

Per recarmi dal cardinale fui prima portato da un'automobile del governo alla residenza dell'incaricato d'Affari americano, il signor Owen Jones. Una delle prime cose che questi fece, appena seduti nel suo salotto, fu di passarmi una piccola nota per ricordarmi che con ogni probabilità la nostra conversazione veniva registrata da microfoni nascosti: una precauzione che mi parve diretta principalmente a mettermi in guardia dal dare risposte alle domande della persona che stava a lato dell'incaricato d'Affari e che dall'insieme mi diede poi l'impressione di appartenere piú al mondo della Cia che a quello diplomatico.

Dalla residenza dell'incaricato d'Affari all'edificio della legazione il percorso fu compiuto con la macchina ufficiale della legazione stessa. La bandierina con le stelle e le strisce garriva discretamente sul cofano della vettura nel pomeriggio primaverile di Bu-

dapest mentre, attraversando il Danubio, raggiunge-
vamo la piazza sulla quale si affacciava la rappresentanza diplomatica degli Stati Uniti: piazza della Libertà. Un nome che si prestava sin troppo all'amara
ironia del cardinal Mindszenty, in un'Ungheria sog-
giogata all'Unione Sovietica; forse però, per alcuni o
per molti ungheresi, quel nome, accostato alla presenza degli Stati Uniti nel paese, poteva suonare come un auspicio di speranze non perdute.

A me, benché molto attento all'inusitato panorama,
non sembrò che il passaggio della macchina diplomatica americana attraverso le strade della capitale ungherese suscitasse alcuna attenzione. Per quel che mi riguardava, il signor Jones mi aveva detto che i giornalisti parevano conoscere di me soltanto che portavo gli
occhiali ed ero alquanto calvo; sicché, nello scendere
in fretta dalla macchina davanti all'entrata della legazione, nel buio incipiente della sera, mi limitai a togliere gli occhiali e a mettermi il cappello in testa.

La legazione era immersa nel silenzio caratteristico
di quegli edifici fuori dagli orari di ufficio. Salimmo al
piano superiore. Ed ecco, chiuso nella sua nera sottana sacerdotale, un po' curvo come sotto il peso di troppo gravi preoccupazioni, ma con la tranquilla sicurezza di chi si sente investito di una dignità saldamente
radicata nella storia e nel diritto, anche se misconosciuta, il volto bianco illuminato dal fuoco di due occhi d'acciaio, farsi verso di noi il cardinale!

Da anni, da quando cioè il tragico processo del 1949
aveva richiamato su di lui l'attenzione del mondo, egli
era apparso a me, come a tanti milioni di cattolici e non
cattolici, quasi la personificazione di un'indomita grandezza d'animo, irriducibile di fronte al diritto rinne-
gato e alla dignità umana calpestata. Il mio sguardo,
nel vedermelo apparire davanti, non piú simbolo ma
persona, era pieno di rispetto sincero e profondo. Il
suo, debbo dire, mi apparve subito non solo attentamente indagatore, ma un po' diffidente.

Ne fui, naturalmente, dispiaciuto. Ma non troppo

sorpreso. La mia visita, a due settimane da quella del cardinal König, doveva evidentemente destare in lui il sospetto che fossi arrivato lí, mandato dalla piú alta autorità della Chiesa, per continuare a cercare di forzargli un po' la mano in un senso che suscitava in lui i piú forti contrasti, l'abbandono del suo rifugio nella legazione americana. Forse, entrava in ciò anche il sospetto che tutto fosse fatto d'intesa, o per rispondere a un desiderio del governo ungherese: cosa che gli sarebbe tornata impossibile accettare! Ma anche la semplice ipotesi di eventuali conversazioni o negoziati tra la Santa Sede e tale governo, su questo o qualsiasi altro argomento, gli appariva, come appresi meglio in seguito, inaccettabile sul piano dei principî e senza prospettive sul piano pratico. «L'Ungheria – ebbe a dirmi una volta – non è il miglior terreno per incominciare trattative con i comunisti».

L'accoglienza, ad ogni modo, fu benevola e la conversazione, benché guardinga da parte sua sul soggetto della sua permanenza nella legazione, e molto riguardosa e cauta da parte mia su tutti gli argomenti toccati, procedette senza eccessivi intoppi. Un primo colloquio, presente anche l'incaricato d'Affari, si svolse nella stanza che il cardinale occupava e che era quella un tempo destinata a ufficio del capomissione americano. Ci fu poi offerto, e accettammo, di trasferirci in un locale strettamente isolato (una specie di cubo dalle spesse pareti di materiale plastico, issato su un pernio, dove, mi fu detto, potevano mettere le mani solo i *marines* addetti alla legazione); era il luogo dove il personale della legazione soleva tenere le riunioni su argomenti riservati. Per la verità, il cardinale mostrava poca o nessuna fiducia che si potesse godere di una vera segretezza neppure in quell'ambiente. «Americani putant se esse securos, – mi disse, – sed non sunt: communistae omnia sciunt!» Era infatti ben conosciuta la smania, o la mania, dei governi comunisti di cercare di carpire i segreti, fossero di membri del partito o di altri, con microfoni nascosti o altri mezzi sofisticati della tecnica moderna; ed era comune la convinzione che essi riuscissero a compiere meraviglie in questo campo. Quale che fosse la realtà delle cose, simile convinzione bastava a imporre straordinarie cautele e a far inventare mille sotterfugi per tentare di sfuggire all'assalto, vero o presunto, di una curiosità tanto opprimente. Complicati i sistemi di difesa, quanto sofisticati quelli di ascolto; anche se a volte i sotterfugi piú semplici riuscivano piú efficaci degli apparati piú elaborati. È anche vero, purtroppo, che non sempre il timore di essere spiati vinceva la tendenza cosí diffusa fra gli uomini, anche i piú prudenti, a perdere il controllo delle loro parole e dei loro nervi, proprio nei momenti meno opportuni!

La sera avanzava, e io mi sentivo sempre piú preso dalla preoccupazione di come avrei potuto poi raggiungere la mia residenza, in una città sconosciuta, di cui ignoravo completamente la lingua. Preoccupazione aumentata dal fatto che nel frattempo – per motivi di sicurezza o di depistaggio? – risultò cambiato il numero di telefono della residenza assegnatami e con la quale tentai, inutilmente, di mettermi in contatto. In realtà, il viaggio di ritorno fu quasi «a rischio», ma qualche buon angelo guidò i miei passi insicuri fino al porto desiderato, presso una piazza di cui fortunosamente avevo ricordato il nome. Mi infilai nella mia residenza nascosto dall'oscurità della notte, ma non abbastanza per sfuggire alla curiosità di una occhiuta giornalista americana (forse amica dell'autista della vettura dell'ambasciata che mi aveva portato nei paraggi).

Nella fretta del momento avevo dovuto congedarmi dal cardinale senza poter accettare l'invito che gentilmente egli mi fece di condividere la sua cena. La cosa, temo, non contribuí a rialzare le mie azioni presso di lui che scherzò, ma non troppo, su una mia preferenza per la piú succulenta tavola comunista... Questa, di una certa preferenza per i padroni comunisti dell'Ungheria, era una lagnanza o una forma di insinuazione che sarebbe affiorata altre volte nelle mie

successive conversazioni con il cardinale. Non senza
buone ragioni, ma purtroppo con scarso realismo, egli
avrebbe desiderato che io e poi, con me, i miei compagni di missione prendessimo alloggio presso case ecclesiastiche (ma quali, allora?) anziché esser ospiti del
governo; e, soprattutto, insisteva perché il mio primo
incontro, arrivando a Budapest, fosse con il cardinale
primate e non con rappresentanti governativi. Non fu
sempre facile convincerlo dei condizionamenti pratici
ai quali eravamo soggetti, pur essendo nostro principio e desiderio di rendere visita immediatamente, ossia appena possibile, al venerando ospite della legazione americana. Quasi un vero dramma scoppiò quando un'agenzia di stampa dette la notizia di un mio
passaggio a Budapest, mai avvenuto, durante il quale
naturalmente non avevo potuto andare a visitare il cardinale. Egli, accettando le mie precisazioni, trovò inaccettabile però che non fosse stata subito pubblicata
una smentita, lasciando pertanto credere al mondo –
cosí diceva – che un inviato della Santa Sede era stato in Ungheria senza far visita al cardinale primate! A
poco o a nulla valse obiettare che di quella notizia noi
non avevamo avuto alcuna conoscenza prima che me
ne parlasse lui.

Piccole ombre che nulla toglievano a una cosí eccezionale figura di uomo e di principe della Chiesa. Una
figura che sempre piú andava grandeggiando ai miei occhi, a mano a mano che avevo la possibilità di meglio
conoscerla. Grandezza spirituale. Grandezza morale.
Grandezza per la forza d'animo e di sopportazione che
andava manifestando dopo sei anni e mezzo di un'esistenza che, benché in condizioni ben diverse da quelle del carcere prima sopportato, era pur sempre segnata da mancanza di libertà e da un quasi completo isolamento. Una volta, accortomi che la sua radio non
funzionava, gli dissi che avrei subito provveduto a fargli giungere un altro apparecchio; cortesemente cercò
di rifiutare, osservando: «Ho tante cose da fare!» Pregare, meditare, leggere e collezionare sistematicamen-

te ogni notizia che poteva trovare nella stampa ungherese, americana o altra sulla situazione e i problemi dell'Ungheria: la sua giornata gli sembrava sempre troppo breve. Abituato com'era a non pensare a sé ma alla Chiesa e al suo paese, del quale continuava a sentire gravare dolorosamente la responsabilità sulle sue spalle di vescovo e di «principe primate», le ore potevano persino sembrargli poche e troppo fuggevoli!

Grande figura, che sembrava impersonare la tragedia della Chiesa e del popolo ungherese. Disposto a lasciarsi spezzare piuttosto che piegarsi. «A very uncompromising man!»; cosí me l'aveva descritto l'incaricato d'Affari americano signor Jones, non cattolico, ma pieno di un'affettuosa simpatia per il suo ospite, non sempre comodo ma sempre ammirevole.

Guardandolo con profondo rispetto, non potevo evitare di pensare con un certo disagio che io ero stato incaricato dal papa, non certo di convincerlo a giungere a compromessi, ma di studiare – anche con lui – se e fin dove fosse possibile trattare per qualche onesto accordo, pur facendo sacrifici forse anche gravosi, pur di salvare la presenza e il ministero della Chiesa nel suo paese, alleviandone intanto le piú grosse difficoltà.

Egli dava l'impressione d'una lama di acciaio, inflessibile, pronta allo scontro senza esclusione di colpi con una realtà ugualmente determinata, anch'essa, a non lasciarsi piegare. Il papa si proponeva, invece, di affrontarla, questa realtà, per le vie del dialogo, con sereno coraggio, nella speranza di poter giungere ad ammorbidirla un po', alla fine. Ci volevano, naturalmente, l'aiuto di Dio e uno sforzo di sapienza, non cedevole ma umanamente comprensiva e soprannaturalmente illuminata.

In fondo, benché il cardinale non escludesse eventuali tentativi di conversazione della Santa Sede con il governo, appariva chiara, e lo apparve ancor piú in seguito, la sua convinzione che fosse inutile trattare con i comunisti per ottenere un qualche miglioramento, che non fosse solo apparente, delle condizioni della Chiesa in Ungheria. Queste condizioni, del resto, egli le giudicava cosí cattive che, come diceva, neppure avrebbero potuto peggiorare. Perché trattare, allora?

Quel che diceva della Chiesa, il cardinale lo pensava anche del popolo ungherese e delle sue sorti.

La conclusione logica non poteva essere che un irremovibile «Delenda Carthago!»: non vi era altra strada per aiutare, sia il popolo, sia la Chiesa, che l'eliminazione del regime comunista. Il cardinale non taceva questa sua incrollabile convinzione e non mancava di esprimere un giudizio assai severo sull'Occidente, sugli Stati Uniti piú concretamente: questi avevano avuto alla fine della grande guerra la supremazia militare, grazie anche al possesso, esclusivo per allora, dell'arma nucleare; eppure avevano consentito che l'Urss imponesse il suo impero politico-militare e ideologico su tanta parte d'Europa. Né nascondeva il suo giudizio altrettanto negativo su ogni forma di aiuto proveniente dall'Occidente, come la vendita di grano da parte degli Stati Uniti e del Canada, che in realtà, egli osservava, veniva a rafforzare i regimi comunisti, senza alleviare la miseria dei popoli.

Questa logica inflessibile aveva i suoi buoni fondamenti. Non sempre, però, sembrava tener conto sufficientemente di alcune realtà, difficili da eludere, almeno per quel che riguardava i modi e i tempi per raggiungere uno scopo che egli non era il solo a desiderare.

L'incaricato d'Affari degli Stati Uniti m'aveva detto, già all'inizio dei nostri incontri a Budapest: «Il mio governo, – si era al tempo della presidenza Kennedy, – non può che escludere l'ipotesi di un confronto diretto con l'Urss e la sua alleanza, che porterebbe al pericolo prossimo di un conflitto nucleare» (questo pericolo, come sopra ricordato, si era presentato pochi mesi prima, con la crisi di Cuba). «Esso cerca, invece, di favorire gli sforzi tendenti a introdurre qualche "seme di libertà" nelle crepe che sembrano manifestarsi nel monolito sovietico: sperando che essi si sviluppino, provocando un progressivo allargamento delle fessure:

sino, – era la logica dell'argomentazione, – a provocare la rottura del blocco».

Questa considerazione mi colpí, allora, e mi diede anche in seguito materia di riflessione. Il ragionamento mi sembrava tanto piú convincente in quanto potevo rendermi conto sempre piú chiaramente che una simile azione dall'esterno poteva contare su un potentissimo alleato all'interno: la sete insopprimibile di libertà e del rispetto dei diritti della persona umana. Questa sete si andava diffondendo in modo inarrestabile, nascostamente ma vigorosamente, in seno alla società sovietica o sovietizzata, specialmente in certi strati piú sensibili del mondo intellettuale e operaio e, ancor piú impazientemente, nella gioventú.

Non era, dunque, questione di scegliere la strada della debolezza, ma di lungimiranza e di tenacia, anche se accompagnate da molta pazienza. All'indomito cardinale una simile prospettiva non doveva apparire la piú allettante. E non me lo nascondeva.

Il mio primo incontro con lui era terminato cosí, nell'inconsapevole silenzio della notte budapestina, senza concreti risultati e con la convinzione che sarebbero state necessarie ulteriori riflessioni. Bisognava quindi prevedere un nuovo, o nuovi incontri. Intanto avrei dovuto riferire fedelmente al papa i contenuti del nostro colloquio.

2. *Il primo incontro con monsignor Beran.*

Tornato la sera del 9 maggio da Budapest a Vienna, e dopo aver spesi due giorni a preparare una prima relazione per Roma, la mattina del 12 maggio presi la strada per Praga.

Mi accompagnava sino alla frontiera un alto funzionario del ministero degli Interni austriaco, lo stesso che cortesemente era venuto anche a incontrarmi al mio ritorno dall'Ungheria: il ritorno, per motivi di «depistaggio», era avvenuto attraverso un posto di frontiera diverso da quello scelto per l'entrata in territorio magiaro.

Alla frontiera cecoslovacca mi attendeva il presidente dell'ufficio statale per gli affari religiosi, signor Karel Hruza, con un interprete. Una prima impressione: in Ungheria, tra i vescovi o gli ecclesiastici in aperta opposizione al governo ed ecclesiastici in suo aperto appoggio, si era formata una schiera di uomini di Chiesa, non escluso qualche prelato, che cercava di mantenere un difficile equilibrio; monsignor Brezanóczy sembrava esserne un po' il capofila. Naturalmente, il giudizio dei piú rigorosi era molto severo a proposito di questa terza categoria, come infida e demoralizzatrice per il popolo, anzitutto per i giovani e per le nuove generazioni di sacerdoti. In Cecoslovacchia, invece, molto piú netta era la linea di separazione fra prelati o sacerdoti compromessi con il regime e gli altri, che erano sistematicamente emarginati dagli uffici e incarichi ecclesiastici, anche i meno importanti; quindi il signor Hruza non avrebbe potuto facilmente trovare un ecclesiastico abbastanza «leale» (era l'espressione classica) al governo che egli potesse prendere decentemente a compagno per dare il benvenuto in terra cecoslovacca a un ospite che, venendo dal Vaticano, doveva arrivare già abbastanza prevenuto nei riguardi dei preti cosiddetti «patriottici».

Eccomi dunque solo un'altra volta, in terra e con persone sconosciute, per una missione di cui non potevo ancora misurare tutte le scabrosità, ma che si annunciava già piena di difficoltà e, perché no? di tranelli.

A dir vero, mi fu offerta la possibilità di proseguire il viaggio con la macchina della nunziatura di Vienna. Ringraziando, risposi che non ne vedevo la necessità. In realtà, una risposta positiva mi avrebbe creato un mondo di difficoltà pratiche; né il bravo autista della nunziatura avrebbe potuto darmi grande aiuto, se non quello di aver con me una persona conosciuta e fidata; ma con essa avrei dovuto mantenere sempre, nel parlare e nell'agire, un controllo e una cautela a cui l'autista, abituato alla libertà viennese, non era troppo preparato. E poi mi parve preferibile mostrare che andavo senza paure e senza prevenzioni, pronto a trattare con lealtà e fiducioso nella lealtà dei miei ospiti.

Penso che ciò sia stato compreso e apprezzato.

Il viaggio a Praga fu fatto, dunque, in compagnia del signor Hruza (il cui nome significa, tradotto, «terrore»: ma io venni a saperlo solo in seguito, e ciò mi risparmiò qualche motivo supplementare di pessimismo nei primi tempi delle trattative). La conversazione non fu molto vivace, sia per la mancanza di mutua conoscenza, sia in ragione della necessità di ricorrere costantemente alla mediazione dell'interprete. Il signor Hruza parlava un po' tedesco, ma non troppo; e poi – come mi accorsi ancor meglio in seguito – non amava troppo le conversazioni senza la partecipazione di un testimone autorizzato che potesse seguirla. Questa prassi, mi pare, era comune fra i responsabili dei paesi comunisti: una radicata mancanza di reciproca fiducia rendeva necessario premunirsi contro possibili sospetti con la testimonianza di un terzo. Per il resto, i miei compagni di viaggio furono pieni di cortesie.

Era domenica, e attraversando a mezzogiorno una città, o un grosso borgo che fosse, ci imbattemmo in gruppi di bambini che evidentemente uscivano dalla scuola, e di altra gente che lasciava anch'essa i posti di lavoro. Al signor Hruza non fu difficile indovinare i pensieri che dovevano passarmi per il capo a quella vista; perciò, senza averne troppo l'aria, volle darmi una risposta tranquillizzante. Mi disse che, essendoci stati poco prima tre giorni di festa per l'anniversario della liberazione, quella domenica era stata, eccezionalmente, dichiarata giorno lavorativo: spiegazione che valeva quel che valeva, ma che almeno doveva togliermi l'idea che in Cecoslovacchia la domenica come tale fosse stata soppressa. Segni della recente festa si vedevano per le strade, ornate di bandiere e di striscioni rosso fiamma, come i foulard che bambini e molti adulti portavano al collo. Mi venne fatto di pensare che non

avevo mai visto tanto rosso se non in certe riunioni di
cardinali in «cappa magna», allora ancora in uso; ma lí
si fermava la rassomiglianza.

Per quel che riguarda il «comfort» personale, anche
in Cecoslovacchia mi trattarono sin troppo bene. Fui
portato a una ex residenza reale a Zbraslav, a una quindicina di chilometri fuori Praga. L'edificio era circondato da un parco, piccolo ma piacevole: all'ingresso la
bella statua bronzea di un giovane in corsa, opera di un
noto scultore boemo. La residenza era unita a un antico monastero, ora aperto al pubblico come museo. Mi
dissero che la residenza serviva un tempo come padi-
glione reale di caccia, ma era destinato ora ad accogliere
ospiti stranieri (seppi poi che poco prima vi aveva sog-
giornato anche il maresciallo Tito[24], presidente della Jugoslavia).

Benché fossimo arrivati a Zbraslav in ritardo sul programma, insistei per avere quel pomeriggio stesso una
prima sessione di lavoro; passai cosí due ore con il signor Hruza e con il suo collega signor Travnicek, che
sembrava rappresentare la parte intellettuale del duet-
to. Posi per prima la questione del mio incontro con
monsignor Beran, secondo le intese, senza incontrare
nessuna difficoltà. I due funzionari governativi insistettero solo perché l'incontro avvenisse a Zbraslav
stesso, mentre per un senso di rispetto io avevo proposto di potermi recare dal prelato nel luogo della sua
forzata residenza. Dovetti riconoscere che non era senza fondamento la ragione da loro portata, ossia la convenienza di non solleticare la curiosità dei giornalisti

---

[24] Josip Broz detto Tito (1892-1980), divenne nel 1937 il segretario generale del Partito comunista jugoslavo. A partire dal 1941 organizzò e diresse in Jugoslavia la resistenza, che riuscí a liberare il paese dall'occupazione tedesca senza l'aiuto dell'Armata Rossa. Divenuto, nel 1945, presidente del Consiglio della nuova Repubblica federativa jugoslava, entrò in
conflitto con Stalin e fu messo al bando da parte del Cominform. Presidente della Jugoslavia dal 1953 alla sua morte, riuscí a contenere i conflitti tra le diverse nazionalità, a ricomporre il dissidio con l'Unione Sovietica e a proporsi come uno dei leader piú prestigiosi del gruppo dei paesi non
allineati.

esteri, sempre alla ricerca di qualche novità circa l'arcivescovo.

Monsignor Beran arrivò a Zbraslav la mattina di lunedí 13 maggio. Una figura umile e dignitosa che, dietro un sorriso quasi giovanile e una grande gentilezza di modi, riusciva appena a nascondere l'indomabile energia di un carattere sostenuto da uno spirito soprannaturale e da un amore verso la Chiesa davvero edificanti. Nulla in lui potei scorgere della fierezza del principe della Chiesa, né delle preoccupazioni specificamente «nazionali» che tanto risaltavano, insieme a quelle religiose ed ecclesiastiche, nell'arcivescovo di Esztergom. Non meno ferma era però la decisione di nulla cedere in ciò che egli considerava suo dovere di vescovo cattolico.

Monsignor Beran era stato nominato arcivescovo di Praga da Pio XII nel 1946; scegliendolo, il papa aveva posto a capo dell'arcidiocesi un prelato con credenziali impeccabili anche nel contesto politico del tempo. Era diventata, infatti, quasi una moda per i regimi comunisti dell'Europa cercare di discreditare vescovi e preti accusandoli di collaborazione con i tedeschi durante la guerra; ma ciò sarebbe stato impossibile con monsignor Beran. Durante il conflitto egli era stato attivo nella resistenza antinazista e aveva passato tre anni nei campi di concentramento tedeschi. Il suo eroismo era stato riconosciuto anche dai comunisti. Dalla fine della guerra sino al 1948 la Chiesa, sotto la guida di monsignor Beran, era stata in buone relazioni con il governo; la situazione cambiò drasticamente con il colpo di Stato comunista del 1948. L'anno seguente il regime, dominato dall'ala dura del partito, arrestò l'arcivescovo e lo tenne segregato nella residenza arcivescovile sino al 1951, trasferendolo poi in località sconosciute.

Non sarei stato troppo sorpreso se avessi trovato un monsignor Beran amareggiato dalla lunga segregazione e dall'impressione di esser stato quasi abbandonato, con l'animo un po' fiaccato dalle lunghe pressioni psicologiche e dalle privazioni fisiche, e perciò depresso e piuttosto pessimista. Quanto era differente il Beran che arrivò da me quella mattina!

L'arcivescovo, nel farmisi incontro, trasudava quasi serenità e letizia, il volto illuminato da un largo sorriso. Era minuto, rapido e vivace «come un passero» mi disse poi qualcuno; dopo tutti quegli anni di detenzione comunista, riusciva ancora – con mia meraviglia – a esprimere un certo ottimismo persino circa la situazione della Chiesa in Cecoslovacchia.

Mi sentii involontariamente portato ad ammirare monsignor Beran quasi ancor piú dello stesso cardinal Mindszenty. L'arcivescovo di Praga non era mai stato processato, mai era stato condannato, eppure era rimasto completamente isolato per 14 anni, senza poter comunicare con nessuno fuori da quelle che erano in realtà le sue prigioni, senza stampa né radio! Il cardinal Mindszenty sapeva almeno che l'opinione mondiale conosceva la sua situazione, lo ammirava e l'appoggiava; monsignor Beran non sapeva nulla. Il cardinale era in contatto continuo con il personale della legazione americana, leggeva i giornali, ascoltava la radio; monsignor Beran aveva cosí poche notizie del mondo da poter pensare di esser stato del tutto dimenticato. Eppure egli resisteva, fermo nello spirito, come nel primo anno della sua segregazione.

Sotto un aspetto mite e gentile, monsignor Beran possedeva una forza di carattere che gli permise di sopportare prigione e confino sotto i nazisti e sotto i comunisti per una gran parte della sua vita. Il regime ebbe il dispiacere di doversi rendere conto che l'arcivescovo non era tanto facile da piegare; come egli diceva: «Hanno dimenticato che mi chiamo Beran, cioè montone!»

Comunicare con l'arcivescovo non fu un problema, eccetto che per l'invisibile ma sicura presenza di microfoni in agguato; monsignor Beran aveva studiato a Roma e parlava bene l'italiano. Parlammo della situazione della Chiesa in generale e del suo problema in particolare. Mi confermò che aveva scritto al papa: era

stato appunto uno dei «segnali» che avevano provocato il mio invio da parte di Giovanni XXIII.

Durante il colloquio potei avere una idea piú esatta
di quanto monsignor Beran avesse sofferto per la sua
incrollabile fedeltà alla Santa Sede. Piú d'una volta egli
avrebbe potuto ottenere la libertà se non avesse rifiutato di accogliere certe proposte governative. Due volte il regime gli aveva offerto di riprendere il governo
dell'arcidiocesi di Praga, a condizione che prestasse giuramento di fedeltà allo Stato. Poteva un prete giurare
fedeltà a uno Stato comunista? La prima offerta era
stata avanzata nel 1956, la seconda nel 1962. «Entrambe le volte, – mi spiegò, – risposi che non dicevo
di no, ma dovevo prima chiedere l'autorizzazione del
papa». La prima volta le autorità gli rifiutarono di prendere contatto con la Santa Sede (probabilmente anche
gli avvenimenti di Ungheria avevano allora finito per
bloccare la situazione). Nel 1962 non diedero alcuna
risposta. Né risposero alla sua domanda di partecipare
al concilio Vaticano II, nell'autunno di quello stesso
anno. Ora le autorità gli avevano comunicato che non
sarebbe mai piú potuto tornare a Praga, anche se avesse prestato il giuramento di fedeltà. Ciò significava che
il governo dell'arcidiocesi avrebbe continuato a restare nelle mani di un uomo del regime, che era allora il
vicario capitolare Stehlík[25].

L'atteggiamento del governo aveva tolto a monsignor Beran ogni speranza di poter riprendere la guida
pastorale del suo gregge (egli conosceva troppo bene lo
«stile» dei nuovi padroni della Cecoslovacchia per poter illudersi su un loro ripensamento!) Ciò lo aveva indotto a porsi, ancor piú seriamente di prima, il problema della situazione sua e della sua diocesi; per questo motivo si era rivolto al Santo Padre. Per far ciò egli
aveva avuto il consenso (se non addirittura l'incoraggiamento) del governo; questo, pur sostenendo che il

[25] Antonín Stehlík, canonico filogovernativo, fu vicario capitolare
dell'arcidiocesi di Praga dal 1951 al 1965.

caso non costituiva piú un problema per lo Stato, era presumibilmente desideroso di risolverlo «pacificamente» una volta per sempre. Alla mia domanda circa la libertà del suo passo, monsignor Beran si limitò a rispondere con un eloquente sorriso.

Aggiunse che, in realtà, gli era quasi impossibile giudicare quale poteva essere la decisione piú opportuna, non tanto per la sua persona, quanto per l'arcidiocesi. Per quasi quattordici anni aveva vissuto completamente segregato, e dopo il suo allontanamento dal palazzo episcopale, nel marzo 1951, non aveva piú potuto parlare con persone fidate e al corrente dei problemi della Chiesa; come stampa periodica egli riceveva solo il giornale ufficiale del regime e il mensile cosiddetto cattolico, in realtà organo dei «preti della pace» (sola eccezione il numero de «L'Osservatore Romano» con il testo dell'enciclica *Pacem in terris*!) Ultimamente erano stati messi con lui, sulla stessa residenza, i vescovi di Brno e di České Budějovice, i monsignori Skoupý[26] e Hlouch[27] (quest'ultimo lasciato poi in libertà per le sue condizioni di salute e ritirato a «vita privata»), ma quanto a conoscenza della situazione e dei problemi della Chiesa essi non si trovavano in condizioni migliori delle sue. Come, dunque, prendere o suggerire lui stesso una decisione responsabile?

Non mi fu difficile rispondergli che, purtroppo, nemmeno la Santa Sede disponeva di molte conoscenze sicure, né aveva avuto fino ad allora reali possibilità di consultare persone affidabili che ne avessero.

L'idea di un eventuale suo trasferimento a Roma parve non dispiacergli. «Là, – mi disse, – potrei ancora fare qualcosa, qui niente se non soffrire in silenzio e pregare». Si riprese però subito, per non dare l'impressione di voler influire sulle decisioni del papa e anche

---

[26] Karel Skoupý (1886-1972), dal 1946 vescovo di Brno, fu incarcerato per molti anni.

[27] Josef Hlouch (1902-72) fu vescovo di České Budějovice dal 1947; incarcerato per parecchi anni, morí per infarto in seguito a un drammatico incontro con un funzionario governativo.

riflettendo a quel che la sua sola presenza nel paese poteva significare per i cattolici della Cecoslovacchia.

Quanto poi alle persone che avrebbero potuto essere eventualmente proposte come amministratore apostolico di Praga, nel caso che il governo accettasse simile soluzione, confessò di non essere in grado di presentare alcun suggerimento, per completa mancanza di notizie sul clero. Ad ogni modo, la conversazione mi fornì molti utilissimi elementi da portare al Santo Padre.

Dopo due ore di colloquio pranzammo soli e poi l'eroico arcivescovo ritornò al luogo del suo isolamento, mentre io mi preparavo per quella sera ad altre cinque ore di confronto con i due rappresentanti del governo che lo teneva prigioniero.


Al mio ritorno a Roma da Budapest e Praga, vidi il papa, il 16 maggio 1963. Egli era ansioso, per quanto l'ansia potesse entrare in lui, di sentire tutto ciò che potevo riferire. Era molto ammalato, assai più di quanto probabilmente se ne rendesse conto; di fatto, gli restavano meno di tre settimane di vita. Eppure io ritrovai in lui l'ottimismo di sempre e la tranquilla fiducia nella provvidenza che aveva caratterizzato l'intero suo pontificato.

Per più di due ore potemmo parlare indisturbati, nel suo studio privato alla terza loggia del palazzo apostolico. Sotto di noi, Roma viveva la sua solita vita, di cui solo qualche sorda eco giungeva al nostro orecchio.

Il papa appariva soddisfatto: con l'aiuto di Dio, era stato compiuto un passo importante che, alla fine del suo servizio alla Chiesa, aveva spianato la strada al dialogo con un mondo tanto ostile. Il dialogo sarebbe continuato, egli intuiva, e niente avrebbe potuto richiudere la breccia che egli era riuscito ad aprire nella Cortina di ferro.

Budapest, Praga cessavano di essere nomi di città tanto separate da Roma da apparire quasi irreali. Mindszenty, Beran non erano più figure quasi mitiche, ma uomini vivi, con le loro concrete esperienze, rimaste nascoste a noi per tanti anni, con le loro qualità e i loro caratteri, con le loro conoscenze di cose a noi poco note e con la loro visione, talvolta forse un po' insicura, di cose non note del tutto neppure a loro (il papa sembrava particolarmente dispiaciuto per qualche dubbio affiorato nel mio colloquio con il cardinal Mindszenty, quasi egli temesse che le sue posizioni non fossero state sempre ben comprese a Roma: ragione di più per apprezzare le nuove possibilità di un contatto diretto).

A me, naturalmente, non tornava facile nascondere una certa eccitazione per un'esperienza tanto nuova e singolare. Il papa restava sereno, lieto che le cose avessero incominciato a muoversi, ma ricordando che esse avrebbero richiesto ancora tempo.

I minuti passavano rapidamente. Il papa non dava alcun segno di stanchezza, mentre appariva sempre più vivo il suo interesse per la nuova pagina di storia che il suo tranquillo coraggio e la sua lungimirante bontà avevano dischiusa.

Un discreto colpo alla porta venne infine a ricordarci che il tempo dell'udienza era stato largamente superato. Il papa rispose che andava bene, ma continuava nel suo colloquio. Dopo un altro quarto d'ora, un secondo tocco, un po' più insistente. Ricordo una piccola reazione quasi di impazienza, così insolita in papa Giovanni, ma immediatamente si riprese con un sorriso: «Hanno paura che mi stanchi. E vogliono ricordarmi che è arrivata l'ora della cena. Ma io non mangio quasi nulla! E, – continuò, con quel che mi parve un sottile senso di mestizia, – il mio segretario non mangia molto più di me!»

Finimmo così la nostra conversazione ed egli mi accompagnò alla porta. Dandomi un ultimo addio, volle di nuovo ricordarmi: «Andiamo avanti con buona volontà e fiducia, ma senza fretta». Prezioso consiglio di un papa alle soglie della morte. Quante volte ebbi a ricordarmene nei giorni talvolta difficilissimi che sarebbero seguiti!

Vorrei aggiungere un piccolo particolare, di caratte-re personale e privato, ma a me tanto caro. Stando in piedi presso la porta già socchiusa, il papa parve lasciare da parte il capitolo di storia ecclesiastica di cui aveva sino allora parlato e mi chiese con grande bontà: «Va sempre da quei ragazzi?» Erano i giovani del carcere minorile di Roma, allora situato nella popolare piazza di Porta Portese, dove era stato trasferito dal quartie-re di San Lorenzo dopo il bombardamento angloame-ricano del luglio 1943. Da quell'epoca, press'a poco, essi erano diventati per me «i miei ragazzi», benché non avessi alcun incarico ufficiale, di cappellano o al-tro. Il papa aveva visitato il carcere nel novembre del 1962 e vi aveva lasciato un ricordo incancellabile.

Risposi semplicemente: «Sí, Santo Padre». Ed egli: «Non li abbandoni mai!» Ho conservato e conservo nel cuore quelle parole come un testamento.

Capitolo sesto

Un «diplomatico (e un pastore) nato»

Il «buon papa Giovanni» morí il 3 giugno 1963: aveva appena avuto tempo di aprire alla Santa Sede le strade dell'Est. Anche coloro che non gli avevano risparmiato critiche, talvolta assai aspre, non poterono non sentire il vuoto lasciato dallo spegnersi di una cosí grande luce. Poco meno di tre settimane dopo la Chiesa cattolica aveva un nuovo sommo pontefice. In luogo della serenità luminosa del volto di papa Giovanni, il mondo si sarebbe ormai abituato al profilo intellettuale, ma tutt'altro che privo di una profonda bontà, di Paolo VI.

*La continuità nella diversità.*

Chi ama, o almeno non esclude una lettura «provvidenzialista» della storia, può trovare anche nella vicenda personale di Paolo VI molti elementi di riflessione.

Straordinariamente dotato e solidamente preparato, il giovane Giovanni Battista Montini era apparso ben presto destinato a una vita di eccezionali servizi alla Chiesa. Giunto ancora molto giovane a uno dei posti piú prestigiosi della Santa Sede (sostituto nella Segreteria di Stato del sommo pontefice), godeva, insieme a monsignor Domenico Tardini[28], della speciale fiducia

[28] Domenico Tardini (1888-1961), entrato in Segreteria di Stato nel 1921, ne divenne sostituto (1935-37); fu quindi segretario della Congregazione degli Affari ecclesiastici straordinari (1937-52), pro-segretario di Stato (1952-58, fino al 1954 insieme a Giovanni Battista Montini) e dal 1958 cardinale segretario di Stato di Giovanni XXIII.

del papa Pio XII. Nel 1944, morto il segretario di Stato cardinal Luigi Maglione[29], il papa preferí non dargli un successore e divenne quasi lui stesso il capo diretto della sua Segreteria di Stato, avendo alla sua immediata dipendenza i responsabili delle sezioni che la componevano. Alla fine del 1952, in concomitanza con l'annuncio del concistoro indetto per il 12 gennaio dell'anno seguente, egli nominò Tardini e Montini prosegretari di Stato, ciascuno per il proprio settore (Affari ecclesiastici straordinari e Affari ordinari). Tale elevazione di grado fu però collegata con una novità nelle cronache della Santa Sede: il papa, cioè, annunciò pubblicamente che i due suoi principali collaboratori avevano rinunciato alla nomina a cardinali che era stata loro offerta. Bell'esempio, fu fatto rilevare, di disinteresse nel servizio della Chiesa. Ma il mancato ingresso nel collegio cardinalizio comportava, fra l'altro, l'esclusione dei due prelati da un futuro conclave e quindi, praticamente, dalla possibilità di una loro elezione a papa: tale elezione poteva apparire improbabile per monsignor Tardini, nonostante le sue grandi qualità, ma l'opinione pubblica nella curia non l'avrebbe affatto esclusa per monsignor Montini.

Maggiore sorpresa e maggiori commenti venne poi a provocare, nel 1954, la notizia della nomina del prosegretario di Stato Montini ad arcivescovo di Milano. Un cambiamento radicale di servizio ecclesiastico per lui: dalla diplomazia alla pastorale diretta; dal centro della Chiesa, alla periferia (sia pure una periferia come la grande arcidiocesi di Sant'Ambrogio).

Non pochi pensarono che ciò avrebbe comportato, ormai, una nomina a cardinale, per l'importanza e il prestigio straordinario di Milano. Ma cosí non fu (fra l'altro Pio XII, dopo il 1953, non tenne piú alcun concistoro per nomine cardinalizie). E perciò alla morte del papa monsignor Montini non entrò in un conclave

---

[29] Luigi Maglione (1877-1944) fu nunzio apostolico in Svizzera e in Francia; creato cardinale nel 1935, fu dal 1939 segretario di Stato di Pio XII.

dal quale, secondo una convinzione largamente diffusa, egli sarebbe uscito suo successore.

Molti si chiesero se Pio XII avesse seguito un progetto consapevole e voluto, nei riguardi di chi per tanti anni era apparso quasi come un suo pupillo, se non un delfino; e per quali ragioni? Domande che preferisco lasciare alla legittima curiosità degli storici di oggi e di domani. Fu cosí che la Chiesa, prima di un Paolo VI, ha potuto avere un Giovanni XXIII: con notevoli conseguenze, per la Chiesa e per l'umanità intera. Per quel che riguarda in particolare i rapporti con il mondo comunista, non pochi si sono chiesti se senza il carisma cosí singolare di papa Giovanni si sarebbero avute le aperture che tanto hanno inciso nella storia della Chiesa e dei popoli.

Angelo Giuseppe Roncalli aveva speso molti anni nel servizio diplomatico della Santa Sede; ma era un diplomatico molto *sui generis*, anche se i risultati della sua «diplomazia» furono molto piú grandi di quelli che colleghi e superiori sembravano essersene aspettati.

Giovanni Battista Montini era, invece, un «diplomatico nato», cosa che molte volte minacciò di mettere in ombra l'altro suo tratto caratteristico, ben visibile in lui sin dall'inizio della sua vita, quello di pastore.

Papa Paolo VI non fu solo un operatore della diplomazia e in particolare di quella ecclesiastica. Ne fu anche un teorico e insieme un difensore, convinto e talvolta persino entusiasta.

Il suo grande apprezzamento della diplomazia in generale si trova espresso, ad esempio, in un discorso nel quale giungeva a dichiarare: «Non v'è altra alternativa: o vi sarà diplomazia, o vi sarà guerra». Della diplomazia ecclesiastica poi, in un discorso del 1951 agli alunni della scuola pontificia per la formazione dei futuri diplomatici della Santa Sede (l'«Accademia ecclesiastica»), egli diceva: «La diplomazia della Santa Sede ha questa caratteristica: essa manda i suoi rappresentanti nei diversi paesi, non solo per difendere i diritti della Santa Sede, della Chiesa, ma li manda an-

che per difendere i diritti e servire alla necessità del popolo in quei paesi». E, in altra occasione: «Se la diplomazia pontificia dovesse sparire dal mondo, il Corpo diplomatico resterebbe privo di una specie di modello che indica gli scopi, controlla i metodi dei quali,
forse inconsapevolmente vive la diplomazia [...]. La diplomazia vaticana è l'arte della pace».

Il papa amava volentieri parlare dell'oggetto e degli
interessi della diplomazia della Santa Sede, interessi
che oltrepassano gli aspetti piú specificamente ecclе-
siastici ed entrano in quelle aree della vita delle nazioni nelle quali sono coinvolti giudizi e interessi morali.
Per il Vaticano, il dialogo diplomatico che mantiene
con gli Stati non è limitato all'esercizio della vita religiosa e all'esistenza e attività della Chiesa. La Santa
Sede e la Chiesa cattolica sono profondamente interessate, per ragioni morali, legate quindi intimamente
alla visione religiosa dell'uomo e del mondo, anche ai
valori umani della giustizia, del progresso sociale, della cultura, della pace. La promozione di questi valori
offre loro vaste possibilità di incontro, di intesa, di cooperazione, entro e anche fuori di quella che un tempo
era chiamata «la cristianità». Benché il servizio alla religione e alla Chiesa sia il dovere preminente della Santa Sede, essa non considera secondario il servizio alle
grandi cause dell'umanità. Ciò spiega, in particolare,
perché il Vaticano, nella tutela della pace internazionale, non ricusa la propria collaborazione neppure ai
paesi nei quali la situazione della Chiesa è lontana
dall'essere soddisfacente.

La diplomazia appariva cosí a Paolo VI come un modo di esercizio della sua fondamentale missione di pastore.

tolici e non pochi ecclesiastici meritevoli di ogni considerazione non nascondevano, sia pure con il rispetto dovuto al caro e santo pontefice appena defunto.

Paolo VI, tanto prudente per carattere e per una lunga esperienza di governo ecclesiastico, le conosceva, queste perplessità e sapeva apprezzarne le ragioni. Le obiezioni contro il dialogo con i paesi comunisti erano molte, alcune generali e quasi di principio, altre piú concrete e particolari.

Le trattative erano inutili. Il comunismo aveva verso la Chiesa e la religione un suo disegno strategico, chiaro, indiscusso e indiscutibile. Arrangiamenti tattici non potevano modificarlo, anzi avrebbero dovuto – negli intenti dei regimi comunisti – aiutare alla sua realizzazione. Il comunismo era forte e solidamente impiantato; aveva tempo per realizzare i suoi piani. Le trattative erano anzi dannose. Il fatto stesso di essere accettati o cercati dalla Santa Sede come interlocutori sarebbe stato per i regimi comunisti un riconoscimento, non solo di forza e di stabilità, ma anche di affidabilità. Nelle trattative quei regimi avrebbero certamente premuto in tutti i modi per ottenere vantaggi a spese della Chiesa, concedendo poco o nulla e assumendo impegni o dando assicurazioni che poi non avrebbero mantenuto: il loro unico criterio di moralità era infatti l'utilità della «causa». In particolare, avrebbero fatto di tutto per ottenere la nomina di vescovi favorevoli o almeno deboli o paurosi, assicurando in compenso alla Chiesa una libertà che sarebbe stata solo una vana parola. Le trattative sarebbero apparse come un abbandono, se non una sconfessione, di quella parte della Chiesa perseguitata che era rimasta piú fedele, fino all'eroismo. Vescovi, sacerdoti, religiosi, religiose, laici impegnati generosamente nella resistenza all'oppressione comunista avrebbero potuto avere la sensazione di essere giudicati quasi un ostacolo alla ricerca di qualche intesa, diversamente dai loro confratelli o compagni di fede piú duttili e accomodanti. Difficile o quasi impossibile rassicurarli della stima e della fiducia della Santa Sede e informarli dei suoi veri motivi e delle sue reali intenzioni. Di qui possibili frustrazioni, amarezze e scoraggiamenti: ed era questo l'aspetto piú doloroso per il papa.

Un'altra lagnanza veniva frequentemente sollevata, e cioè che l'esigenza di tenere aperto il dialogo con i regimi oppressori avrebbe impedito alla Santa Sede di deplorare apertamente l'oppressione di cui era vittima la Chiesa nei paesi comunisti. La lagnanza non era certamente senza fondamento e il papa ne risentiva fortemente il peso.

Il 12 settembre 1965, tornando a Roma da Castel Gandolfo per l'ultima sessione del concilio Vaticano II, Paolo VI si fermò alle Catacombe di Domitilla. Il luogo gli suggeriva il ricordo di «quelle porzioni della santa Chiesa che ancor oggi vivono nelle catacombe», di quella «Chiesa che oggi stenta, soffre e a mala pena sopravvive nei paesi a regime ateo e totalitario». Parole gravi e serie. E il papa aggiungeva: «La Santa Sede si astiene dall'alzare con piú frequenza e veemenza la voce legittima della protesta e della deplorazione, non perché ignori o trascuri la realtà della cosa, ma per un pensiero riflesso di cristiana pazienza e per non provocare mali peggiori».

Il discorso papale provocò in realtà forti reazioni, specialmente da parte del governo cecoslovacco che ne trasse pretesto per interrompere il dialogo, rimandandone la ripresa a dopo la conclusione del concilio. Di fatto, la ripresa avvenne assai piú tardi: anche se, in pratica, senza troppe conseguenze perché, già tanto le conversazioni si erano trascinate prima e si trascinarono poi per molto tempo senza alcun risultato. Si può aggiungere per inciso un'osservazione un po' amara, e cioè che i mezzi di comunicazione cattolica non dipendenti direttamente dalla Santa Sede – come la Radio Vaticana o «L'Osservatore Romano» – si limitavano per lo piú, almeno in Italia, a riportare quanto il papa o la Santa Sede dicevano circa l'oppressione comunista; quando ne parlavano per proprio conto, come era loro diritto e come avrebbero fatto bene a fare, attenendosi naturalmente alla realtà dei fatti non sempre facile da appurare, sembravano talvolta deplorare piú il fatto che la Santa Sede cercasse una strada per alleviare le condizioni della Chiesa nei paesi comunisti che non l'oppressione stessa.

Non era meglio, allora, tener alta la propria bandiera? Continuare a lottare per rivendicare i diritti della Chiesa e della coscienza religiosa? Resistere senza cedimenti, senza cercare di venire a patti, in un'illusione priva di speranze e anche, un po', di dignità? E se la Chiesa in qualche paese avesse dovuto arrivare a scomparire come istituzione, privata di vescovi, di sacerdoti, di chiese, non era meglio che morisse in piedi, confidando in colui che risuscita i morti? Intanto, si sarebbe dovuto continuare a fare tutto il possibile per sostenere la vita religiosa, intensificando il ricorso alle vie cosiddette illegali e clandestine, che tante rimostranze suscitavano da parte dei governi comunisti.

Posizioni cosí nette trovavano poche volte un'espressione tanto chiara. Talvolta però, almeno in privato, esse avevano potuto prendere un tono quasi aggressivo nei confronti di papa Giovanni e della sua, chi diceva ingenuità, chi temerarietà o addirittura incoscienza. In ogni caso idee del genere trovavano eco abbastanza ampia, almeno sotto forma di dubbi o di perplessità. Ma di fronte a queste considerazioni tanto gravi stava la realtà non meno grave di una Chiesa già piena di vita, ora colpita e quasi ferita a morte da un potere che si mostrava deciso a portare avanti la sua opera demolitrice.

Già nel 1937 il papa Pio XI aveva scritto: «Per la prima volta nella storia stiamo assistendo a una lotta freddamente voluta e accuratamente preparata dall'uomo contro "tutto ciò che è divino"» (enciclica *Divini Redemptoris*, n. 22). Da allora le cose non erano certo migliorate: il comunismo, in Europa, aveva continuato nella sua lotta, intensificandola anzi e allargandone il campo dall'Unione Sovietica a paesi di antica tradizione cattolica. Nel 1963, sotto l'aspetto della vita religiosa e della situazione della Chiesa cattolica, le regioni europee poste al di là della Cortina di ferro davano l'impressione di un territorio devastato da terremoti e da furiose tempeste. Particolarmente colpiti i vescovi e i sacerdoti piú fedeli alla Chiesa, i religiosi e le religiose, con le loro opere già fiorenti di assistenza ospedaliera e caritativa. Presi di mira in mille modi i laici piú legati alla Chiesa e alle sue attività, ma anche i semplici fedeli. La gioventú, poi, era diventata caccia riservata del regime.

Non dappertutto il panorama era identico, benché dappertutto si fosse scatenata la violenta bufera antireligiosa. Nella Germania dell'Est ad esempio, dove i cattolici costituivano solo un dieci per cento della popolazione, la Chiesa cattolica viveva in una specie di ghetto, dove però sembrava godere di un certo respiro, benché non di vera libertà; durissima, come in tutto il mondo comunista, la lotta per la conquista della gioventú. La Polonia rappresentava poi un caso davvero singolare, non perché il comunismo avesse un diverso orientamento di fondo o un minore impegno contro la Chiesa, ma perché questa poteva contare sul sostegno convinto e senza troppe paure di un'intera popolazione, forte e fortemente fedele alle sue tradizioni religiose; ma il regime, per parte sua, possedeva e cercava di usare tutta la forza di uno Stato totalitario, inserito in una coalizione omogenea con a capo un'Unione Sovietica sicura di sé e determinata a portare a termine il suo disegno antireligioso.

E allora la domanda: era lecito al papa lasciar cadere o respingere la possibilità di dialogo che sembrava ora offrirsi?

Giovanni XXIII sembrava non avere avuto dubbi. Paolo VI ne aveva molti: pronto però a procedere con decisione, una volta trovata una risposta convincente alle tante obiezioni. Si trattava di una situazione e di una responsabilità veramente storica: era in gioco, non solo l'avvenire della Chiesa, ma anche quello della libertà dell'uomo in tante parti del mondo, e dell'Europa in particolare. Dalla risposta che Paolo VI avrebbe data sarebbe dipeso, in parte, anche il giudizio della storia sul suo pontificato.

Per prima cosa il nuovo papa fece quello che Giovanni XXIII non aveva neppure avuto il tempo di fare: chiedere cioè il consiglio della Congregazione cardinalizia che nella curia romana ha incarico di assistere il papa nell'esame degli «Affari straordinari» della Chiesa (erede della Congregazione per gli «Affari straordinari» della Chiesa di Francia al tempo della rivoluzione francese). Il parere dei cardinali consultati, uomini di lunga e vasta esperienza, fu positivo. Naturalmente esso era accompagnato da svariate considerazioni, avvertimenti e consigli di cautela: l'avversario non ispirava troppa fiducia!

Quel parere rispondeva abbastanza bene alla concezione che il papa Paolo VI aveva della natura e delle finalità del papato e della diplomazia vaticana. Infatti era come se ci si trovasse davanti a uno di quei doveri storici che la Santa Sede non può rifiutarsi di affrontare: con prudenza e chiaroveggenza, ma anche con il coraggio necessario in coloro che vogliono essere non solo spettatori, ed eventuali vittime, ma costruttori della storia.

Uomo di Chiesa e di fede profonda, Paolo VI non poteva naturalmente non riporre nella provvidenza le sue prime speranze per la causa della Chiesa oppressa. Ma sapeva, anche per l'esperienza di secoli in diverse regioni del mondo, che la provvidenza, sempre presente nella vicenda umana e pronta a intervenire direttamente, e anche miracolosamente talvolta, lascia normalmente agli uomini grandi spazi di responsabilità anche nei momenti storici piú difficili e piú carichi di conseguenze. Ed eccezionalmente difficile era il momento che la Chiesa, e con essa il mondo, stavano ora attraversando.

La Chiesa e il mondo avevano davanti a sé, con aria di minaccia, uno sfidante comune: il comunismo.

Capitolo ottavo

Il primo accordo: Ungheria

Da una quindicina d'anni in Ungheria lo Stato comunista ungherese, nel pieno delle sue forze e della sua volontà di affermazione ideologico-politica, si era scontrato con la resistenza di un'agguerrita Chiesa cattolica, con la sua gerarchia e il suo clero, con le schiere dei suoi religiosi e religiose, la sua rete di scuole, le sue organizzazioni, la sua stampa.

La lotta fu dura, condotta dallo Stato-partito con decisione inflessibile e con tutta la forza dei mezzi legali e polizieschi di cui disponeva. All'inizio degli anni Sessanta, solo cinque delle dodici diocesi ungheresi (non contando l'abbazia *nullius* di Pannonhalma) erano rette dai propri vescovi, qualcuno già molto avanzato in età, con tre vescovi ausiliari in funzione. Tre i titolari di diocesi «impediti» dal governo: fra essi, primo e mondialmente noto, l'arcivescovo di Esztergom e primate di Ungheria, il cardinal József Mindszenty. Anche fra gli amministratori nominati dalla Santa Sede per diocesi vacanti o impedite, due erano a loro volta impediti (e sostituiti da due vicari capitolari: uno dei quali considerato «scomunicato» per aver accettato di essere, insieme, deputato al Parlamento). Un decreto governativo del 1957 rendeva praticamente impossibile alla Santa Sede provvedere al governo regolare delle diocesi. Nel 1950 il governo aveva disciolto ordini e congregazioni religiose. Solo quattro istituti (tre di uomini, uno di suore) furono lasciati sussistere, con un numero limitatissimo di membri, e provvedevano a otto scuole, due per ciascun istituto. Nel 1948 lo Stato aveva infatti nazionalizzato le scuole, sino ad allora curate in gran parte dalla Chiesa.

La riforma agraria del 1945 aveva espropriato la Chiesa della maggior parte delle sue proprietà fondiarie. L'insegnamento religioso, mantenuto come facoltativo nelle scuole elementari dello Stato, era in pratica largamente, e purtroppo efficacemente, ostacolato. Per non parlare, poi, delle organizzazioni e della stampa della Chiesa, praticamente scomparsa.

Questa per sommi capi, la situazione alla quale il regime aveva ridotto un'istituzione ecclesiastica ricca di secoli e di storia quando, sul finire del 1962, aveva incominciato a manifestare la disponibilità, che parve a momenti desiderio, di giungere a una certa «normalizzazione» con la Chiesa, tramite la Santa Sede. Si trattava forse principalmente della speranza di poter arrivare a una soluzione della «questione Mindszenty», che senza dubbio pesava sul governo all'interno e, soprattutto, di fronte all'opinione pubblica mondiale e nei rapporti con gli Stati Uniti. Ma il governo non rifiutava di discutere anche gli altri punti dei rapporti Chiesa-Stato, che io subito elencai già nei primi colloqui del maggio 1963.

Discutere non vuol dire risolvere, e ne ebbi abbondante esperienza. Ma già era fondamentale il fatto del riconoscimento della competenza della Santa Sede nelle questioni della Chiesa in Ungheria. Discutendo, poi, le idee si sarebbero chiarite meglio: e forse si sarebbe potuto trovare qualche punto di contatto o di avvicinamento prima inavvertito. In ogni caso, per i vescovi (anche se forse non per tutti...) era già motivo di sollievo e di qualche speranza il fatto che la propria causa incominciasse a essere trattata al piú alto livello, con la Santa Sede, un interlocutore indipendente dal governo e di riconosciuto prestigio internazionale, benché privo di forza politica e militare. Veniva naturale chiedersi (e ciò valeva anche per la Cecoslovacchia): perché lo Stato, che si considerava ormai «vincitore», accettava o desiderava arrivare a qualche accordo con il «vinto»?

Vi era sí, come ho accennato, il caso concreto del cardinale Mindszenty, per il quale era comprensibile che il governo desiderasse non attendere quella che qualcuno chiamava una «soluzione fisiologica». Una soluzione che avrebbe potuto richiedere ancora troppo tempo (a un rappresentante governativo sfuggí una volta un'osservazione quasi sconsolata sulla «longevità» della famiglia Mindszenty...) Ma per il resto, non sarebbe stato piú semplice per il regime attendere che le cose maturassero da sole? Con la progressiva scomparsa dei vescovi, con la diminuzione, lo scoraggiamento, il disorientamento del clero, con il progressivo distacco della gioventú dalla religione e dalla Chiesa, con le pressioni continue dell'apparato statale, il collasso della Chiesa sarebbe stato inevitabile.

Era un problema che, sotto diverse forme, si sarebbe continuamente ripresentato nel corso dei contatti con i paesi comunisti, obbligando la Chiesa a una sempre vigile riflessione e a conclusioni spesso difficili e a volte malcomprese. Ad ogni modo, ci sosteneva la speranza di poter trovare spazi, sia pure limitati, per intese concrete, sia pure per la spinta di considerazioni di interesse di vario genere, immediate o piú lontane o forse – perché no, almeno in certi casi? – per il concorso di buona volontà anche da parte governativa.

Nell'ottobre 1963, a cinque mesi di distanza dal primo incontro esplorativo del maggio precedente a Budapest, il governo ungherese, abituato a fare da unico padrone a casa sua e a decidere anziché a negoziare con i propri «sudditi», mandò i suoi rappresentanti a Roma. Essi vennero cosí a trovarsi, in casa sua, di fronte a un interlocutore indipendente e riconosciuto come «sovrano», pronto a discutere su un piede di parità questioni riguardanti la vita ecclesiastica sul loro territorio.

La situazione, sotto questo aspetto, era ben diversa da quando, nell'agosto 1950, il governo, nella persona del ministro dei Culti e dell'Istruzione pubblica, e l'episcopato cattolico, in quella di monsignor Grosz[30], arcivescovo di Kalocsa, avevano negoziato e poi firmato un accordo fra interlocutori evidentemente «disuguali». Nell'accordo l'episcopato riconosceva e sosteneva l'ordine stabilito nella Repubblica Popolare, impegnandosi a prendere provvedimenti contro gli ecclesiastici contrari; condannava con fermezza ogni attività sovversiva e invitava i cattolici a partecipare alla realizzazione del piano quinquennale; sosteneva il Movimento per la pace e condannava l'arma atomica. Il governo, dal canto suo, assicurava la piena libertà di culto «conformemente alla Costituzione», «consentiva» alla restituzione di otto scuole alla Chiesa cattolica, «permetteva» che sussistessero un numero sufficiente (quattro) di ordini religiosi maschili e femminili per provvedervi e assicurava anche alla Chiesa cattolica, come ad altri culti, un periodo di sovvenzioni economiche (dopo averla spogliata di tutte le sue proprietà fondiarie).

Come l'episcopato, neppure la Santa Sede aveva armi. Ma il papa godeva nel mondo internazionale di un prestigio e di un ascolto che, superata ormai l'opposizione frontale dei tempi della guerra fredda, rendeva opportuno averlo in qualche modo amico, o almeno non avverso. Questo e altri motivi avevano verosimilmente contribuito a indurre il governo ad affrontare un dialogo che anche per esso non si presentava troppo facile.

Non credo che il trovarsi a Roma, presso la maestà e i secoli di storia del Vaticano facesse grande impressione sui nostri interlocutori. La radicata convinzione di rappresentare il mondo vittorioso del domani era certo un forte antidoto contro le suggestioni di un mondo grandioso, ma – a loro avviso – moribondo o destinato a morire. Forse solo il ricordo del papa Giovanni XXIII, nella vicinanza del suo sepolcro, mitigava un poco quel senso di orgoglio.

[30] József Grosz (1887-1961) fu vescovo ausiliare di Győr (1928-39), vescovo di Szombathely (1939-43) e dal 1943 arcivescovo di Kalocsa; favorevole a un'intesa con il governo comunista, fu comunque condannato e incarcerato per una decina anni.

Il problema da affrontare, come ho già notato, non era ideologico. Su questo punto le posizioni erano chiare, da una parte e dall'altra: chiare e chiaramente irriducibili; altro era il luogo per eventuali confronti in materia!

Si trattava piuttosto, della vita e dell'azione concreta, in seno a uno Stato ateo e totalitario come quello ungherese, di una organizzazione solidamente strutturata come la Chiesa cattolica: con la sua costituzione, il suo codice, la sua legislazione, le sue gerarchie, le sue procedure: il tutto a servizio di una fede che lo Stato respingeva come una falsità distruttrice delle basi stesse della nuova società.

Lontani, come di secoli, i tempi del rapporto privilegiato della Chiesa col potere politico, di cui restava, quasi come un incredibile ricordo, il «cardinale di ferro», come fu talvolta chiamato, József Mindszenty, con la sua irriducibile rivendicazione del titolo e dei poteri ecclesiastico-civili di «principe primate».

Lontani anche i tempi di un pacifico rapporto di separazione amichevole fra Stato e Chiesa, come fra due poteri sovrani operanti nella stessa terra e con gli stessi «sudditi», rispettosi l'uno dell'altro, viventi in una sostanziale concordia, nonostante possibili episodi di lotta, spesso collaboranti per comuni finalità di servizio alla comunità.

La storia aveva travolto tutto ciò.

Ora la Chiesa viveva, in Ungheria, nel quadro di uno Stato munito di poteri assoluti, oggetto quasi passivo delle sue decisioni, basate su principî e su interessi estranei e contrari a quelli della Chiesa e dei credenti. Decisioni che non ammettevano appelli se non nel quadro del sistema e delle sue gerarchie: a cominciare dagli uffici locali a quelli regionali o a quello centrale del Culto, per giungere agli organi politici superiori, sino alla stessa presidenza della Repubblica, ove ne fosse il caso. L'impressione dei vescovi era di vivere in una grande istituzione carceraria, esposti alla discrezionalità, quando non all'arbitrio dei preposti all'istituzione stessa. La loro quasi unica speranza umana era che forse la Santa

Sede avrebbe avuto maggiori possibilità di parlare e di farsi ascoltare.

In realtà, anche per la Santa Sede le cose si manifestarono presto tutt'altro che facili! Ma per molte ragioni, di principio e pratiche, essa continuava a essere convinta che una scelta volontaria delle «catacombe» non sarebbe stata la decisione migliore per la Chiesa.

Stava quindi per aver inizio ufficiale un negoziato di straordinaria difficoltà, ma che avrebbe potuto lasciare il segno nella storia della Chiesa e della società europea, come apertura d'una nuova stagione, modesta ancora nella prospettiva e nelle speranze immediate, ma aperta a maggiori sviluppi. Solo chi ha vissuto il muro contro muro fra la Chiesa e i regimi comunisti nei paesi del socialismo reale può rendersi conto di che cosa significava tale inizio e di quali speranze e timori fosse carico. Era importante partire bene. Anche in vista di prevedibili dialoghi con altri paesi comunisti. Bisognava incominciare cercando di conoscere il meglio possibile problemi e situazioni: cosa difficilissima, e spesso quasi impossibile sino a qualche mese prima; ora l'iniziale disgelo provocato da Giovanni XXIII e l'occasione del concilio Vaticano II consentiva ad alcuni vescovi dei paesi dell'Est di venire a Roma e parlare, anche se con prudenza. A mano a mano si schiudevano e si precisavano cosí, per la Santa Sede, penosi panorami prima conosciuti o intravisti solo in maniera generale e non sempre esatta, a seconda delle fonti d'informazione, favorevoli o avverse al regime dominante.

Occorreva, poi, studiare una specie di «piano», secondo criteri di globalità, di prospettiva storica, di valutazione delle priorità, secondo le urgenze e le possibilità. Bisognava cercare, a tale scopo, di avere una visione d'insieme della situazione, una specie di panorama non solo il piú completo possibile, ma anche, per cosí dire, «in rilievo» dei problemi, dell'importanza di ciascuno di essi in relazione agli altri e al loro complesso, delle loro difficoltà.

Ancor piú importante, anche se molto difficile, lo

sforzo di leggere situazioni e problemi sullo sfondo del dinamismo della storia. Il presente era brutto, ma il futuro, in una speranza sostenuta da seri argomenti di ragione e dalla fede, poteva apparire migliore, anche se non ancora prossimo. Il presente poteva spingere ad abbandonare la partita; il futuro incoraggiava a tenere duro nonostante difficoltà che apparivano talvolta insuperabili. Nonostante le delusioni. E nonostante le incomprensioni.

Il discorso della possibilità o dell'impossibilità di ottenere l'uno o l'altro risultato era, naturalmente, inevitabile. Non bisognava però partire rassegnandosi senz'altro a rinunciare a quanto appariva «impossibile», ma piuttosto vedere come fare per ottenere almeno tutto il «possibile»: tenendo presente che per raggiungere il «possibile» bisogna saper tentare anche l'«impossibile».

Guardando all'importanza e all'urgenza delle questioni, era chiaro che il primo posto andava riconosciuto alla piena ed effettiva libertà di coscienza per tutti i cittadini (non esclusi – quindi – impiegati dello Stato, militari, insegnanti, studenti); libertà affermata a parole, assolutamente negata nei fatti. Ed effettiva libertà, non soltanto del culto, ma dell'attività pastorale dei vescovi e sacerdoti e della vita cristiana dei fedeli, fuori da ipoteche politiche. In realtà, ciò che era primo in ordine di importanza appariva ancora purtroppo, allora, come un ideale, verso il quale bisognava, sí, far convergere aspirazioni e instancabili sforzi, ma in una prospettiva lamentabilmente lontana.

Nel frattempo, che cosa era possibile cercar d'ottenere per migliorare almeno un poco e progressivamente la situazione esistente?

1. *La questione delle nomine vescovili.*

Ho già detto che in questo quadro si presentava per prima la questione dell'episcopato. La Santa Sede è stata talvolta accusata di aver concentrato la sua Ostpolitik quasi esclusivamente sulla nomina di vescovi. Ciò non è vero. Su molti altri, anzi su tutti i punti di vitale importanza per la Chiesa, la Santa Sede ha continuamente portato e intensificato i suoi sforzi nelle trattative.

È vero, però, che essa è stata obbligata a moltiplicare il suo impegno, sino quasi all'impossibile, per non lasciar mancare alle diocesi legittimi pastori, ricordando che, per la costituzione stessa della Chiesa, i vescovi sono come i pilastri portanti di quell'edificio divino-umano che nei secoli deve assicurare la predicazione del Vangelo e la vita cristiana nel mondo. La storia ci mostra come la mancanza dei vescovi, per troppo lungo tempo, abbia portato con sé il progressivo indebolirsi e, alla fine, la scomparsa della Chiesa, e non solo di quella cosiddetta istituzionale, in molte parti del mondo. Le tante difficoltà opposte tenacemente dagli avversari in questo campo sarebbero state da sole una riprova della sua importanza fondamentale.

C'era naturalmente il problema della scelta dei candidati: da una parte un governo che cercava il piú possibile di far passare «i suoi uomini»; dall'altra un'opinione pubblica cattolica giustamente preoccupata di avere vescovi della Chiesa e non del regime. Questa opinione era sospettosa già in partenza di fronte a candidati accettati dal governo, e osservava con occhio critico i loro atteggiamenti e la loro attività, non sempre tenendo conto del contesto oggettivamente tanto difficoltoso nel quale i vescovi dovevano operare.

Ricordo lo sfogo di un vescovo lituano che, scontata una lunga condanna, aveva ricevuto dall'autorità civile il «consenso» a tornare al governo della sua diocesi. «Ho passato tanti anni in Siberia e non ho mai pianto; sapevo di soffrire per la mia fedeltà alla Chiesa, e ciò mi dava pace e tranquillità; dormivo i miei sonni sereni, e svegliandomi al mattino sapevo che cosa avrei dovuto fare durante il giorno. Ora non piú. Ogni giorno sono a chiedermi quali decisioni devo prendere, al servizio della Chiesa, dei sacerdoti e dei fedeli affidati alle mie responsabilità. Critiche, lagnanze, esortazioni da tutte le parti: chi mi giudica troppo debole o arrendevole di fronte al governo e chi mi rimprovera di essere poco prudente o poco previdente».

Da lui ascoltai un'espressione che mi restò fissa nella mente e nel cuore: il martirio della prudenza.

Veramente diventare vescovi in paesi come appunto l'Ungheria o la Cecoslovacchia di quegli anni (per non parlare dei paesi baltici) e volerne esercitare fedelmente le funzioni, equivaleva a una condanna al martirio: martirio della fortezza e del coraggio, senza dubbio, della prontezza a servire la Chiesa sino al sacrificio di sé, ma martirio anche della prudenza, sia nelle grandi linee dell'azione pastorale, sia nella concretezza delle decisioni quotidiane.

Si poteva talvolta sentir dire da sacerdoti e cattolici piú impegnati: meglio nessun vescovo che un vescovo indegno. Vescovi «indegni», certamente la Santa Sede li ha sempre esclusi. Integrità di vita sacerdotale, integrità di fede, piena comunione con il papa quale capo della Chiesa universale, amore alla Chiesa e zelo per le anime: la Santa Sede ha sempre considerato queste qualità come indispensabili per una nomina a vescovo. Ma in quegli anni, al di là di tutte le altre qualità delle persone, il punto discriminante nel giudizio dei fedeli sui propri vescovi consisteva nel loro rapporto verso lo Stato comunista: rapporto che poteva andare, in teoria, da una posizione di fermezza senza compromessi (con il pericolo imminente di un possibile o probabile allontanamento dall'ufficio o di pesanti misure limitative e di controllo dell'attività pastorale), alla ricerca di faticosi equilibri per non lasciar mancare alla diocesi la presenza del pastore. Dove terminava una saggia prudenza e dove incominciava un'inaccettabile cedevolezza? Era questa la croce dei vescovi, e anche della Santa Sede, già nella fase della scelta dei candidati. Ma bisognava pure trovare il modo di andare avanti. Concretamente si trattava, per l'Ungheria, di cercare di ricostruire il corpo episcopale, nella misura piú completa e come meglio possibile.

Purtroppo, al di là del caso del tutto speciale del cardinal Mindszenty, il governo si mostrò irremovibile nel non consentire che gli altri vescovi «impediti» riprendessero le loro funzioni. Le disposizioni emanate unilateralmente dal governo, nel 1957, costituivano poi un ostacolo insuperabile per la nomina di nuovi vescovi: esse riconoscevano l'esclusiva competenza della Santa Sede in tali nomine, ma nella pratica pretendevano obbligarla a esercitare tale diritto senza avere prima modo di conoscere e di valutare adeguatamente i candidati. Il governo proponeva la sua via d'uscita: si lasciasse la ricerca di possibili candidati al presidente della Conferenza episcopale; questi, prima di trasmettere i nomi alla Santa Sede, si sarebbe anche assicurato che il governo fosse disposto a dare il suo «consenso» alla nomina. A parte ogni altra considerazione, chi conosceva il rapporto fra i vescovi (presidente della Conferenza episcopale compreso) e il governo poteva vedere subito l'inaccettabilità della proposta.

La sostanza del problema era di assicurare, invece, alla Santa Sede l'iniziativa nella ricerca e nella proposta dei possibili futuri vescovi. Con non piccoli sforzi, si riuscí alla fine a far accettare il principio che la ricerca di possibili candidati sarebbe spettata alla Santa Sede che si sarebbe rivolta, per avere segnalazioni, alla Conferenza episcopale naturalmente, ma anche ad altri, e avrebbe potuto compiere sui candidati le consuete indagini previste dal diritto canonico generale.

Ciò rappresentava un capovolgimento se non altro sul piano dei principî. Ma anche sul piano pratico esso permise alla Santa Sede di superare il punto morto che le aveva reso impossibile sino allora di tentare la ricostituzione del corpo episcopale ungherese.

Il passaggio dal piano dei principî e dei tentativi a quello dei risultati reali non era certo facile, in particolare per la pretesa del governo che si riservava di dare o di rifiutare alla fine il proprio consenso alle nomine. Una pretesa assolutamente contraria ai diritti e alla libertà della Chiesa e che condizionava in maniera pesante il processo di nomina dell'uno o dell'altro, se non di tutti i vescovi. Ma il cammino era aperto e, anche se strettissimo e difficoltoso, consentiva alla Santa Sede di smuovere una situazione stagnante da tanti anni. Nel settembre 1964, contemporaneamente alla firma del documento «impegnativo» che segnò la conclusione delle trattative, fu cosí possibile pubblicare la nomina di cinque nuovi vescovi.

Le «indagini canoniche» sui candidati erano un grosso impegno per la Santa Sede e i suoi rappresentanti: ma erano anche una preziosa garanzia in una situazione di tanta incertezza e di tanta confusione, dopo la lunga fase della lotta piú acuta contro la Chiesa.

Connessa con la questione delle nomine vescovili era quella del giuramento di fedeltà alla Repubblica Popolare Ungherese imposto ai vescovi e ai sacerdoti come a tutti i cittadini. La Santa Sede vedeva l'importanza e la delicatezza del problema, non solo in se stesso, di fronte ai fedeli, ma anche davanti al giudizio dell'opinione mondiale. Seguendo una prassi comune in casi del genere, la Santa Sede volle, almeno, che al giuramento i vescovi e i sacerdoti aggiungessero ufficialmente la clausola «sicut decet episcopum, vel sacerdotem» (come conviene a un vescovo, o a un sacerdote): la restrizione era un po' generica e avrebbe potuto dar occasione a molte discussioni ma era chiara abbastanza per sottolineare che la fedeltà promessa alla repubblica da un vescovo o da altro ecclesiastico aveva dei limiti invalicabili nei princípî della Chiesa.

Restai piuttosto meravigliato della mancanza di opposizione da parte del governo alla nostra richiesta. Mi disse in quell'occasione un vescovo: «Qui in Ungheria tutti prestano il giuramento, ma nessuno ci crede» (evidentemente neppure il governo). Cosa che mi colpí non poco, come indice d'un notevole calo di sensibilità morale. Del resto, è vero che, se avesse voluto accusare un vescovo o un sacerdote di slealtà contro la repubblica,

lo Stato avrebbe sempre avuto modo di usare la sua forza, giuramento o no, con o senza la clausola «sicut decet episcopum vel sacerdotem!»

Piú importante, per la vita e per l'attività quotidiana
dei vescovi, era di ottenere garanzie circa la loro libertà
nel governo diocesano (specialmente nelle nomine, tra-
sferimenti, rimozioni di sacerdoti). Importante, a questo riguardo, anche la soppressione di una prassi che aveva particolarmente colpito la Santa Sede, come pubblico e brutale segno di soggezione dei vescovi di fronte al
potere: la presenza cioè, nelle curie e presso i vescovi,
di «commissari ministeriali» con poteri di controllo e,
praticamente, di decisione che ne facevano i veri padroni della diocesi. Vibrata, quindi, la protesta della
Santa Sede e fortissime le sue richieste di cambiamento di una situazione cosí intollerabile per la Chiesa.

Naturalmente sarebbe stato difficile aspettarsi che
il governo avrebbe accettato di rinunciare a un'arma
cosí forte e cosí in accordo con la sua politica come la
possibilità di dare o negare il proprio «consenso» alle
nomine ecclesiastiche, ma si poteva sperare almeno che,
nella nuova situazione, i governanti ungheresi si sarebbero resi conto del carattere arcaico di un istituto
come quello dei «commissari ministeriali» (i «vescovi
coi baffi», li chiamava il popolo). In risposta ci fu data assicurazione ufficiale che «per l'avvenire il governo non intendeva mettere in pratica il principio di poter delegare un commissario ministeriale»; non escludeva però che certi atteggiamenti o attività di vescovi
o del clero potessero «spingere il governo ungherese a
recedere in qualche caso da tale suo intento». Di fatto
l'ultimo vescovo a godere del commissario sembra essere stato l'ottantaseienne ma combattivo monsignor
Lajos Shvoy[31] di Székesfehérvár, da molti considerato
«il secondo Mindszenty». Restavano ancora però, la
minaccia e l'oltraggio alla libertà e alla dignità della
Chiesa; la Santa Sede insistette perciò fortemente, «ri-

[31] Lajos Shvoy (1879-1968) fu dal 1927 vescovo di Székesfehérvár.

levando che un eventuale ripristino di commissari significherebbe venire a creare di nuovo un gravissimo problema nelle relazioni fra lo Stato e la Chiesa».

Per esplicita volontà del papa, fu poi manifestato il «particolarissimo, cordiale interessamento della Santa Sede per gli ecclesiastici imprigionati o sospesi dal loro ufficio»: un migliaio secondo le informazioni giunte alla Santa Sede, mentre i rappresentanti governativi assicuravano che il numero dei sacerdoti realmente sospesi (esclusi i sacerdoti e i religiosi «in pensione») sarebbe ammontato a circa una ventina, di cui due o tre «forse» in carcere. Ad ogni modo, anche qui, dichiarazioni di buona volontà.

### 2. Il documento del 15 settembre 1964.

Ma se la Santa Sede aveva molte lagnanze e richieste a riguardo delle questioni dei vescovi e dei sacerdoti, anche il governo aveva le sue. Persistevano, non cicatrizzate, ferite aperte all'epoca dell'insurrezione dell'ottobre 1956, come la scomunica decretata dalla Santa Sede, nel 1957, contro certi gruppi di sacerdoti filogovernativi, specialmente quelli entrati a far parte del Parlamento della repubblica. E vi era l'atteggiamento negativo della Santa Sede verso gli ecclesiastici facenti parte del Movimento per la pace, che invece il governo sosteneva e dichiarava di voler sostenere, contro venti e maree. V'erano poi non pochi sacerdoti emigrati che, a Roma in particolare, e presso la stessa Radio Vaticana, continuavano a svolgere un'azione «ostile» alla nuova Ungheria.

Molta materia, quindi, per parlare, per discutere, per cercare possibilmente qualche soluzione. Il caso spinoso degli ecclesiastici scomunicati nel 1957 sarebbe stato alla fine risolto nel quadro della legislazione generale della Chiesa coinvolgendo l'autorità e la responsabilità dell'episcopato; la notizia fu resa pubblica poco dopo la partenza del cardinal Mindszenty dal-

l'Ungheria nel 1971: un altro passo nel cammino faticoso verso una certa normalizzazione.

I sacerdoti del Movimento per la pace e le lamente-
le governative per vere o presunte attività «antiun-
gheresi» dell'emigrazione sacerdotale avrebbero continuato a fornire argomento per gli incontri ungaro-va-
ticani che si susseguirono dal 1964 in poi, insieme ai
molti altri punti riguardanti i rapporti fra Stato e Chiesa in Ungheria.

Nell'incontro del maggio 1963 a Budapest infatti,
oltre alla questione del cardinal Mindszenty si era cercato di redigere un indice dei problemi di fondo toc-
canti tali rapporti (ma il governo non amava, né accettava la parola «problemi»: quasi che non ve ne fossero
piú!) Quell'indice era stato desunto dalle informazioni e dalle richieste dei vescovi venuti a Roma per il concilio o incontrati da me a Vienna; esso costituí sostanzialmente la base dei colloqui svoltisi a Roma e nella
capitale magiara, e del documento conclusivo firmato
tra Santa Sede e Ungheria, a Budapest, il 15 settembre 1964.

Questo documento non era un accordo nel senso tec-
nico, ancor meno uno dei classici concordati di cui è
ricca la storia della Chiesa. I tempi erano ancor ben
lontani dal permetterlo. Però il movimento, per quanto iniziale e irto di scogli, andava in tal senso. Alla Santa Sede e al governo ungherese parve possibile e utile
fare, come si suol dire, il punto della situazione; e farlo con un formale documento bilaterale, impegnativo
per entrambe le parti, sia quanto alle informazioni date, sia specialmente per le assicurazioni e le promesse
fornite. Qualcosa di nuovo nel campo del diritto internazionale, rispondente alla novità delle cose. Piú che
una conclusione, esso segnava il punto finale di una tappa fondamentale, ma insufficiente di discussione: erano piú numerose le intese non raggiunte di quelle, di
carattere pratico e quasi provvisorio, consegnate nel
documento. E le due parti si dichiaravano «pronte a
proseguire anche in futuro gli scambi di vedute, nell'in-

tento di giungere, possibilmente, a intese piú complete e concrete». La prudenza, come si vede, era di rigore! E, come si vide in seguito, ben giustificata.

Ad ogni modo, il ghiaccio era rotto. E l'annuncio contemporaneo della firma del documento bilaterale e della nomina di cinque nuovi vescovi riconosciuti anche dal governo, dopo tanti anni di vuoto, sottolineava la novità. Il lungo protocollo in dodici punti, annesso all'atto solennemente firmato, non era destinato a esser reso pubblico nel suo testo: i vescovi ungheresi ne ricevettero però subito un'ampia e fedele informazione.

Un frutto quasi collaterale, ma particolarmente importante, dell'intesa raggiunta a Budapest fu la possibilità di riaprire il Pontificio istituto ecclesiastico ungherese di Roma a sacerdoti provenienti dalle diocesi di Ungheria: quasi un simbolo, e non solo simbolo, del tradizionale legame tra la Chiesa magiara e la Santa Sede, che il turbine dei decenni passati aveva scosso violentemente e che ora sembrava quasi rinverdire!

La notizia della firma del documento di Budapest fu accolta, naturalmente, con sentimenti assai diversi. Nessuno, certo, avrebbe potuto illudersi che il governo ungherese, primo e solo per il momento, fra quelli della «famiglia» dei paesi comunisti, avesse modificato radicalmente il suo atteggiamento nei riguardi della Chiesa cattolica e della religione in genere. Né il modo con cui l'annuncio fu dato poteva autorizzare una simile illusione. Ma tutti, un po', stavano a guardare a che cosa sarebbe successo «dopo». I piú ottimisti, per cosí dire, con la speranza che, almeno in qualche modo e sotto qualche aspetto, la situazione avrebbe conosciuto qualche reale miglioramento. Siccome il grande pubblico non conosceva il contenuto e la portata del documento, anche le attese e le speranze non potevano che restare abbastanza nel vago. Ma, insomma, qualcosa avrebbe pure dovuto vedersi... I meno ottimisti invece, e soprattutto quelli contrari anche alla sola idea di una qualsiasi intesa con i comunisti o diffidenti per principio delle loro reali intenzioni e delle possibilità di accordi che non fossero un inganno o un tranello, aspettavano per poter dire: «Tutto qui?» Oppure: «L'avevamo detto!»

Eravamo preparati alle critiche e alle contestazioni. E queste non mancarono. Sino al punto di affermare non soltanto che le «intese» raggiunte a Budapest non avevano portato ad alcun miglioramento della situazione della Chiesa in Ungheria, ma che, anzi, erano state seguite da notevoli peggioramenti sotto vari aspetti: forse ne erano state addirittura esse stesse la causa.

Si segnalavano in particolare: notizie di nuovi arresti e condanne di ecclesiastici; immutate o aumentate difficoltà frapposte alla libertà dei vescovi nelle nomine ecclesiastiche; maggiori restrizioni nel campo dell'insegnamento religioso nelle scuole e nelle chiese; minacce di chiusura di quattro dei collegi o internati collegati alle otto scuole rimaste alla Chiesa in seguito all'accordo del 1950 fra episcopato e governo; accresciuti controlli e maggiori restrizioni ai danni delle scuole dei benedettini di Pannonhalma.

Le voci e le accuse si ripetevano con crescente insistenza. La Santa Sede non aveva modo di controllarne la fondatezza, per difendersi, ma soprattutto per poter prontamente intervenire, al bisogno, a tutela dei diritti della Chiesa. Chiesi pertanto un incontro con i rappresentanti del governo precisando, in un promemoria fatto avere nel maggio del 1965 all'ambasciata ungherese a Roma, i gravi motivi che ci spingevano alla richiesta. Eravamo consapevoli – osservavo – che la conclusione dell'*agreement* del settembre precedente e il fatto di non conoscersene il testo avevano potuto suscitare speranze superiori alla realtà delle intese, con conseguenti delusioni. Ma le lagnanze continuavano insistenti; ciò rendeva necessario per noi cercar di stabilire la verità della situazione, anche per potere eventualmente rispondere ai critici che attaccavano, insieme al governo, anche la Santa Sede.

Il governo accolse la richiesta e il ministro Prantner, accompagnato dal vicepresidente dell'ufficio statale per i Culti, signor Miklós, giunse a Roma il 14 giugno per un confronto, durato sino a tutto il 20. Il confronto fu molto teso nei contenuti, assai poco soddisfacente nelle conclusioni, ma tutt'altro che inutile. Esso apparve anzi indispensabile per non lasciar morire del tutto, come in un'asfissiante palude di accuse, malintesi, ripicche, il risultato di cosí lunghi sforzi e quel tanto di speranza che avevamo voluto nutrire. La speranza, cioè, di poter rompere o almeno allentare il cerchio che da anni stringeva in una stretta mortale la vita della Chiesa o, se si preferisce, dell'istituzione ecclesiastica in Ungheria. Tanto piú che quanto era stato fatto in questo paese avrebbe potuto o dovuto rappresentare un inizio e un esempio per un'analoga azione nel resto del mondo comunista. Un suo fallimento avrebbe reciso le speranze di chi aveva pensato di poter vedere qualche barlume di luce in un buio che per tanto tempo era apparso impenetrabile.

Confronto duro e teso, dicevo, e con risultati prevedibilmente deludenti. Di fronte alle diverse contestazioni, basate su notizie di stampa e su informazioni che erano evidentemente, ma inevitabilmente «di parte», una sola risposta: il governo sta facendo onore agli impegni (non molti per la verità) assunti il 15 settembre scorso a Budapest; se avete recriminazioni, presentatele concretamente, non in maniera generica, portatecene le prove, e noi risponderemo: la prova spetta a chi accusa, non a chi è accusato. Naturalmente, i miei interlocutori sapevano bene che non saremmo stati in grado di fare quanto pretendevano da noi, tagliati come eravamo dalla quotidianità della vita della Chiesa nel loro paese. Questo ci rendeva impossibile raccogliere sul posto dati concreti con elementi di prova e con sicure testimonianze.

La Santa Sede non poteva che sottolineare nuovamente l'insuperabile disagio in cui la mettevano il persistere e l'intensificarsi di denunce, alle quali non poteva contrapporre se non le affermazioni e le assicurazioni di un partner che, lo sapevano anche loro, godeva, nel paese e fuori, di assai scarsa credibilità. Non le restava perciò che insistere sulla necessità di piú organici contatti e trovare un modo per offrire a entrambe le parti (ma noi si pensava, naturalmente, soprattutto alla Santa Sede) l'effettiva possibilità di seguire e di curare la concreta applicazione delle intese intervenute.

A tale scopo, salva sempre l'eventualità di ripetere incontri a piú alto livello, la Santa Sede stimava necessario inviare in Ungheria un proprio rappresentante, almeno per soggiorni regolari e sufficientemente prolungati. Un rappresentante, sino a diverso accordo, anche senza carattere diplomatico o ufficiale, ma con possibilità di contatti con i competenti organi del governo e con gli ordinari ungheresi, sempre, naturalmente, nell'ambito religioso ed ecclesiastico. Analogamente, il governo avrebbe potuto stabilire un suo rappresentante ufficioso presso la Santa Sede.

Era in pratica la proposta di un inizio di sistematici rapporti di lavoro, che avrebbero poi potuto sfociare in qualcosa di piú formale (come, proprio allora, si stava concordando con la Jugoslavia).

La cosa parve non lasciare indifferenti i nostri interlocutori che però, non essendo essi stessi diplomatici, sembravano muoversi con un certo impaccio su un terreno che non era il loro. Forse c'era in loro anche un qualche presentimento che le cose potessero, prima o poi, sfuggire dalle loro mani, scivolando dal piano interno a quello dei rapporti internazionali. E c'era senza dubbio, alla base, anche il timore di avere sul posto un occhio indiscreto e un possibile interlocutore meno maneggevole dei vescovi locali, per discutere e per informare la Santa Sede.

In pratica, dopo varie discussioni su come la cosa avrebbe potuto concretarsi, non se ne fece ancora nulla. Senza dubbio, io non avrei invidiato molto un inviato della Santa Sede in una situazione come quella ungherese di allora, fra governo, ordinari, realtà politica e realtà ecclesiale: senza contare la presenza dell'indomito ospite rifugiato nella legazione americana di piazza della Libertà! Ad ogni modo, quella poteva apparire al momento l'unica via percorribile almeno per avere notizie sicure da far valere di fronte al governo e alla pubblica opinione.

Uno scambio nutrito di contestazioni e di risposte riempí la nostra settimana di incontri. Se noi avevamo parecchi punti da sollevare, oltre a quelli sopra segnalati, il governo aveva i suoi: e il risalto dato al giubileo sacerdotale del cardinal Mindszenty, con l'invio a Budapest del cardinal König; e la Radio Vaticana; e l'attività del clero emigrato; e certi atteggiamenti di qualche ordinario ungherese (ma su questo argomento l'arco governativo disponeva di pochissime frecce: cosa, però, che forse non tornava troppo a onore dei vescovi ungheresi...); e, soprattutto, la vecchia questione dei sacerdoti colpiti da sanzioni canoniche per la loro appartenenza al Parlamento e, in genere, dei «preti della pace», cosí cari al governo.

L'aria un po' idilliaca che aveva accompagnato la firma dei documenti di Budapest il 15 settembre precedente sembrava in gran parte miseramente dissipata. Io tenni però ad assicurare che, nonostante le difficoltà, in parte del resto prevedibili, la Santa Sede continuava a giudicare positivamente il passo che avevamo insieme compiuto, considerandolo non solo nelle sue conseguenze immediate ma, ancor piú, in una piú ampia prospettiva storica. Intanto, era necessario vedere di prevenire nel miglior modo e di comporre in maniera soddisfacente gli inciampi insorti e che avrebbero prevedibilmente continuato a insorgere per ostacolare, se non per bloccare, una ricerca di leali intese: ricerca che doveva invece essere portata avanti con tenacia e con coraggio, nonostante ogni difficoltà, studiando anche nuove forme per sviluppare il dialogo.

Alla fine dei colloqui potevamo contare su un assai magro bottino, al di là delle ripetute assicurazioni generiche di fedeltà del governo alle intese del settembre 1964. Vi era, in primo luogo, la precisazione che non avevano fondamento le affermazioni di un ulteriore peggioramento delle norme relative all'insegnamento della religione nelle scuole elementari dello Stato già tanto restrittive; piú concreta e, tutto sommato, piú confortante l'assicurazione che non vi era alcun progetto di chiudere quattro degli otto internati rimasti alla Chiesa: vi erano, sí, alcune questioni circa il numero degli alunni che era possibile ammettere negli internati, in rapporto a quello degli alunni che frequentavano le scuole corrispondenti, ma esse non toccavano l'esistenza degli internati in questione. Particolari difficoltà, è vero, esistevano nei riguardi delle scuole dei benedettini di Pannonhalma, precedenti però al settembre 1964, e che il governo attribuiva specialmente all'atteggiamento dell'abate Legányi[32].

Ma molto piú complesse e veramente preoccupanti furono le ammissioni dei rappresentanti governativi in relazione alle notizie apparse sulla stampa circa i nuovi arresti e condanne di ecclesiastici. In realtà, – ci dissero, – a partire dal dicembre del 1964 erano stati arrestati tre gruppi di sacerdoti: sei gesuiti, sette appartenenti al «Regnum Marianum» (un'organizzazione sacerdotale, precisarono, per la diffusione della dottrina sociale della Chiesa) e due sacerdoti secolari rientrati da una visita ai loro parenti nella Germania occidentale.

Le accuse sollevate contro i primi due gruppi erano, al dire dei nostri interlocutori, estremamente gravi: organizzazione di un «complotto antistatale» per cambiare, anche con la forza al bisogno, il sistema sociale vigente in Ungheria e instaurare in suo luogo, un sistema socialista cristiano sotto il nome di «solidarietà mondiale». Le loro idee erano state espresse in alcuni opuscoli (forse si trattava di testi dattilografati o ciclostilati); gli imputati erano accusati di avere cercato di formare una élite per la presa del potere e la direzione della futura società. Con molta serietà i rappre-

---

[32] Norbert Legányi (1906-69), benedettino, fu dal 1957 abate di Pannonhalma.

sentanti governativi lessero alcune delle affermazioni
contenute, a loro dire, negli «opuscoli». Vi si parlava
dell'evacuazione delle truppe russe dal paese e della venuta degli americani. La cosa sarebbe stata impossibile senza spargimento di sangue; e allora, «venga la bom-
ba atomica!»

Non era facile prestar fede ad affermazioni del genere: troppo gravi... o troppo ingenue. Alla richiesta
di avere copia degli opuscoli incriminati, mi fu risposto
che essi erano ormai acquisiti agli atti del processo...
Processo imminente: a porte chiuse!


Nell'incontro del giugno 1965, la questione del cardinal Mindszenty era stata toccata, fra i tanti argomenti possibili, solo per dire che non vi era nulla di
nuovo, né da parte nostra né da parte del governo ungherese. Ma essa tornò ben presto a imporsi, con prepotenza, alla nostra attenzione.

Tre mesi dopo quell'incontro, la Santa Sede fu informata che la salute del cardinale, già scossa dalle lunghe
e dure prove del carcere, aveva avuto un preoccupante
aggravamento. La sua forte fibra aveva ben reagito alle cure prontamente assicurate dalla legazione americana, ma la fase critica non poteva ancora dirsi superata.

Mi recai quindi a Budapest il 13 settembre, accompagnato da monsignor Gabriel Montalvo[33] (che fu poi
per alcuni anni rappresentante pontificio a Belgrado).
Il giorno seguente, primo incontro con il ministro
Prantner e il suo assistente Miklós. Senza escludere la
possibilità di allargare il discorso, la questione del cardinale e della sua nuova situazione di salute formò
l'unico oggetto del nostro colloquio. Proposi naturalmente, come prima cosa, di andare a rendermi conto
di persona della realtà di tale situazione e delle conse-

[33] Gabriel Montalvo (1930), colombiano, diplomatico, è stato rappresentante pontificio in Honduras, Nicaragua, Algeria, Tunisia, Libia e dal
1986 al 1996 in Jugoslavia; dal 1998 è nunzio apostolico negli Stati Uniti.

guenze che sarebbe stato necessario od opportuno trarne. Sarei poi tornato a parlarne con i rappresentanti del governo: non solo – precisai – al livello dell'ufficio per i culti ma, data la natura del problema, anche e soprattutto con il ministero degli Esteri. Nessuna difficoltà: quanto a quest'ultimo punto, ci sarebbe stata data risposta piú tardi.

Andai dal cardinale nel pomeriggio di quello stesso giorno, dopo aver incontrato il nuovo incaricato d'affari degli Stati Uniti, signor O'Saughnessy, che mi mise al corrente di come stavano le cose. L'Eminentissimo soffriva di una tubercolosi contratta nel carcere, come ricordava lui stesso, a causa dei cattivi trattamenti ai quali era stato sottoposto, specialmente nei freddi inclementi dell'inverno. Nell'agosto le sue condizioni si erano seriamente aggravate. La legazione aveva fatto venire due medici di fiducia del governo americano, per esami e per le cure possibili. Queste avevano dato buoni risultati, grazie anche alla forte fibra dell'infermo; l'emergenza non si poteva però dire finita e avrebbe anche potuto riacutizzarsi. Diversamente dal suo predecessore il nuovo incaricato d'Affari, benché cattolico, non nascondeva una certa irritazione per quella che gli appariva l'incomprensione del cardinale per i problemi che la sua rigida posizione andava creando alla legazione e al governo americano. In realtà agli occhi del cardinale, tutto preso dalla tragedia del suo paese e incrollabilmente compreso delle proprie responsabilità storiche di fronte alla nazione ungherese e alla Chiesa cattolica, i suoi problemi di salute e i disagi e le difficoltà che essi potevano comportare per i suoi ospiti perdevano quasi ogni importanza. Egli si era preoccupato, sí, di evitare o almeno di ridurre al massimo i pericoli di contagio connessi con la sua malattia; e, abbastanza curiosamente, si era posto il problema delle spese che questa aveva comportato e continuava a comportare per il governo ospitante. Piú in là non sembrava pronto ad andare, almeno per il momento.

Lo trovai in condizioni fisiche migliori di quanto

avremmo potuto temere, su di morale e non meno combattivo del solito: cosa che sembrava dare abbastanza sui nervi al signor O'Saughnessy. Incominciò col chiedermi, fra il burbero e il faceto, se ero venuto a Budapest per celebrare l'anniversario della firma delle intese dell'anno precedente (che cadeva appunto il 15 settembre). Chiese anche da chi la Santa Sede aveva avuto notizia dei suoi problemi di salute.

Lasciando cadere la prima piccola «provocazione», cercai di dissipare l'ombra di sospetto che sembrava emergere dall'altra domanda (il cardinale pensava forse che l'informazione fosse stata data dal governo di Budapest, nella speranza di vedere posto termine una buona volta alla presenza di un cosí incomodo personaggio nel cuore stesso della terra ungherese, sotto l'egida americana). Mi resi interprete del paterno interessamento del papa per la sua salute; egli mi aveva mandato per avere piú dirette notizie e per mettersi a disposizione per tutto quello che fosse necessario e possibile fare per assicurare una cura adeguata; insieme consegnai al cardinale una lettera e un crocifisso, dono del papa. Ringraziò, facendo a sua volta il racconto della sua vicenda, e assicurando che ormai si sentiva molto meglio e che credeva ormai superato anche il pericolo di contagio per altri; fra due settimane sarebbero terminate le cure prescrittegli e allora avrebbe potuto avere un'idea piú sicura della situazione e del da farsi.

Gli feci presente che, secondo il Santo Padre, la crisi della sua salute poteva forse offrire l'occasione per risolvere il suo caso in maniera degna e giusta, senza compromettere la sua posizione di principio, che la Santa Sede condivideva. Ringraziando Dio del notevole e quasi insperato miglioramento intervenuto, non si doveva però dimenticare che un peggioramento era sempre possibile. Proprio per questo i medici ritenevano necessario un ricovero in clinica; ma dove? in Ungheria? o altrove, se possibile? Tutto ciò presentava molti problemi di non facile soluzione. Non era preferibile cercare di affrontarli subito, anziché essere poi costretti a farlo sotto l'urgenza di un'eventuale nuova crisi? Tanto piú che il problema della permanenza del cardinale nella legazione, anche se fosse stato possibile superare definitivamente l'episodio presente, sarebbe tornato poi a presentarsi con il passare degli anni, facilmente in un contesto meno favorevole.

Il cardinale sembrava non negare che la malattia avrebbe potuto essere occasione per tentare di risolvere il suo caso, ma non se ne mostrava del tutto sicuro: non si trattava piuttosto, anche per la Santa Sede, del desiderio di risolvere un problema fastidioso per il regime ungherese? Risposi che, quanto a governi, era quello americano, anziché quello di Budapest, che avrebbe potuto venire in considerazione.

Ad ogni modo, il cardinale tornava a dire che si sentiva molto meglio e che era piú opportuno aspettare il risultato del trattamento medico in corso. Fra una quindicina di giorni avrebbe considerato gli argomenti espostigli a nome del Santo Padre e comunicato per telegramma la sua risposta. Intanto non si facesse nulla, né con il governo americano, né con «l'altro governo, che era meglio neppur menzionare».

A dire il vero, non facevo molto conto sulla risposta annunciata e soprattutto non avevo molti dubbi sul suo contenuto. Ma sarebbe stato del tutto inutile, anzi controproducente, insistere ancora. Non potei dunque che lasciare il cardinale alla sua solitudine e al suo tormento per affrontare nuovamente il giorno dopo i rappresentanti governativi.

Fu un incontro gelido e spigoloso. Non potei evitare l'impressione che essi si fossero aspettati qualcosa di piú dal mio incontro con il cardinale: che esso avrebbe cioè portato a una soluzione della «questione Mindszenty», in circostanze che avrebbero sperato piú favorevoli che in passato per far accettare le loro condizioni, contro le resistenze del loro vecchio ma tenace avversario e contro le esitazioni della Santa Sede. Quest'ultima, a loro avviso, non sapeva (o non voleva) imporre la sua autorità: anche – sempre secondo loro – a danno degli interessi della Chiesa. Come difensori di questi interessi, i nostri amici non erano certo i giudici o gli avvocati migliori, ma essi non si mostravano, per questo, meno severi verso di noi e verso il cardinale.

Quando dovetti dire che, attesi gli sviluppi delle condizioni di salute del cardinal Mindszenty, il problema che ci era apparso tanto urgente non lo era ormai piú, la delusione fu tanto chiara da prendere quasi i toni della stizza: perché la Santa Sede aveva proposto questo incontro, avanzando addirittura la richiesta di trattare ormai, non soltanto con l'ufficio dei culti, ma anche con il ministero degli Esteri o altri organi politici superiori? La risposta non era difficile, ma l'atmosfera non si prestava molto a un dialogo, non diciamo sereno e disteso, ma almeno mantenuto nei limiti di una fredda cortesia. Ci si riuscí, ciononostante, benché con qualche fatica; ma fu senz'altro respinta, piuttosto aspramente, l'ipotesi da me avanzata, di potere intanto discutere, senza trovarci sotto la pressione di una assoluta urgenza, delle condizioni per l'abbandono della legazione americana da parte del cardinale, quando fosse venuto il momento. Attendiamo che il momento arrivi, fu la risposta, e allora si discuterà; anche con il ministero degli Esteri, se ne sarà il caso. D'altra parte, a che pro discutere ora con la Santa Sede, quando poi tutto sarebbe dipeso dall'accordo o dal disaccordo del cardinale? Anche per il cardinal Beran, nel febbraio precedente, la Santa Sede si era accordata dando garanzie al governo cecoslovacco; adesso Beran parlava e agiva contro quelle garanzie e la Santa Sede non faceva nulla. Qui dovetti mettere parecchi puntini sugli i, ma con poco o nessun risultato. Insomma, i nostri interlocutori erano decisamente delusi e scontenti, e lo mostrarono anche quando, sembrandomi ovvio e doveroso, osservai che il nostro incontro avveniva proprio nell'anniversario del 15 settembre 1964, che aveva segnato il coronamento dei nostri lunghi e volonterosi sforzi con la firma di quel primo documento che aveva segnato un momento storico nei rapporti di due mondi sino a po-

co prima ostilmente chiusi l'uno verso l'altro. La Santa
Sede, come avevo già avuto occasione di dire nel giugno precedente, manteneva il suo giudizio fondamen-
talmente positivo su quanto era stato fatto e intendeva
procedere nella via del dialogo e della ricerca di leali intese. Sí, fu la risposta; anche da parte del governo c'era
buona volontà, ma questa era posta a dura prova, perché «nella Santa Sede» agivano forze ostili a una rego-
lamentazione pacifica dei rapporti con lo Stato ungherese; con manifestazioni offensive, queste forze mettevano continui ostacoli a ulteriori intese (atteggiamento
della Radio Vaticana e «altre manifestazioni del genere»). Ma, per il momento era superfluo parlarne: non
era questo l'oggetto del nostro incontro.

Il giorno dopo, 16 settembre, nuovo incontro-scon-
tro, piú lungo e, se fosse stato possibile, piú teso di
quello precedente.

Non so se i nostri interlocutori avessero veramente
ignorato sino allora, o se avessero tenuto in serbo per
una bordata finale il discorso pronunciato il 12 settembre dal papa Paolo VI alle Catacombe di Domitilla.

Il ministro Prantner incominciò subito il suo intervento chiedendo, «a titolo personale», come si dovessero comprendere i discorsi del Santo Padre, sia alle
Catacombe di Domitilla, sia all'apertura della IV Sessione del concilio (dove il papa aveva lamentato l'assenza di vescovi di paesi comunisti). Tra affare Mindszenty e discorsi pontifici (che, secondo il ministro,
sembravano deviare dalla linea della ricerca del dialogo, per tornare a quella della guerra fredda) non fu un
colloquio facile; ma, insomma, si arrivò alla fine lasciando una porta aperta: quando monsignor Casaroli
lo giudicherà necessario, conveniente e opportuno, potrà ritornare da noi, e parleremo. Apparve chiaro, ad
ogni modo, che il punto piú importante e piú spinoso
era e restava per il governo la questione di avere garanzie sufficienti circa l'atteggiamento del cardinale
quando fosse uscito, eventualmente, dall'Ungheria.

L'unica mia consolazione poteva essere che, se l'Eminentissimo avesse potuto conoscere i contenuti, il tono e... i risultati dei miei incontri con i rappresentanti governativi, ne avrebbe tratto grande conforto (e incoraggiamento a continuare a tener duro nel suo convinto arroccamento nella sede diplomatica americana a Budapest: considerazioni e argomentazioni in contrario, per quanto fondate su valide ragioni di diritto internazionale e di prevedibili o inevitabili problemi pratici, sembravano infrangersi come onde impotenti contro la sua determinazione di difensore della patria e della Chiesa contro l'illegittimità e l'ostilità comunista).

### 3. Il «caso Mindszenty».

La vita continuò anche dopo quei momenti di crisi: una vita difficile per la Chiesa, sotto l'occhio vigilante dello Stato e dell'ufficio per i Culti. Le intese del 1964 servivano, se non altro, per consentirci di tener vivo il dialogo e le discussioni.

Gennaio e marzo 1967, 1968, 1970, 1971: ora a Roma (con la mia partecipazione) anche dopo il 4 luglio 1967 (data della mia nomina a segretario per gli Affari ecclesiastici straordinari), ora a Budapest, gli incontri con i rappresentanti governativi si ripetevano, accompagnati da alcune visite di nostri inviati nelle diocesi per la ricerca dei candidati per la nomina dei nuovi vescovi. Le difficoltà si concentravano soprattutto sul fronte delle provviste di diocesi e delle «questioni personali» (vi erano ancora tre vescovi «impediti»), come su quello dei sacerdoti scomunicati e della limitazione dalle competenze della Conferenza episcopale ungherese in materia di partecipazione degli ecclesiastici alla vita politica. Ma sul vasto campo delle trattative gravava sempre l'ombra, direttamente o indirettamente condizionante, del «caso Mindszenty».

La figura indomita del vecchio cardinale continuava a pesare come un macigno, per il governo, o come simbolo di una fermezza irremovibile, come di un granito appunto, nel cuore di una realtà che stava invece cambiando o tentando di cambiare.

Il suo atteggiamento non era mutato da quando l'avevo lasciato nel settembre del 1965. Passata l'urgenza creata dalle sue condizioni di salute, la vita aveva ripreso per lui il suo lento ritmo abituale: preghiera, meditazione, lettura delle notizie riguardanti il suo paese e la Chiesa; in particolare, stesura delle sue memorie. E il suo continuo tormento, di vescovo e di ungherese. E la sua determinazione di non lasciare il suo paese se non alle sue condizioni. Sí perché, anche se con insuperabile dispiacere, sembrava essersi convinto che le cose non avrebbero potuto continuare indefinitamente com'erano. Che cosa fare, allora? Per qualche tempo egli aveva prospettata (o minacciata) l'idea di consegnarsi alle autorità ungheresi, per far ritorno al carcere o essere confinato in qualche isolata località come il cardinal Stepinac[34]; ma poi si rese conto che era meglio evitare un gesto che sarebbe apparso come un atto di protesta (ma contro chi?) Sembra che il cardinale jugoslavo avesse trovato modo di fargli giungere il consiglio di evitare il rischio di una soluzione come la sua e l'Eminentissimo si confessava preoccupato soprattutto per i disagi che avrebbe potuto causare ai suoi familiari in caso di confinamento nel suo luogo natale, Csehimindszent.

Accettare allora di recarsi all'estero, ad esempio in Vaticano? Forse! Ciò rispondeva ai ripetuti suggerimenti della Santa Sede e avrebbe certamente fatto piacere (purtroppo!) al governo ungherese. Quest'ultimo, però, avrebbe dovuto pagare un giusto prezzo per questo risultato, tanto atteso e tanto immeritato. Il cardinale era persuaso che la sua partenza dall'Ungheria fosse «una valuta importante per il regime»; doveva quindi essere «convenientemente controbilanciata», anche

---

[34] Alojzije Stepinac (1898-1960) fu dal 1934 coadiutore e dal 1937 arcivescovo di Zagabria; nel 1946 fu processato dal regime comunista, incarcerato e dopo cinque anni trasferito agli arresti domiciliari; nel 1953 fu creato cardinale; nel 1998 è stato beatificato da Giovanni Paolo II a Zagabria come martire.

per acquietare un'opinione pubblica che altrimenti non avrebbe compreso il passo della Santa Sede e il mutato atteggiamento del primate. Il cardinale faceva un elenco di problemi della vita della Chiesa che avrebbero dovuto essere effettivamente risolti prima della sua partenza. Ma che cosa voleva dire «effettivamente»? Le promesse e gli impegni del governo non avevano alcun valore. In ogni caso, era indispensabile che l'opinione pubblica fosse chiaramente informata delle condizioni poste al governo in relazione a tale partenza.

Tutto ciò fu ampiamente discusso dal cardinale con la persona che, nel luglio del 1971, il papa aveva deciso di incaricare di un estremo tentativo per portare le cose a una conclusione, superando le sue residue, tenaci e sempre risorgenti perplessità. Si trattava di un prelato ungherese vivente e operante da tempo a Roma al servizio della Santa Sede, nel settore dell'assistenza all'emigrazione ungherese, monsignor József Zágon[35]: persona che godeva di vasta stima e di cui anche il cardinal Mindszenty poteva certamente fidarsi. Anch'egli però non ebbe un compito facile. Le difficoltà dipendevano certo, in buona parte, dal temperamento e dalla mentalità del cardinale; nella sostanza, però, erano legate a un problema indipendente da lui: da una parte, una situazione divenuta ormai praticamente non piú sostenibile; dall'altra, la necessità e il dovere di non pregiudicare i principî della giustizia nei riguardi del principale interessato e gli interessi della Chiesa.

Bisogna anche dire che il governo ungherese non aiutava molto per facilitare una soluzione benché, per bocca del ministro degli Esteri János Péter (un vescovo della Chiesa evangelica), ricevuto in udienza dal papa Paolo VI il 17 aprile di quell'anno, avesse manifestato il suo vivo interesse a vedere finalmente chiuso il caso. Il governo insisteva sulla necessità di un provvedimento di «grazia» e il cardinale sdegnosamente – e giustamen-

---

[35] József Zágon (1909-75), officiale della curia romana, partecipò per conto della Santa Sede alle ultime trattative per il trasferimento del cardinale Mindszenty da Budapest a Roma.

te – lo rifiutava, protestandosi ben a ragione vittima di una vergognosa ingiustizia. Alla fine la strada fu sbloccata: la grazia sarebbe stata concessa senza previa richiesta da parte del «beneficiario» (e cercando di tenere la cosa in sordina, per prevenire nei limiti del possibile troppo forti reazioni «di rigetto» da parte sua).

Piú difficile restava la questione delle «garanzie» che il governo esigeva circa il comportamento del cardinale una volta che fosse uscito dall'ambasciata e dall'Ungheria (non intervento nella vita ecclesiastica ungherese, astensione da parole e da attività ostili alla Repubblica Popolare d'Ungheria). Il governo aveva, nei riguardi di eventuali impegni del cardinale, la stessa fiducia che il cardinale aveva in quelli del governo, ossia nessuna. Ma il problema neppure si poneva, perché mai il vecchio lottatore avrebbe accettato di scendere a qualche forma di patteggiamento con l'antico avversario. Avrebbe quindi dovuto essere la Santa Sede stessa a prendere l'impegno e poi a convincere il cardinale a mantenerlo: non per fare piacere a un governo che egli riteneva non si dovesse «neppure nominare», ma per riguardo verso la Santa Sede e nell'interesse della Chiesa in Ungheria (ma di questo il cardinale non era molto, anzi per niente, convinto...)

In quel periodo io non mi recai a Budapest. Seguivo però attentamente lo sviluppo delle cose, su cui venivo costantemente informato e consultato da monsignor Cheli[36], diviso fra le difficili trattative con i rappresentanti governativi e i contatti indiretti con il cardinale, tramite monsignor Zágon. Mi sentivo anche profondamente partecipe, con ogni comprensione e con sincera simpatia, del tormento di quel grande spirito che, dopo tante prove e dopo una cosí lunga e sofferta resistenza, si trovava costretto dalla forza delle circostanze ad abbandonare il suo sogno eroico: restare nella sua patria,

[36] Giovanni Cheli (1918), diplomatico, è stato nel Consiglio per gli Affari pubblici della Chiesa (1967-73) e osservatore permanente della Santa Sede presso le Nazioni Unite (1973-86); nel 1998 è stato creato cardinale.

come simbolo incrollabile di fermezza, o per esser presente al sorger dell'alba della libertà ricuperata o per morirvi nella fiducia incrollabile del suo spuntare.

Superata ormai la questione di fondo, grazie al consenso del cardinale a lasciare l'ambasciata e l'Ungheria, restavano da risolvere alcuni problemi tutt'altro che secondari che potevano ancora condizionare, in certo senso, l'attuazione della decisione.

Restava poi da stabilire una data; ed era comprensibile che qui sorgesse per il cardinale qualche ultima, ma resistente difficoltà. Si trattava infatti, per lui, di scegliere il momento di uno strappo che avrebbe ardentemente voluto evitare.

In settembre doveva tenersi a Roma l'assemblea del sinodo dei vescovi; quello appariva un tempo opportuno, anche perché avrebbe offerto la possibilità di un abbraccio ideale del grande campione della Chiesa con la rappresentanza dell'episcopato mondiale. Il cardinale se ne rendeva conto, ma sorgeva ancora qualche «ma»: la sorella dell'Eminentissimo aveva dovuto sottoporsi a un intervento chirurgico, e lui doveva attendere per poterla salutare prima di partire; c'era poi da stabilire come assicurare il trasporto dei manoscritti delle sue memorie.

Per tutti questi problemi c'era, naturalmente, una possibilità di soluzione. Alla fine il cardinale autorizzò a far sapere a Roma che «sperava» di poter essere lí in settembre o al piú tardi durante l'ottobre. In realtà, egli lasciò ambasciata e Ungheria a fine settembre, insieme al nunzio apostolico in Austria, monsignor Opilio Rossi[37], poi cardinale, che era andato a prelevarlo con la sua automobile. Io stavo aspettando all'aeroporto di Vienna, per accompagnarlo in aereo a Roma.

Affettuosissima l'accoglienza del papa. Il mondo cattolico, a cominciare dai vescovi ancora riuniti in sinodo al suo arrivo, si stringeva con rispetto e venerazio-

[37] Opilio Rossi (1910) è stato nunzio apostolico in Ecuador, in Cile e, dal 1961 al 1976, in Austria; nel 1976 è stato creato cardinale.

ne attorno a questo suo eroe. Ma il cardinale non era contento, e neppure tranquillo. Anzi, piú i giorni passavano e piú sembrava crescere la sua insoddisfazione, alimentata certamente anche dalle diverse opinioni di cui gli arrivava l'eco. Era come se, pur essendosi convinto della validità degli argomenti che l'avevano spinto a lasciare la patria, il suo cuore non si fosse arreso.

Io cercavo di essergli discretamente vicino, sempre pronto ad ascoltarlo e a vedere che cosa potesse esser fatta per andare incontro alle sue richieste e ai suoi desideri. Ma il «possibile», per forza di cose, era sempre troppo poco.

«Ego debuissem mori in Hungaria!» (avrei dovuto morire in Ungheria) mi disse un giorno. Appariva preso da profonda amarezza e quasi da rimorso; ma nelle sue parole c'era forse anche una nota di rammarico, se non di accusa, verso chi l'aveva incoraggiato a prender la decisione che ora rimpiangeva.

Non c'era che da continuare a mostrare al cardinale la piú rispettosa comprensione, ribadendo però che la decisione, benché tanto penosa, era stata praticamente imposta dalla forza di circostanze ineludibili, dopo una riflessione prolungata e approfondita. Questa non era stata condotta alle sue spalle, ma cercando per quanto possibile di discutere con lui i vari aspetti della spinosa questione.

Il soggiorno in Vaticano, che offriva al cardinale la possibilità di contatti con il papa e con personalità ecclesiastiche, lo difendeva anche da eccessivi assalti di volonterosi giornalisti. Però egli manteneva sempre il desiderio di fissare la sua residenza in Austria e precisamente a Vienna, dove l'istituto fondato da un suo lontano predecessore, il cardinale Pázmány[38], rappresentava per lui un'isola ecclesiastica ungherese (e vicino all'Ungheria...) Vi si poté recare, infine, a un mese

[38] Péter Pázmány (1570-1637), educato nella fede calvinista, divenne gesuita e dal 1616 fu arcivescovo di Esztergom; creato cardinale nel 1629, fu il restauratore del cattolicesimo ungherese dopo la riforma protestante.

dal suo arrivo a Roma. Di là poté organizzare parecchi viaggi, in Europa e fuori Europa, per incontri con vari gruppi di ungheresi emigrati e con altre comunità cattoliche, accolto con grandi manifestazioni di entusiasmo, la cui eco arrivava al governo ungherese come un pugno negli occhi. Già questo, e poi certe parole pronunziate dal cardinale in tali occasioni, davano frequente occasione al governo per mettere in croce la Santa Sede, ricordandole promesse o assicurazioni date dai suoi rappresentanti al momento della «liberazione» del cardinale e interpretate in senso piuttosto estensivo. Restava poi, quasi come una mina vagante, la questione dell'eventuale pubblicazione delle memorie del cardinale.

La Santa Sede si trovava cosí tra due fuochi: i buoni diritti di una persona che il regime aveva combattuto, calunniato, oppresso in ogni modo possibile e, dall'altra parte, gli interessi di una Chiesa soffocata e bistrattata, da favorire o almeno da non peggiorare.

Sulla possibilità di fare veramente qualcosa di buono con il regime ungherese, le idee del cardinale, come si sa, non collimavano con quelle della Santa Sede. Ma Paolo VI sentiva vivamente e quasi dolorosamente il dovere di insistere anche «contro la speranza», mettendo il servizio alla Chiesa e alle anime al di sopra di altri valori pur nobili e grandi. Senza dubbio il cardinal Mindszenty aveva un amore non meno sincero per le anime e per la Chiesa, ma il suo giudizio pratico su uomini, regimi, vie da seguire era fortemente segnato da esperienze incancellabili e scoraggianti.

La differenza delle due mentalità esplose, per cosí dire, in maniera che non sarebbe esagerato chiamare drammatica sul finire del 1973, quando il papa arrivò alla convinzione che fosse urgente di porre rimedio alla situazione del governo ecclesiastico della «gloriosa e languente» arcidiocesi di Esztergom, come egli la chiamava; una situazione negativa che rappresentava un gravissimo problema anche per l'intera Chiesa cattolica ungherese. Da oltre venticinque anni il cardinal Mindszenty era impedito dall'esercizio delle sue funzioni pastorali; e l'amministratore apostolico in funzione (il vescovo ausiliare monsignor Szabó[39]), benché buono, si era rivelato del tutto incapace di muoversi fra difficoltà sempre crescenti, anche per le sue condizioni di salute e per le prepotenti interferenze governative. I risultati erano sempre piú disastrosi.

Il papa era profondamente turbato, come egli stesso scrisse, del danno forse irreparabile che «deriverebbe alle anime e alle sorti della Chiesa ungherese, se la presente situazione dovesse ancora prolungarsi».

Per arrivare, superando le forche caudine delle ingerenze statali, a una nomina che rispondesse nel miglior modo possibile alle eccezionali esigenze del momento, Paolo VI si ritenne nella necessità di chiedere al grande campione il piú grave sacrificio che avrebbe potuto essergli chiesto: quello di rinunciare al titolo (piú che all'ufficio) di arcivescovo di Esztergom (e quindi anche al titolo di primate d'Ungheria).

Lo fece con una lettera in data 1° novembre 1973, scritta di suo pugno, nel suo stile inconfondibile. La lettera era in italiano e ciò rendeva certo meno diretto il suo impatto sul destinatario; ma evitava, alla fonte, la mediazione di altre persone (nel caso, gli ottimi «latinisti» della Segreteria di Stato), sottolineando ancor meglio il carattere personale della decisione e della sua comunicazione.

Il papa dichiarava di scrivere «in virtú del suo apostolico ufficio», nella convinzione di compiere «un atto doveroso del suo ministero pontificio». Era un documento destinato a restare nella storia della Chiesa come forse unico nel suo genere, oggetto, anche in futuro, di contraddizione. Solenne il tono, quanto grave e inusuale il passo, vibrante di venerazione, di affetto,

[39] Imre Szabó (1901-76), vescovo dal 1951, fu vicario generale e poi vescovo ausiliare dell'amministratore apostolico di Esztergom.

di emozione. Chiara l'ispirazione esclusivamente ecclesiale e religiosa di una decisione dettata dalla «necessità di anteporre nelle presenti circostanze la valutazione della salute delle anime a ogni altra pur degna considerazione». Ma terribile il colpo, che il papa cercava di lenire in qualche modo con la delicatezza delle sue parole e l'elevatezza delle sue considerazioni.

Nelle sue memorie il cardinal Mindszenty ricorda sobriamente i fatti, con un tono che fa onore alla sua grandezza d'animo, ma che conferma, fra l'altro, la sua incrollabile convinzione che con il regime di Budapest era impossibile qualsiasi tentativo di utile accordo.

Alla lettera del papa il cardinale rispondeva l'8 novembre: con rispetto, ma con un rifiuto, motivato però netto.

Il 18 seguente Paolo VI scriveva nuovamente, in latino stavolta, come a sottolineare che la vicenda passava ormai dalla fase dell'esortazione a quella delle decisioni. Il papa assicurava di avere attentamente esaminato le notizie e le considerazioni fatte dal cardinale; ciononostante egli manteneva la sua richiesta, dettata non da ragioni umane o dal proposito di compiacere il desiderio di persone o di poteri politici, ma esclusivamente da carità di Chiesa. Egli si diceva spinto proprio anche dalle tristissime notizie mandate dal cardinale e dalla possibilità, forse poi non ripetibile, di preporre al governo dell'arcidiocesi un presule di buon affidamento (v'era, senza che ne fosse fatto il nome, un accenno al vescovo monsignor Lékai[40], che per un anno era stato segretario del cardinal Mindszenty, quando era vescovo di Veszprém). Il papa avrebbe auspicato ricevere il consenso e l'aiuto dell'attuale arcivescovo di Esztergom, ma comprendendo il suo stato d'animo non intendeva forzarlo a una rinuncia che sarebbe stata contraria alla sua coscienza. Egli aveva quindi deciso di

---

[40] László Lékai (1910-86), amministratore apostolico di Veszprém (1972-76) e arcivescovo di Esztergom dal 1976, fu creato cardinale nello stesso anno.

prendere su di sé la responsabilità impostagli, affermava, dal suo ufficio apostolico e di dichiarare vacante l'arcidiocesi primaziale.

6 gennaio 1974: nuova lettera del cardinale al papa, per chiedergli di recedere da quanto deciso.

14 gennaio: il papa rispondeva nella maniera piú delicata e piena di comprensione, ma affermando di non poter modificare la decisione già comunicata, chiedendo al cardinale di volersi rimettere al giudizio della Santa Sede e di credere alla sincerità dei sentimenti che il papa gli aveva manifestati.

Il 6 febbraio, il giorno dopo la pubblicazione del provvedimento relativo a Esztergom, il cardinale dichiarava pubblicamente che non vi era stata rinuncia da parte sua, indicando le ragioni del suo atteggiamento. La differenza di posizioni, non limitata esclusivamente al caso di Esztergom, veniva cosí alla luce in una maniera, come ho già detto, quasi drammatica.

La strada che la Santa Sede si sforzava di percorrere per servire la Chiesa nei paesi dell'Est era evidentemente in salita; e in certi casi, come quello del cardinal Mindszenty, si rivelava ripida come un picco. Paolo VI, cosí riguardoso e descritto come tanto perplesso e insicuro, risentiva dolorosamente dei contrasti ai quali la sua scelta dava luogo, ma ritenne in coscienza che non vi fosse altra via possibile.

È stato affermato, in tono di critica e di grave rimprovero, che Paolo VI sarebbe venuto meno a una promessa, o a un'assicurazione data al cardinale: che egli, cioè, avrebbe conservato sempre il titolo e l'ufficio (benché impedito) di arcivescovo di Esztergom. In realtà nelle sue memorie il cardinale racconta che in occasione della sua partenza da Roma per Vienna, monsignor Zágon aveva avuto l'incarico di assicurarlo a nome del papa, che «il cardinale rimarrà sempre arcivescovo di Esztergom e primate di Ungheria».

Credo di poter senz'altro affermare che ci fu in questo un equivoco, non voluto, certo, da monsignor Zágon, ma che è necessario chiarire. Il papa aveva nettamente rifiutato di subordinare la partenza del cardinale dall'Ungheria alle sue dimissioni dall'ufficio ecclesiastico di cui, in linea di diritto, continuava a essere rivestito, o di prendere un impegno in tal senso, per il futuro. Questo, di fronte al governo. Ma ciò non significava che egli si fosse impegnato con il cardinale, tanto venerato anche per le persecuzioni subite e le sofferenze sopportate, a non toccare mai e per nessuna ragione il suo status: uno status che per il cardinale continuava ad avere carattere non solo religioso, ma politico-nazionale (e non era questo l'aspetto al quale egli fosse meno sensibile). Per Paolo VI la «salute delle anime» restava il criterio superiore per l'azione della Chiesa e a esso i suoi uomini avrebbero dovuto saper sacrificare, al bisogno, anche se stessi.

Poco prima di parlare della comunicazione fattagli da monsignor Zágon il cardinale stesso ricorda nelle sue memorie che, sempre prima della sua partenza per Vienna, il papa fece allontanare tutti i presenti e gli disse in latino: «Tu sei e rimani arcivescovo di Esztergom e primate di Ungheria». Tra le due dichiarazioni questa, cosí diretta, del papa al cardinale è certamente la piú autorevole. Il papa si era riferito al presente e, soprattutto, aveva evitato il «sempre» che si trova nelle parole riferite da monsignor Zágon. Conoscendo la precisione e la prudenza di Paolo VI, tutto ciò non è senza significato.

Un'altra considerazione: scrivendo di suo pugno al cardinale il 1° novembre 1973, il papa, pur dilungandosi a illustrare le ragioni della sua richiesta di dimissioni, non accennava minimamente a precedenti assicurazioni o impegni che tali ragioni avrebbero poi indotto a revocare. Sarebbe veramente inspiegabile il silenzio su tali assicurazioni o impegni, qualora ve ne fossero stati; tanto piú che il cardinale avrebbe potuto facilmente ricordarli nella sua risposta.

Tutto questo per chiarire un punto che rischierebbe di gettare altre ombre su una vicenda già cosí delicata e tanto dolorosa.

Mentre ancora era in corso la discussione sulla questione del cardinale, il governo aveva tenuto vivo il problema delle censure ecclesiastiche inflitte ai tre ecclesiastici che, nel 1957, avevano accettato l'elezione al Parlamento. Esso aveva anzi aumentato le sue insistenze sino a farne praticamente quasi una condizione per lo sviluppo delle altre trattative. Lo stesso aveva fatto per la richiesta dell'abrogazione del decreto del 16 luglio dello stesso anno che, in maniera generale, proibiva ai sacerdoti in Ungheria, sotto pena di scomunica, di chiedere o di accettare l'elezione a deputati o a qualsiasi altro incarico parlamentare e imponeva agli eletti le dimissioni, sotto la stessa pena.

Tenuto conto anche del fatto che una simile disposizione speciale non era stata emanata per altri paesi comunisti, la Santa Sede si era detta disposta, alla fine, a riportare l'Ungheria alla legislazione canonica generale. Sarebbe cosí stato rimesso all'autorità dei vescovi di risolvere i casi concreti ereditati da un passato non ancora superato, ma da cui si voleva cercare di uscire. Si tentò almeno di ottenere qualche vantaggio per la Chiesa, insistendo, almeno per un alleggerimento del decreto governativo, anch'esso del 1957, che condizionava al consenso statale tutte le nomine ecclesiastiche. Qualche cosa si ottenne, anche se assai meno di quel che la Santa Sede chiedeva.

Il governo aveva convenuto di rinviare di qualche tempo (praticamente, a dopo la conclusione del «caso Mindszenty») la pubblicazione dei provvedimenti della Santa Sede. E cosí fu fatto.

Lo spirito generoso e tormentato del cardinal Mindszenty trovò riposo nella pace di Dio il 6 maggio 1975. Egli resta grande nella storia. E penso che pochi conservino di lui un ricordo piú ammirato e, posso dirlo, piú affettuoso del mio.

## 4. *Alcuni mutamenti.*

A quasi due mesi dalla sua scomparsa, il 1° agosto 1975, veniva firmato a Helsinki l'atto finale della Conferenza per la sicurezza e la cooperazione in Europa: un atto che, nelle intenzioni solennemente espresse da tutti i paesi europei (esclusa l'Albania), dagli Stati Uniti d'America e dal Canada, doveva chiudere idealmente la lunga fase di radicale diffidenza e di reciproca chiusura seguita all'ultima grande guerra. Si sperava, cosí, di aprirne una di maggiore serenità internazionale e di nuove possibilità di utili collaborazioni, non solo politiche, ma economiche, scientifiche e di ogni altro genere fra nazioni e popoli da tanto tempo separati da cortine e barriere.

I frutti dell'atto finale di Helsinki sarebbero maturati negli anni, ma già dall'inizio della sua preparazione, nel 1973, avevano incominciato a farsi notare alcuni mutamenti, benché ancora superficiali, nel clima dei rapporti internazionali, anche fra i paesi dell'Europa centro-orientale e la Santa Sede.

Il 13 novembre del 1975 il papa riceveva la visita del presidente del Consiglio ungherese György Lázár, e il 9 giugno 1977 varcava le soglie del Vaticano il massimo esponente del comunismo magiaro del dopo 1956, János Kádár[41]. Non potei trattenermi dal pensare, allora, che le ossa del cardinal Mindszenty dovevano aver avuto un fremito come di rivolta, dentro il sepolcro che le accoglieva a Maria Zell in Austria; ma forse nella pace della vita ultraterrena le vicende tumultuose della storia umana dovevano essergli apparse sotto altra luce: quella lu-

---

[41] János Kádár (1902-89), ministro degli Interni dal 1948 al 1950, fu espulso dal Partito comunista e imprigionato dal 1951 al 1954 con l'accusa di titoismo. Nel 1956, durante la rivolta di Budapest, fu chiamato alla segreteria del Partito comunista, che mantenne fino al 1988. Dopo avere richiesto l'intervento sovietico, gestí, come nuovo capo del governo, la normalizzazione interna. Specialmente nel suo secondo mandato, dal 1961 al 1965, fu sostenitore di una politica di relativa tolleranza politica, d'apertura all'Occidente e di liberalizzazione economica.

ce nella quale si sforzava di guardarle, fra tante divergenti o contrastanti opinioni, il papa Paolo VI.

Alla vigilia e poi terminata la fase finale della Conferenza di Helsinki, i governi di alcuni paesi comunisti credettero conforme al nuovo clima europeo rivolgermi inviti ufficiali a visitare i rispettivi paesi, inviti che fui autorizzato ad accettare: Polonia (febbraio 1974, a quasi tre mesi dall'udienza data dal papa al ministro degli Esteri Stefan Olszowski), Cecoslovacchia (febbraio 1975), Germania orientale (giugno dello stesso anno), Bulgaria (novembre 1976).

Dall'Ungheria non mi era venuto alcun invito governativo, ma nel 1980, in occasione delle celebrazioni religiose per il millennario del vescovo e martire san Gerardo[42] (Gellért), venerato insieme al re Stefano e a suo figlio Emerico tra i fondatori della Chiesa nelle terre ungheresi, il cardinal Lékai chiese al papa di inviarmi per prendere parte alle cerimonie programmate per settembre: prima a Esztergom e poi nella basilica di Santo Stefano a Budapest. Il papa acconsentí, incaricandomi di portare con me una sua ampia lettera che fu poi letta nel corso della messa solenne celebrata da me nella cattedrale di Esztergom.

Fui veramente contento di ritornare, a distanza di quindici anni, in un paese di cui continuavo a sentire quasi una profonda nostalgia. E ritornarvi, non piú di nascosto e in incognito, ma apertamente e nella mia veste, ora, di cardinale e di segretario di Stato, con la possibilità – finalmente – di trovarmi un po' a contatto con la gente.

Il governo, pur non avendo esso stesso formulato l'invito, fu molto contento di quello fatto dal cardinal Lékai (certo non senza il suo consenso... o il suo inco-

---

[42] D'origine veneziana, Gerardo (in ungherese Gellért), monaco benedettino, fu precettore del principe Emerico, figlio del re Stefano (il futuro santo). Come vescovo di Csanád fu tra i principali evangelizzatori degli ungheresi, e nel 1046 venne martirizzato dai pagani.

raggiamento). E debbo dire che mise un evidente impegno per render piú solenne, da parte sua, il mio rapido passaggio in terra magiara, organizzando anche un incontro con i piú alti vertici dello Stato e del partito: che era poi la stessa cosa.

Il 27 settembre passai a Vienna. Qui era prevista una sosta per una visita al Centro internazionale delle Nazioni Unite, durante la quale avevo l'incarico di presentare un dono del Santo Padre per l'Agenzia internazionale dell'energia atomica (Aiea): una grande scultura rappresentante san Francesco d'Assisi e gli uccelli. Era un'opera dell'artista tedesco Elmar Hillebrand e doveva restare, come un auspicio di pace e di rispetto alla natura, nella Hall del Centro.

Da Vienna alla frontiera ungherese, poi a Győr, che entrando in Ungheria la prima volta avevo appena sfiorata. Stavolta, una breve visita alla cattedrale della diocesi mi dava la prima occasione di avvicinare e di salutare una rappresentanza del clero, i seminaristi e un bel gruppo di fedeli riuniti per quella che rappresentava, nel paese, una vera novità.

L'altra occasione, di proporzioni molto maggiori, l'ebbi il mattino seguente, nella cornice solenne della cattedrale di Esztergom gremita da una folla nella quale era veramente notevole la presenza di adolescenti e di giovani. Spettacolo rinnovato, e in maniera ancor piú grandiosa, nel pomeriggio di quel giorno, in occasione della celebrazione dei vespri nella basilica di Santo Stefano, nel cuore della capitale ungherese.

Il governo era rappresentato dai dirigenti dell'ufficio statale per i Culti. Il presidente, Imre Miklós, di famiglia non cattolica, manteneva buoni rapporti personali con alcuni vescovi; il cardinal Lékai lo considerava, nonostante la sua indiscussa fedeltà al comunismo e alle sue linee programmatiche nei riguardi della religione, un «onesto».

A Esztergom e a Budapest egli si mostrava particolarmente soddisfatto, come se le celebrazioni del millennario di san Gerardo offrissero, anche fuori dell'Ungheria, una dimostrazione della correttezza dei rapporti fra la Chiesa e lo Stato e, di conseguenza, dei buoni risultati della politica ecclesiastica ungherese (ma di questo molti continuavano e continuarono anche in seguito a non essere tanto convinti, guardando, al di là delle manifestazioni di culto, ai problemi reali della Chiesa, oggetto da anni di una paziente, lenta e non sempre fortunata «politica dei piccoli passi»). Ad ogni modo, un qualche segno di un nuovo clima poteva essere l'erigenda Casa di esercizi spirituali per laici, voluta dal cardinal Lékai a ricordo del millennio e di cui io potei benedire la prima pietra, prima di partecipare a una solenne tornata dell'Accademia teologica di Budapest.

Il mattino seguente, nel palazzo del Parlamento, l'incontro con il presidente del Consiglio di Stato, Pál Loszonci, e con il signor Kádár, vecchia conoscenza – ma poco piú che conoscenza – di Helsinki. Conoscevo, invece, la storia e la cronaca dei decenni precedenti in Ungheria, con la drammatica e discussa vicenda, personale e ufficiale, di Kádár. Poca la solennità esteriore, ma importante l'atto, anche se privo di immediati risultati concreti: per quel che riguardava piú direttamente la Chiesa tutto veniva praticamente rinviato all'ufficio per i culti, sempre con molte assicurazioni di buona volontà e belle promesse, tutto da verificare in seguito.

Lasciando Budapest quello stesso pomeriggio, non potevo prevedere se, e quando, il rituale «arrivederci!» si sarebbe avverato. Dieci anni dopo, però, ci si sarebbe davvero rivisti: un po' piú invecchiato io, naturalmente, ma rinata a nuova speranza l'Ungheria, dopo i crolli che avevano cambiato il volto dell'Europa.

5. *Ultimo atto (per me)*.

Non so se vi siano altri casi (nell'ambito della Santa Sede non ne conosco) nei quali chi ha firmato un accordo internazionale, che non fosse un accordo a termine, ne firmi poi un altro per concordare la sua decadenza. È quello che toccò invece a me in relazione alle intese firmate il 15 settembre 1964 con il governo ungherese del tempo.

In realtà, già quelle intese prevedevano, almeno su taluni punti, una qualche possibilità di progresso: non però sino a un loro mutamento sostanziale.

È vero, invece, che la Santa Sede, aveva negoziato tali intese con la speranza che la situazione di allora avrebbe ceduto il posto, anche grazie all'azione che la Santa Sede cercava di svolgere a favore della Chiesa, a una situazione diversa: piú conforme ai diritti fondamentali dei cittadini, e quindi anche della Chiesa. Ciò avrebbe naturalmente reso superfluo quel poco che si era potuto ottenere con lo sforzo compiuto nel 1964 per contenere come piú possibile la negazione o le pesanti limitazioni di quei diritti e del loro esercizio in Ungheria.

Nessuna previsione di tempi, rapidi o lunghi, poteva accompagnare simile speranza. Il mutamento arrivò, tuttavia, andando ben oltre le piú ottimistiche speranze di un tempo, in quel 1989 che segnerà incancellabilmente la storia dell'Europa e del mondo.

Caduto anche in Ungheria il regime comunista, fra i primi atti del nuovo governo vi fu la revisione della legislazione ecclesiastica, con il riconoscimento della piena libertà dell'esercizio della religione e alla Chiesa. Le intese del 1964 venivano a trovarsi cosí del tutto superate. Rilevavo ciò, naturalmente senza alcun rimpianto, con il sentimento che il lungo lavoro che quelle intese erano costate non era stato vano: cadeva la vecchia impalcatura, faticosamente eretta dalla Santa Sede d'accordo o meglio in lotta con un regime impegnato nella distruzione del sentimento religioso e per la caduta della Chiesa cattolica, ma essa nel tempo della tribolazione aveva contribuito a sostenere un edificio oggetto di continui assalti di ariete e di piccone e che appariva perciò sempre piú traballante. Il 1989 trovava l'istituzione ecclesiastica in Ungheria ancora ben solida, anche se mostrava evidenti i segni dei colpi ricevuti durante piú di quarant'anni. La riacquistata libertà avrebbe permesso di curare sollecitamente le sue ferite. Piú difficile ricostruire le rovine spirituali lasciate come eredità, specialmente nelle giovani generazioni, da un lungo lavoro di ateizzazione condotto con sistematica tenacia dai mezzi di comunicazione sociale, nella scuola, nelle università, nelle organizzazioni giovanili e sociali di ogni specie; ma la Chiesa era pronta e desiderosa di affrontare la grande sfida.

Il governo propose di riprendere le relazioni diplomatiche con la Santa Sede e di sancire ufficialmente la decadenza delle intese del 1964. La Santa Sede accettò con piacere e a me, con non minore piacere, toccò di recarmi a Budapest, soprattutto per dare maggiore rilievo al primo punto: era infatti, eccettuato il caso del tutto speciale della Jugoslavia, la prima ripresa dei rapporti diplomatici della Santa Sede con un paese comunista. In quella occasione, poi, era programmato un solenne atto in onore del cardinal Mindszenty, mentre si procedeva alla revisione giuridica del processo e della vergognosa condanna che gli era stata inflitta nel 1948: motivo di piú per me, che avevo per anni assistito da vicino e quasi partecipato al suo calvario, di prender parte al doveroso omaggio che la Chiesa e la nazione ungherese volevano rendere alla sua grande figura.

Cosí, la mattina dell'8 febbraio del 1990, in una cattedrale gremita di gente, celebrai a Esztergom una messa in memoria del grande arcivescovo. Nella mia breve introduzione, lasciando al cardinal Paskai[43] la commemorazione del suo predecessore, volli sottolineare la particolare solennità del momento. «La sua maestà, – dicevo rievocando la figura del defunto primate, – sembra ancora riempire la vastità di questo tempio, ove egli ebbe la sua cattedrale episcopale e di dove guardò alle sorti della sua arcidiocesi, della Chiesa ungherese e del

---

[43] László Paskai (1927), francescano, amministratore apostolico (1978-79) e vescovo (1979-82) di Veszprém, poi coadiutore di Kalocsa (1982-87), dal 1987 è arcivescovo di Esztergom; nel 1988 è stato creato cardinale.

suo paese. Ci inchiniamo davanti a lui con il rispetto dovuto a chi ha segnato un'orma profonda nella storia ecclesiastica e civile del nostro tempo». Dopo la cerimonia religiosa, il presidente della Repubblica Matyas Szuros inaugurava una targa commemorativa nella piazza antistante il palazzo primaziale, che il comune di Esztergom aveva dedicata al nome del cardinale.

Il giorno seguente, 9 febbraio, nell'ambito fastoso del palazzo del Parlamento, firma dell'accordo, inteso principalmente a sancire il ristabilimento delle relazioni diplomatiche. Ma la parte maggiore dell'accordo era presa dall'art. 3: «A seguito della profonda evoluzione politica e sociale prodottasi in Ungheria negli ultimi mesi, le questioni riguardanti la Chiesa sono ora regolate, sia dal nuovo Codice di diritto canonico, sia dalle norme della nuova legge sulla libertà di coscienza e di religione. Di conseguenza le due parti considerano superate le intese parziali raggiunte con l'atto sottoscritto a Budapest il 15 settembre 1964, con gli annessi protocollo e due allegati, e le dichiarano pertanto abrogate».

Alla cerimonia della firma il governo diede una solennità esteriore – con inviti, discorsi, conferenza stampa – non usuale in casi del genere, ma che sembrava voler esprimere il sollievo di una liberazione tanto inattesa quanto sospirata.

Nel corso della conferenza stampa osservai, un po' scherzando, che, essendo io stato uno dei firmatari delle defunte intese, potevo fare la figura di un padre (a metà) venuto ad affossare la propria creatura. Ma ero ben lieto che il «piú» fosse venuto a rendere superfluo il «meno» (e quale «meno»...!); non dimenticando però che la fatica compiuta prima del 1964 e i «piccoli passi» testardamente tentati in seguito non erano stati inutili per giungere alla maturazione del risultato presente. Concetto espresso, per conto suo, anche dal primo ministro Miklós Németh.

Una corsa alla città arcivescovile di Eger, che avevo appena toccata nel 1964 per una segreta visita all'amministratore apostolico monsignor Brezanóczy, mi per-

# Capitolo nono
## Trattative impossibili: Cecoslovacchia

Il cardinal Mindszenty mi aveva detto che l'Ungheria non era il miglior terreno per incominciare a trattare con i comunisti. Mi bastò poco per rendermi conto che non era neppure il peggiore.

Con l'Ungheria le trattative erano difficilissime. Con la Cecoslovacchia si rivelarono quasi impossibili. Siccome le trattative con i due paesi avevano incominciato a svolgersi quasi contemporaneamente, era piú facile coglierne le somiglianze e le differenze, i parallelismi e le divergenze. La comune ideologia marxista spiegava l'uguale avversione alla religione e il non diverso impegno nel combatterla e nel cercare di sradicarla, particolarmente dall'animo dei giovani. Comune anche il sogno di costruire un nuovo mondo, una nuova società, un nuovo uomo. Ma l'identica radice e le frequenti concertazioni che si ripetevano regolarmente fra i responsabili ideologici e politici, sotto la guida dell'Unione Sovietica, non potevano sopprimere completamente le particolarità dei singoli popoli del blocco comunista e il peso delle loro tradizioni. Questo valeva anche per i rapporti con la religione e con le Chiese.

In Ungheria la Chiesa, benché considerata nemico da combattere, restava pur sempre una realtà cosí saldamente legata alla storia e alla realtà attuale del paese, benché in modo diverso che in Polonia, da fare apparire quasi impossibile prescinderne per un futuro storicamente valutabile. In Cecoslovacchia invece (ma penso specificamente alla Boemia, dalle vecchie tradizioni hussite) l'impressione era che la Chiesa cattolica apparisse al regime come un peso estraneo lasciato dai secoli passati e da eliminare con convinzione, anche se ciò prevedibilmente dovesse prendere assai piú tempo di quanto desiderato.

Ad ogni modo, il governo di Praga si dichiarava ora pronto a negoziare con la Santa Sede in vista di una qualche normalizzazione. Il panorama dei problemi si presentava quasi come una copia molto peggiorata di quello ungherese. Tutto lasciava presagire maggiori difficoltà. Tuttavia, a parte ogni altra considerazione, non si poteva dimenticare che la Cecoslovacchia era una grande realtà, politica, culturale, umana nel cuore dell'Europa. Valeva la pena, anche per questo, di affrontare con coraggio un dialogo che moltissimi profetizzavano destinato a un indubbio fallimento.

Alla fine della guerra pare fosse balenato alla mente di alcuni dei nuovi responsabili cecoslovacchi l'idea di organizzare una Chiesa nazionale staccata da Roma. La tentazione sembrava esser tornata anche altre volte in seguito.

1. *La situazione dopo il colpo di Stato del febbraio 1948.*

L'idea, in ogni caso, nacque morta. Ma, dopo i primi tempi di bonaccia, che videro la ripresa dei rapporti diplomatici con la Santa Sede e l'omaggio al nuovo arcivescovo di Praga, monsignor Josef Beran, decorato con l'Ordine del Merito in riconoscimento della sua resistenza all'invasore nazista, che gli era valso qualche anno di carcere, il colpo di Stato comunista del febbraio 1948 venne a sconvolgere radicalmente i rapporti dello Stato, sia con la Santa Sede sia, soprattutto, con la Chiesa.

Rotte le relazioni diplomatiche con il Vaticano nel marzo del 1950, la lotta contro la Chiesa proseguí con ritmo serrato, secondo i classici schemi marxisti, ma con una determinazione e una logica particolarmente decise: tolte alle Chiese le scuole, espropriati i beni ecclesiastici, soppressi gli ordini religiosi maschili e ridotti a larve destinate a scomparire quelli femminili, limitati a due – uno per la Boemia-Moravia, l'altro per la Slovacchia –, gli istituti per la formazione del clero, sottratte alla autorità degli ordinari l'ammissione e l'approvazione dei candidati, sottoposte entrambe al controllo e alle limitazioni di organi strettamente legati allo Stato. E poi il grande dramma della gioventú, strappata alla famiglia e alla Chiesa. Di fronte e al disopra di tutto questo, la soppressione – o quasi – della legittima gerarchia della Chiesa.

Quando, in occasione dell'apertura del concilio ecumenico, l'Est aprí le sue frontiere ai primi drappelli di vescovi destinati a riannodare il contatto tra quelle Chiese e la Chiesa universale, dalla Cecoslovacchia giunse a Roma un gruppo sparuto di quattro vescovi: tre amministratori apostolici dalla Slovacchia e un vescovo titolare dalla Moravia, in rappresentanza della Repubblica Ceca. Quest'ultimo portava un nome che sarebbe in seguito diventato famoso, František Tomášek[44], ma allora il governo non lo riconosceva come vescovo: egli aveva solo il consenso statale come amministratore di una sconosciuta parrocchia presso Olomouc. Siccome però Tomášek aveva ricevuto clandestinamente la consacrazione episcopale nel 1949 (cosa che gli era valsa qualche anno di carcere) le autorità avevano pensato di servirsi di lui per completare la delegazione Cecoslovacca al concilio, in modo che la parte Ceca della Repubblica non risultasse del tutto assente: vescovo – e vestito da vescovo – a Roma, amministratore parrocchiale – e vestito da semplice sacerdote – in patria!

Di vescovi in funzione, in Boemia-Moravia, non ne restava infatti neppure uno. Vacanti l'arcidiocesi d'Olomouc e la diocesi di Hradec Králové. Impedito il ve-

---

[44] František Tomášek (1899-1992), amministratore apostolico (1949-77) e poi arcivescovo (1977-91) di Praga, fu creato cardinale *in pectore*, cioè in segreto, da Paolo VI nel 1976 e la creazione fu resa pubblica nel 1977.

scovo di Litoměřice (l'eroico monsignor Trochta[45], uscito nel 1960 dalla prigione nella quale si trovava dal
1954, con una condanna di 25 anni sulle spalle, liberato poi, ma naturalmente non riammesso al suo ufficio),
impediti i vescovi di Brno e di České Budějovice; impedito, in particolare, l'arcivescovo di Praga. Nessuno
degli ultimi tre presuli era stato oggetto di condanne
giudiziarie, ma solo di provvedimenti amministrativi,
con effetti praticamente uguali per quel che riguardava
il governo delle rispettive diocesi.

Nei confronti della Boemia-Moravia, la situazione
della Slovacchia poteva quasi apparire privilegiata.
V'era, sí, la gravissima questione della diocesi greco-cattolica di Prešov, soppressa di forza nel 1946 (il vescovo monsignor Gojdič[46] era morto in carcere, dove ancora sopravviveva il suo ausiliare, monsignor Hopko[47]).
Impedito l'ottantaseienne vescovo di Spiš, che nel 1950
aveva ricevuto una condanna a 24 anni (dal carcere fu
liberato nell'ottobre 1963). Vacanti Košice e Banská
Bystrica. Solo Rožňava e l'antica diocesi di Nitra, cosí
come l'amministrazione apostolica di Trnava, nella quale si trovava la capitale della Repubblica slovacca, Bratislava, avevano a capo un vescovo riconosciuto dal governo quale amministratore apostolico. Si trattava però
di persone ormai logorate, nel corpo e nello spirito, da
una lunga e impari lotta di resistenza e di difesa dei diritti piú fondamentali della Chiesa e dei credenti.

Di fronte a questo episcopato decimato e impoten-

---

[45] Štěpán Trochta (1905-74), salesiano, fu dal 1947 vescovo di Litoměřice; dopo la scarcerazione lavorò come muratore; fu creato da Paolo VI nel 1969 cardinale *in pectore*, cioè in segreto, e la creazione fu resa
pubblica nel 1973; morí in seguito a un duro colloquio con un rappresentante governativo.

[46] Pavel Gojdič (1888-1960), basiliano di San Giosafat, fu amminis-
stratore apostolico (1927-40) e dal 1940 vescovo della diocesi cattolica di
rito bizantino di Prešov; arrestato nel 1950 e condannato all'ergastolo,
morí in carcere.

[47] Vasil Hopko (1904-76), vescovo ausiliare della diocesi cattolica di
rito bizantino di Prešov dal 1947; arrestato nel 1950, rimase confinato fino al 1968; a causa di brutali trattamenti perse la ragione.

te, prosperava un'altra «gerarchia», priva di autorità e di personalità canonica, ma forte dell'appoggio deciso e prepotente dello Stato: il movimento sacerdotale «Pacem in terris». Il governo si era riservato unilateralmente e del tutto illegittimamente il diritto veramente strangolatore di concedere, negare e revocare, per la provvista di ogni ufficio ecclesiastico, il «consenso» statale, senza il quale la nomina ecclesiastica era considerata invalida. Ciò di fatto aveva reso il movimento il vero dominatore della vita della Chiesa. Non contento di questo, il governo cercava ogni modo per ottenere anche una specie di legittimità canonica per questa sua creatura prediletta, mediante la nomina dei membri piú fedeli del movimento a posti di comando nella Chiesa: praticamente, sino ad allora, mediante l'elezione all'ufficio di vicario capitolare delle diocesi vacanti o impedite da parte dei capitoli diocesani. La cosa era stata abbastanza facile, attesa la subordinazione dei capitoli al governo. Si trattava di una via per far penetrare insidiosamente nella struttura ecclesiastica un movimento che, sotto il manto dell'amore alla patria e alla «pace», mirava in realtà ad assicurare l'appoggio del clero alla linea politica del partito, all'interno del paese e sul piano internazionale.

L'aspirazione dello Stato era, adesso, che questa sua manovra ricevesse la sanzione della Santa Sede, con la nomina di propri fautori a vescovi delle diocesi, o già vacanti, o che lo sarebbero diventate in un prossimo futuro: se non proprio di tutte, almeno di una parte di esse. E anche qui la concessione o il rifiuto del «consenso statale» restava l'arma piú forte nelle mani del governo. La legislazione statale del 1949, per la verità, non conferiva a quest'ultimo il diritto di proporre nomi di candidati, ma lo lasciava praticamente arbitro di valutare e di dichiarare se un candidato rispondesse o no alle condizioni previste dalla legge per la concessione del consenso. Ciò dava modo ai funzionari statali di negarlo a loro piacere sino a quando la scelta non ricadesse su uno dei candidati voluti o graditi dal governo.

Fra le «condizioni» richieste, una ve n'era che permetteva ai rappresentanti governativi di combattere con inesorabile tenacia la loro battaglia: la «lealtà allo Stato». Lealtà allo Stato, ossia – per i funzionari statali – lealtà al governo, ossia – in realtà – lealtà ai programmi del partito. Lealtà, come ho già detto, non solo negativa, nel senso di non opporsi attivamente a tali programmi, ma positiva, ossia di appoggio alla loro realizzazione. Si parlava di programmi «sociali», a favore della popolazione, e di azione in favore della pace interna e internazionale; ma in realtà si trattava di appoggiare il governo comunista nella globalità dei suoi obiettivi per il suo consolidamento come forza incontrastata, per l'oggi e il domani del paese. Su questo punto, di fatto, parve concentrarsi il massimo sforzo dei rappresentanti governativi, dando l'impressione di subordinare a esso l'intero esito delle trattative.

Sul finire del 1963, però, la rottura del muro che aveva sino ad allora ferreamente separato Roma da Praga e l'atmosfera del primo incontro del maggio precedente a Zbraslav, tutto sommato riguardosa e amichevole sul piano personale, sembravano permettere di guardare con qualche speranza all'inizio dei veri e propri negoziati. Questi incominciarono il 6 settembre, a Roma, e i colloqui durarono sino al dodici dello stesso mese; nostri interlocutori gli stessi di Zbraslav, Hruza e Travnicek.

## 2. *Le trattative dal settembre 1963 al novembre 1964.*

Giorni di lavoro intenso, nel tentativo di coprire l'insieme dei problemi della Chiesa in Cecoslovacchia quali erano emersi, nella loro complessità, già nel primo incontro del maggio precedente. I risultati dei colloqui romani furono riassunti con chiarezza e oggettività in un documento comune di tredici punti, ricco di rinvii a successivi chiarimenti e discussioni, ma tale da costituire un solido testo base di lavoro. Per comodità fu chiamato, un po' pomposamente, «protocollo di Roma».

A due mesi di distanza, dal 16 al 28 novembre 1963, a Zbraslav, nuova fase di prolungata e sempre piú difficile trattativa per la definizione di un documento conclusivo, «impegnativo» su piano internazionale, per entrambe le parti. A differenza di quello che sarebbe stato nel settembre del 1964 il protocollo ungherese, si convenne che si sarebbe trattato di due documenti paralleli da scambiarsi vicendevolmente, nei modi da stabilirsi, ma aventi forza non minore di un documento firmato in comune.

Grande la cura nel cercare di precisare senza possibilità di equivoci le rispettive posizioni e i punti di intesa (riguardanti, questi, piú la procedura che la sostanza: sulla quale l'accordo piú vero fu di riconoscere che continuava il disaccordo). Ma dovemmo renderci conto, ben presto, che la questione della redazione del documento passava in secondo ordine, per il momento, di fronte alle crescenti difficoltà riguardanti le «situazioni personali» e la provvista delle diocesi. Se queste, infatti, avessero continuato a non trovare soluzione e ad apparire irrisolvibili, sarebbe stato quasi inutile, in pratica, giungere alla definizione di altri punti. Negli incontri di novembre, in effetti, incominciò a delinearsi in tutta la sua asprezza lo scontro di posizioni sulla questione concreta della nomina dei vescovi, cosí fondamentale e determinante per il futuro della Chiesa in Cecoslovacchia e dalla cui soluzione il governo faceva dipendere tutto il resto.

A Roma, infatti, solo la situazione di monsignor Beran e di Praga, già toccata nei primi incontri di maggio, aveva formato oggetto di una concreta discussione, anche perché proprio da essa aveva avuto l'avvio la ripresa dei contatti. A Zbraslav tale discussione fu portata avanti, sentendo nuovamente e piú concretamente lo stesso monsignor Beran, che nel frattempo era stato trasferito, insieme con monsignor Skoupý, piú vicino a Praga, a Mukarov.

Il 2 ottobre 1963 il governo, come prova di «buona volontà» e in ossequio al desiderio presentato a nome

del Santo Padre, aveva «liberato» dal confino i due presuli; e lo stesso giorno il presidente della Repubblica
Novotný[48] aveva concesso la «grazia» a tre dei quattro
vescovi ancora in carcere, fra i quali l'anziano monsignor Vojtaššák[49], di Spiš. Escluso da questo provvedimento di «clemenza» restava monsignor Vasil Hopko,
ausiliare del vescovo greco-cattolico di Prešov monsignor Gojdič, morto in carcere e considerato a ragione
martire della fede. Monsignor Hopko avrebbe dovuto
finire la sua pena nel 1965; secondo i funzionari governativi, la differenza di trattamento era dovuto alla
gravità dei motivi della sua condanna (rapporti con
gruppi armati, che avevano combattuto anche contro
«nazioni amiche»...) Naturalmente, però, per i «liberati» nessun ritorno all'esercizio del proprio ufficio e
obbligo di residenza nel luogo assegnato dal governo.

Il papa desiderava far avere a tutti i vescovi un suo
ricordo, in particolare una sua fotografia con benedizione. La risposta del governo era tipica di una mentalità formalistica, che traduceva molto bene la convinzione che lo Stato era l'esclusiva fonte del diritto:
nessuna difficoltà per coloro che erano stati una volta
riconosciuti come vescovi dal governo, anche se poi impediti, internati, condannati ma non piú in espiazione
di pena; no per gli altri.

Cosí, esclusi monsignor Hopko e i quattro vescovi
già venuti a Roma per il concilio, passarono a Zbraslav,
tra il 22 e il 23 ottobre, cinque dei vescovi che il governo non aveva escluso dall'incontro, mentre i monsignori Beran e Skoupý ricevettero la mia visita nella
loro residenza.

---

[48] Antonín Novotný (1904-75), iscritto al Partito comunista fin dal
1921, entrò, nel 1946, nel comitato centrale e, nel 1953, dopo la morte di
Stalin, divenne segretario. Alla morte di Antonín Zapotocky, fu nominato presidente della Repubblica e riconfermato nel 1964. Rigidamente at-
testato su posizioni conservatrici, nel 1968, con l'ascesa di Dubček, fu costretto alle dimissioni ed espulso dal partito. Finita la primavera di Praga,
nel 1971, fu riammesso al Partito comunista.

[49] Ján Vojtaššák (1877-1965), vescovo di Spiš dal 1920, fu incarcerato
per quasi un quindicennio.

Una strana e commovente processione. All'infuori di monsignor Hlouch, vescovo di České Budějovice, tutti «avanzi di galera»; un paio ancora freschissimi di prigione. La modestia, anzi la povertà dell'abbigliamento nulla toglieva a un atteggiamento dignitoso che lunghi anni di sofferenze e di umiliazioni non avevano potuto modificare. E, unita a questa dignità, una grande serenità, dovuta alla coscienza di aver compiuto il proprio dovere, al servizio di una causa che ha la promessa della vittoria.

Vittoria sicura, dunque, ma per quando? Le previsioni dei visitatori erano molto caute, al limite del pessimismo. Il barlume di speranza aperto dagli inattesi contatti del governo con la Santa Sede era visto in genere con favore, anche se senza molte illusioni. Sarebbe forse arrivato qualcosa di inatteso a scuotere una situazione stabilizzatasi con la vittoria del regime, passati ormai gli anni della «guerra fredda»? Solo a monsignor Zela[50], che ancora una settimana prima stava scontando il resto della condanna inflittagli oltre tredici anni prima, parve improvvisamente cedere il sistema nervoso: «Tutti aspettiamo la grande guerra che ci libererà» (in quel «tutti» sembravano affacciarsi i volti di migliaia dei suoi vecchi compagni di prigione). Il vescovo aveva mormorato queste parole in latino; ma ciò non era difesa sufficiente da orecchi indiscreti. Il colloquio fu da me interrotto alla svelta, sull'evocazione di questa aspettativa divenuta ormai – fortunatamente bisognava dire! – irrealistica, ma molto significativa.

### 3. *Mukarov*.

Ai margini della borgata di Mukarov, nei pressi di un'abetaia, tre case appartenenti alla Caritas. Nell'ultima, posta verso il bosco, un edificio modesto di vec-

---

[50] Stanislav Zela (1893-1969), vescovo ausiliare di Olomouc (1940-63), fu incarcerato per oltre un decennio.

chia costruzione, abitavano monsignor Beran e monsignor Skoupý. Al pianterreno una cappellina, curata da due suore domenicane. Al piano superiore un locale in comune e, ai lati, le due camere per i presuli: piccole, disadorne, ma sufficienti alla riflessione e al lavoro.

La vita di monsignor Beran, nonostante l'avvenuta «liberazione», non era molto cambiata. C'era, sí, una novità di notevole rilievo: e cioè la possibilità, benché non senza qualche ostacolo, di ricevere gente, non esclusi alcuni giornalisti. L'esperienza spinse tuttavia ben presto l'anziano arcivescovo a limitare i suoi contatti con la stampa, anche per la difficoltà in cui si trovava di verificare quanto gli veniva attribuito, all'estero, e la pratica impossibilità di eventuali smentite o precisazioni.

La prima visita, sul finire della sera del giovedí 21 ottobre, si prolungò in un'atmosfera di serena gioia e di libertà, controllata sempre, ma naturalmente assai superiore a quella dell'incontro del maggio precedente nella residenza di Zbraslav. Un'ampia carrellata, con entrambi i presuli, sulla situazione ecclesiastica e religiosa nel paese. Ma soprattutto, nel lungo colloquio con monsignor Beran, un rinnovato esame del suo problema personale e di quello dell'arcidiocesi. Il governo, per parte sua, si era dato frattanto da fare per metterci davanti a un fatto compiuto, secondo il suo progetto che prevedeva di conservare il titolo di arcivescovo di Praga a monsignor Beran, messo però in pensione. A tale scopo era stata sorpresa la buona fede dell'arcivescovo, convincendolo quasi che fosse già intervenuta un'intesa in tal senso con la Santa Sede; cosí era stato convinto a firmare l'impegno ad astenersi dall'esercizio delle funzioni di arcivescovo di Praga e di metropolita (e – il governo aveva aggiunto – di «primate di Boemia»). Naturalmente si dovettero precisare le cose, ricordando che solo il papa avrebbe potuto chiedere autorevolmente o accettare una rinuncia del genere; e che, quindi, monsignor Beran non poteva ancora considerarsi pensionato, come amava affermare il governo; egli continuava, non solo a portare il titolo, ma ad avere i poteri canonici di arcivescovo metropolita di Praga, anche se impedito dall'esercitarli. Per cui la sua questione rimaneva tuttora aperta.

Della possibile – e desiderata – soluzione si parlò nuovamente nella seconda visita a Mukarov, la sera del sabato 23 ottobre. Per noi le cose erano ormai abbastanza chiare. Dopo tante riflessioni e preghiere l'anziano arcivescovo era pronto al sacrificio di se stesso e dei suoi sacrosanti diritti, nell'interesse della sua arcidiocesi e della Chiesa nella Cecoslovacchia. A margine restavano alcuni dubbi: in particolare, se rimanere in patria dopo la rinuncia, oppure accettare un esilio, forse piú comodo e onorato, ad esempio a Roma. Il buon presule era fortemente combattuto. In patria (ma dove? a Praga? o in qualche isolata residenza?) i suoi sacerdoti, i fedeli e i cittadini cecoslovacchi lo avrebbero sentito piú vicino e piú partecipe alla loro sorte, ma senza che egli potesse far nulla per loro, verosimilmente neppure parlare, per difendere, denunciare, incoraggiare. Forse ciò sarebbe stato invece possibile, sia pure con prudenza, stando fuori delle frontiere cecoslovacche. E a Roma era in corso il concilio ecumenico, con la possibilità di tanti contatti con i vescovi di tutto il mondo... In ogni caso, come si suol dire, restavano da fare i conti con il governo; il quale, evidentemente, cercava di chiudere la partita al minor prezzo, o con il maggior guadagno possibile.

La nuova laboriosa fase di trattative si conchiudeva il 28 novembre con la gioia, per me, degli incontri avuti con vari vescovi (alcuni dei quali, grazie anche dell'intervento del Santo Padre, erano stati finalmente liberati da lunghe e durissime detenzioni in carcere); ma anche con la delusione per le crescenti e sempre insuperabili difficoltà di giungere a un'accettabile normalizzazione della situazione delle diocesi vacanti o impedite. Ad ogni modo si restò intesi che entrambe le parti avrebbero provveduto a mettere a punto i due progettati promemoria, da scambiarsi poi, una volta

formalmente approvati dalle rispettive autorità, con valore di impegno internazionale reciproco. Avrebbe incominciato il governo; la Santa Sede avrebbe poi fatto seguire il suo promemoria, parallelo a quello governativo. Quest'ultimo giunse sul finire di gennaio del
1964. Per la fine del giugno seguente era terminata l'ac-
curata stesura della nostra risposta.

L'atmosfera di stanchezza e di sfiducia, da parte nostra, era inevitabile.

Solo dopo qualche mese il governo parve recedere
dalla sua rigidità. Fece infatti sapere che non insisteva
piú perché la Santa Sede nominasse nuovi titolari (almeno in qualità di amministratori apostolici) non solo
per le diocesi vacanti, ma anche per quelle impedite,
con l'esonero dei legittimi titolari, ancora canonicamente in carica. Il governo assicurava ugualmente che
non avrebbe piú posto come condizione l'accettazione,
da parte della Santa Sede, delle candidature dei «vicari capitolari» e di altri ecclesiastici («leali») che esso
aveva indicati. Il governo arrivava sino a non escludere l'eventualità di un recupero di qualcuno dei vescovi impediti, come lo stesso monsignor Trochta (che a
suo tempo, come già ricordato, aveva avuto una condanna a venticinque anni di carcere per alto tradimento) o monsignor Hlouch.

Cose quasi da non credere. E difatti esse svanirono
poi come fumo al vento.

Si arrivò quindi a un nuovo turno di trattative che
ebbero luogo, questa volta, di nuovo a Roma, dall'11
al 18 novembre 1964. Accuratamente rivisti i due rispettivi promemoria, nella forma che ormai avrebbe
dovuto considerarsi definitiva, fu concordato anche il
testo di un comunicato congiunto per darne la pubblica notizia. La Santa Sede consegnò ugualmente l'abbozzo delle sue proposte per le nomine vescovili considerate allora possibili. Vi apparivano anche i nomi dei
monsignor Trochta e Hlouch, piú quello di un «vicario capitolare», l'unico che, dopo un tormentato esame condotto anche sentendo i vescovi cecoslovacchi

venuti al concilio ecumenico, era apparso sostanzialmente accettabile (monsignor Javurek di Hradec Králové).

I rappresentanti governativi lasciavano prevedere la possibilità e – sembrava – il desiderio di giungere a una conclusione entro dicembre.

4. *La nomina di monsignor Beran a cardinale.*

Il termine, tuttavia, passò e nulla si vedeva, né si sentiva; tutto sembrava rimandato a chi sa quando. Ma stavolta ci pensò il papa Paolo VI a dare uno scossone alla complicata e complessata burocrazia cecoslovacca: sulla metà di gennaio del 1965, infatti, fu reso noto, nelle forme abituali, che il 22 febbraio sarebbero stati creati, come si suol dire, nuovi cardinali; fra di essi, monsignor Beran.

Un gesto di sfida? La Santa Sede dichiarò serenamente al governo di Praga che non si trattava di questo, ma solo di onorare una grande figura di uomo di Chiesa, conosciuto e venerato dall'intero mondo cattolico e contro il quale, del resto, gli stessi tribunali dello Stato non avevano mai portato condanne, né formali accuse.

Il governo, ben consapevole di essere nel torto, non fece tragedie, ma si trovò forzato a definire il suo atteggiamento di fronte a questa novità. Gli fu fatto presente che, ad esempio, si sarebbero potute portare a compimento le trattative del novembre precedente, con l'approvazione definitiva dei due promemoria allora approvati e delle previste nomine vescovili, tra le quali anche quella di un amministratore apostolico per Praga.

In realtà, si dovette riconoscere che la cosa non era facile: la data del 22 febbraio era troppo vicina, anche per una burocrazia piú agile e meno insicura di quella di Praga. Limitarsi, allora, al solo capitolo «nomine vescovili»? Già sarebbe stato un passo notevolissimo. In ogni caso appariva indispensabile regolare, almeno, il punto riguardante Praga, anche perché, diventato cardinale, monsignor Beran non continuasse a essere e ad apparire, di fronte al mondo, un vescovo «impedito».

Com'era da prevedere, il governo si aggrappò a quest'ultima possibilità, diciamo pure minima. La sera del 4 febbraio giunse a Roma il signor Hruza. Eludendo gli ultimi tentativi del governo di far slittare a piú tardi la nomina dell'amministratore apostolico *sede plena* per Praga, riuscimmo a far accettare che si sarebbe dovuto giungere a tale nomina e alla sua pubblicazione prima della partenza di monsignor Beran per Roma, o almeno in concomitanza con essa. L'arcivescovo, mantenendo il titolo, ma non avendo piú la responsabilità canonica del governo pastorale della sua arcidiocesi, avrebbe potuto piú tranquillamente, volendolo, fissare la sua residenza a Roma, o in ogni caso fuori della Cecoslovacchia. L'amministratore apostolico sarebbe stato scelto nella persona di monsignor Tomášek. Il tutto restava naturalmente subordinato all'accettazione dei due interessati.

Il 16 febbraio partivo per Praga, dove incontrai subito monsignor Beran e monsignor Tomášek, ai quali feci le proposte ufficiali della Santa Sede.

Nessuna difficoltà da parte di monsignor Tomášek. Per monsignor Beran, con il quale si era a lungo parlato a Zbraslav e Mukarov proprio nel senso che ora stava per potersi realizzare, il momento della decisione si presentò evidentemente piú difficile. Mi parve che un peso speciale stesse acquistando ora per lui, in aggiunta al resto, l'impegno di stabilirsi definitivamente fuori della Cecoslovacchia, come chiedeva il governo, che ne faceva con noi una condizione. Dovetti per forza essere molto chiaro e preciso con lui, a evitare possibili futuri equivoci. (Il governo pensò, poi, lui a crearne, dicendo a monsignor Beran quello che con noi aveva escluso e cioè che, come cittadino cecoslovacco, avrebbe sempre avuto il diritto di rientrare nel paese: quasi che la disposizione del non ritorno fosse dovuta alla Santa Sede e non al governo). Il timore di dare l'impressione di accettare un sicuro e onorato esilio, abbandonando i suoi alla durezza dell'oppressione comunista, lo tormentava profondamente. La saletta dell'appartamento dell'albergo Druzhba dove si svolgeva l'incontro era pesantemente silenziosa; infatti il desiderio di prevenire malintesi e di evitare orecchie o microfoni indiscreti ci aveva fatto preferire un dialogo per iscritto, anziché parlato.

Il silenzio si prolungava ed era reso piú profondo dalla pausa di riflessione che monsignor Beran si prese al momento di dare la risposta definitiva. La quale fu che, tutto considerato, il vantaggio di vedere finalmente affidata l'arcidiocesi di Praga, dopo tanti anni di governo, alle mani di un amministratore apostolico quale monsignor Tomášek prevaleva, anche nell'interesse generale della Chiesa in Cecoslovacchia, sulle sue esitazioni e meritava quello che per monsignor Beran restava certamente un grosso sacrificio.

Cosí, sotto l'occhiuta vigilanza della sicurezza cecoslovacca (che impedí al neocardinale anche di incontrare l'anziana sorella), il 19 mattina lasciammo Praga. Nonostante l'assicurazione che le linee aeree cecoslovacche non portavano la prima classe (l'avevamo chiesta anche per ragioni di riservatezza), ci trovammo, il cardinale, il mio accompagnatore monsignor Bongianino[51] e io, in una parte separata dell'aereo che vi assomigliava moltissimo: forse approntata per l'occasione. Si sorvolarono le Alpi svizzere, in una giornata di eccezionale limpidezza che permetteva di ammirare come raramente accade l'incomparabile maestà di quelle montagne. Il cardinale sembrava in preda a un'eccitazione quasi giovanile: dopo tanti anni di monotono isolamento, il mondo schiudeva ai suoi occhi un po' delle sue bellezze.

E infine Roma!

---

[51] Luigi Bongianino (1919), diplomatico, è stato amministratore apostolico (1968-70) e poi vescovo di Alba (1970-75), e quindi vescovo di Tortona (1975-96).

Questo capitolo, isolato ma importante della complessa vicenda cecoslovacca, poteva cosí considerarsi conchiuso e in modo, date le circostanze, non insoddisfacente.

Ma tanti altri, e gravissimi, ne restavano, a cominciare dalle nomine vescovili di cui si era già lungamente discusso.

Il governo da parte sua tenne, già a fine giugno del 1965, a far conoscere la sua «prontezza» a cooperare (consentendo anche all'invio in Cecoslovacchia di un delegato della Santa Sede per compiere indagini riservate sui candidati, ma ritornando a battere il tasto dei vicari capitolari e di altri sacerdoti che avevano dimostrato un «buon atteggiamento» civico).

Il governo indicò anche una data per la nuova fase di trattative: dal 15 settembre, a Roma.

Ma non si era ancora perfezionato concretamente il progetto quando il papa venne involontariamente a far rimandare la cosa in alto mare. Il discorso da lui pronunziato alle Catacombe di Domitilla, proprio il 15 settembre, aveva suscitato, come ho già detto, le forti lagnanze del governo ungherese; a quello cecoslovacco diede occasione o pretesto per rinviare la continuazione delle trattative sino – fu precisato – a conchiuso il concilio. Tanto mi fu prontamente comunicato dal signor Hruza, venuto di corsa a Roma per dare l'informazione ed esporre anche altri *gravamina* del suo governo.

Alcune lagnanze riguardavano un discorso del cardinale Beran ad Assisi e gli interventi al concilio di vescovi di origine slovacca profughi dal paese; altre si riferivano ad alcune manifestazioni e iniziative di parte cattolica, in Italia, Europa e altrove. A queste lagnanze procurai di dare pacatamente una risposta chiarificatrice. Per il discorso del Santo Padre, io non avrei certo potuto giudicarlo; ma invitai a considerare che il papa era stato veramente longanime nell'astenersi per tanto tempo dal parlare. Però – come avevo già fatto presente al governo ungherese – egli non poteva lasciare pensare o che non conosceva, o che restasse quasi indifferente di fronte alla realtà della vita della Chiesa in certe parti del mondo (del resto, purtroppo, la Cecoslovacchia non era l'unica a fornire motivi di deplorazione: e l'Albania? e la Cina? e altri paesi?) Il papa doveva anche tranquillizzare quei critici della Ostpolitik che accusavano, appunto, la Santa Sede di disinformazione. Ciò creava molte opposizioni a un'azione di cui la Santa Sede era la prima a sperimentare le difficoltà e a conoscere le ragioni di incertezza e i pericoli, ma anche a vedere la necessità pastorale, per non spegnere speranze, deboli tuttavia non ancora del tutto sopite.

Chiuso il concilio ecumenico l'8 dicembre 1965, i mesi passavano senza che la Cecoslovacchia desse segno di vita, sino a fine marzo del 1966: il risveglio dal lungo sonno non era però dovuto alla volontà governativa di proporre una qualche ripresa del colloquio, ma all'annuncio di un viaggio che il cardinal Beran doveva compiere presso alcune comunità cecoslovacche, specialmente negli Stati Uniti. Il governo ne era assai preoccupato e l'ambasciatore cecoslovacco a Roma era stato incaricato di farmene parte.

Risposi che la Santa Sede aveva mille ragioni per essere del tutto insoddisfatta del modo di comportarsi del governo cecoslovacco; essa però aveva per norma di tener fede ai suoi impegni: nel caso, a quelli assunti nel febbraio del 1965, insieme al cardinale, per quanto riguardava l'atteggiamento di quest'ultimo, una volta fuori della Cecoslovacchia, nei confronti dei problemi religiosi del paese.

Quanto ai colloqui, continuai, era difficile sottrarsi all'impressione che il governo non avesse alcuna vera intenzione di procedere a una seria discussione, e solo volesse continuare a tenere la Santa Sede legata alla speranza di un qualche alleviamento delle condizioni della Chiesa, per impedire più aperte denunce di una situazione veramente insostenibile. Se si fossero volute riprendere le trattative, dissi in maniera molto chiara, la Santa Sede avrebbe avuto bisogno di avere una seria garanzia che il governo intendeva davvero andare avanti. In particolare, bisognava avere formale assicurazione che il governo rinunciava a porre di nuovo condizioni che la Santa Sede aveva già dichiarate assolutamente inaccettabili.

5. *Ripresa e interruzione delle trattative (1967).*

Nuovo silenzio.

Poco dopo il mio colloquio con l'ambasciatore Busniak, due vescovi cecoslovacchi venuti a Roma, i monsignori Nécsey[52] e Tomášek, sembrarono volersi far interpreti del desiderio del governo di riprendere i colloqui con la Santa Sede: risposi assicurando che la Santa Sede era disposta ad accettare (alla condizione ripetutamente espressa, che cioè il governo non volesse porre pregiudiziali che, per ragioni puramente ecclesiali, avevamo già apertamente dichiarate inaccettabili). Poi più nulla.

Manifestai il mio rammarico all'ambasciatore Busniak in un colloquio dell'8 luglio. Egli cercò di spiegare e di scusare, ricordando in particolare che in maggio aveva avuto luogo il congresso del partito. Dopo l'estate si sarebbe potuto riprendere il cammino.

Passò l'estate. Passò l'inverno, quasi per intero. Alla vigilia della nuova primavera, 1967, il governo si rifece vivo, proponendo concretamente una data. Si restò intesi d'incontrarci a Praga il 22 maggio. I colloqui con il presidente e il vicepresidente dell'ufficio degli Affari religiosi, Hruza e Valcar, durarono sino al 28. Tornato a Roma per consultazioni, fui di nuovo a Praga all'inizio di giugno, rientrando poi a Roma il 12 di

---

[52] Eduard Nécsey (1892-1968) dal 1943 fu vescovo ausiliare e poi amministratore apostolico di Nitra.

quel mese, dopo aver compiuto anche una breve visita in Slovacchia.

Ero partito, debbo confessarlo, senza nessuna fiducia. Ma i tre vescovi cecoslovacchi venuti a Roma nel mese di aprile – Nécsey, Lazík[53] e Tomášek – ai quali io feci presenti con tutta chiarezza i motivi del mio pessimismo, avevano insistito e quasi implorato che la Santa Sede non si rifiutasse al colloquio, per cercare di assicurare al piú presto alla Chiesa nel loro paese almeno quel poco che si poteva allora ottenere, specialmente per la provvista delle sedi vacanti: con appena quattro vescovi non impediti dal governo, tre di essi già assai anziani e male in salute, il pericolo che la Cecoslovacchia restasse praticamente priva di un episcopato «legale» era tutt'altro che escluso.

Il signor Hruza, dopo aver ripetuto che dalla soluzione delle questioni «personali», ossia della provvista delle diocesi (o di alcune diocesi), sarebbe dipesa la possibilità di cercare una soluzione anche per le questioni «generali», risfoderò senz'altro la vecchia richiesta di mettere fra i candidati alcuni «vicari capitolari», primo fra tutti, il canonico Oliva di Litoměřice. La richiesta, specialmente per l'Oliva, fu presentata di fatto come *conditio sine qua non* per tutto il resto. Essa era accompagnata dalla conferma che il governo, per parte sua, sarebbe stato disposto a riammettere alle funzioni episcopali l'antico condannato per «tradimento» monsignor Trochta, non escludendo per lui neppure una nomina all'arcidiocesi di Olomouc (quale amministratore apostolico) e facendo balenare la speranza che le altre questioni pendenti avrebbero potuto trovare piú facile soluzione.

Per quanto fossi sicuro che lí si sarebbe arrivati, non potei non reagire di fronte alla sfrontatezza, direi, con la quale la proposta veniva avanzata subito all'inizio dei colloqui, benché io avessi chiaramente pregato

[53] Ambróz Lazík (1897-1968) fu dal 1949 amministratore apostolico di Trnava.

l'ambasciatore a Roma di far sapere che, ove fosse stata mantenuta la condizione della nomina di certe persone, inutile sarebbe stato ricominciare a trattare: come avevo spiegato già dal 1964, gravissimi motivi di indole ecclesiastica mettevano la Santa Sede nella assoluta impossibilità di accedere al desiderio governativo, soprattutto per la persona per la quale il governo stava maggiormente insistendo.

Il signor Hruza ammise che l'ambasciatore aveva effettuato la comunicazione; ciononostante, il governo sperava che la Santa Sede non si sarebbe rifiutata di riesaminare l'intera questione, ora che il governo si dichiarava pronto a lasciarle la libertà di assumere, riservatamente ma con tutta l'ampiezza ritenuta necessaria, informazioni sulla situazione e di procedere alle «investigazioni canoniche» sui candidati; chiedendo ad ogni modo che dall'indagine non venissero esclusi i «vicari capitolari». Quali speranze o illusioni il governo potesse nutrire a riguardo di questi ultimi, era per me un mistero; ma evidentemente esso calcolava che motivi di interesse o di timore avrebbero potuto spingere qualcuna delle persone da consultare a esprimere un giudizio non cosí assolutamente negativo come quello che avevano manifestato sino allora alla Santa Sede.

Mi parve che nonostante tutto convenisse alla Santa Sede non perdere l'occasione (la prima dal 1952) di compiere direttamente un'approfondita indagine *in loco*, anche perché degli stessi candidati vescovili che avevamo presentati conoscevamo in realtà poco piú del nome e del parere favorevole del vescovo o dei vescovi proponenti; i quali a loro volta non erano stati in grado di fornire molte notizie, specialmente quando si trattava di ecclesiastici non appartenenti alla propria diocesi.

Con monsignor Tomášek si stabilí quindi una lista di persone da interrogare, appartenenti sia a Praga, sia alla confinante diocesi di Litoměřice. A tale lista aggiunsi il nome di due personaggi assai benvisti dal governo, il canonico Stehlik, già «vicario capitolare» di

Praga, e il canonico Beneš, segretario del movimento dei Preti della pace. Debbo dire che questa mossa, intesa a prevenire l'obiezione governativa di aver sentito solo sacerdoti di una linea presumibilmente contraria alla candidatura Oliva, ci fu poi molto utile per conoscere un po' meglio quale fosse realmente l'opinione pubblica, anche filogovernativa, circa la candidatura dell'Oliva.

Gli incontri si svolsero nella residenza di monsignor Tomášek a Praga. E non sto a dire quante precauzioni si presero per cercare di tutelare il necessario segreto. Ma tutti mostrarono un evidente timore di parlare chiaramente (non dico poi di mettere qualcosa per iscritto!), soprattutto su un personaggio, come l'Oliva, cosí potente, cosí protetto, cosí pericoloso e in un ambiente dove le mura, anche quelle di un palazzo arcivescovile, avevano occhi e orecchie aperte.

Tutto ci confermò in quel che già conoscevamo, e cioè che una nomina dell'Oliva a vescovo, vuoi a Litoměřice, vuoi in altra diocesi della Boemia, era assolutamente da escludere. Ma ci confermò ugualmente che il governo avrebbe continuato a farne «un punto d'onore» e una condizione *sine qua non*, per altre nomine e per l'insieme dei problemi relativi ai rapporti dello Stato con la Chiesa. Il governo, o almeno quelli che parlavano e agivano a nome suo, aveva anche altri «protetti», fra i quali due «vicari capitolari» slovacchi di pessima fama, a quanto potemmo saperne; ma quello del canonico Oliva appariva come il caso emblematico, al quale il governo sembrava legare tutto il proprio prestigio. Questo, del «prestigio governativo», fu anche l'argomento tirato in ballo, insieme ad altri, dal ministro della Sanità, reverendo Plojhar, con il quale m'incontrai nel pomeriggio del 23 maggio.

L'occasione dell'incontro era stata offerta e in pratica caldeggiata dai rappresentanti governativi. Questi già nel primo nostro incontro mi avevano detto che il ministro aveva ricevuto qualche mese prima, per un tramite viennese a me sconosciuto, l'indicazione che «il cardinale König e il Santo Padre (!) avrebbero il desiderio che fosse normalizzata la sua posizione personale ecclesiastica». Mi permisi di fare qualche riserva circa la piena affidabilità del tramite accennato. Ad ogni modo si poteva essere sicuri che il Santo Padre sarebbe stato ben lieto, senz'altro, di vedere ricondotta a normalità la posizione di un sacerdote che da anni si trovava in situazione canonicamente del tutto irregolare; accettavo quindi volentieri la possibilità di incontrare il reverendo Plojhar, a condizione che si trattasse di incontro privato e riservato, con un membro del clero cattolico e non con il presidente del movimento dei Preti della pace.

Accordatici su questi punti, mi recai alla residenza personale del ministro, accompagnato da monsignor Bongianino e dall'interprete ufficiale del governo, richiesto dallo stesso Plojhar e del resto inevitabile: anche, ma non solo, in ragione della lingua (oh, bei tempi nei quali il vecchio latino permetteva ai sacerdoti di colloquiare fra sé anche in Cina o in Giappone: per non parlare della Cecoslovacchia!) La presenza dell'interprete non facilitò certo l'apertura d'animo del nostro interlocutore, ma rispondeva bene alla sua presumibile volontà di avere un testimone che potesse, al bisogno, giustificarlo di fronte al regime.

Il ministro, un grosso uomo – almeno cosí mi sembrò allora – in un austero clergyman, appariva tra l'impacciato e il preoccupato, o forse anche profondamente turbato. Ad ogni modo, non parlò affatto del problema della sua posizione personale, che pure aveva dato spunto alla proposta d'incontro e un mio discreto accenno alla possibilità di farlo, sul finire del colloquio, durato un paio d'ore, fu lasciato cadere.

Il reverendo Plojhar sembrava invece molto interessato a sottolineare i meriti del movimento dei Preti della pace (che però non menzionava mai espressamente, sostituendolo con un pudico «noi»). Partendo dagli Hussiti e dalle vicende della storia ecclesiastica boema di cinque secoli prima, egli volle sottolineare che «noi abbiamo scongiurato, nel dopoguerra, il pericolo di una secessione da Roma». Su questo sfondo, l'elogio del canonico Oliva e l'insistenza sulla sua candidatura a vescovo venivano quasi naturali; e quasi naturale, nella foga del discorso, venne un accenno che poteva apparire quasi una velata minaccia: che cioè, se la richiesta del governo non fosse stata accolta, con grave offesa del «prestigio» governativo, la rottura con Roma che era stata evitata nel dopoguerra avrebbe potuto avverarsi ora.

Con molta calma, parlando del «caso Oliva», cercai di illustrare quanto, con ancor piú grande pazienza, mi ero sforzato già di far comprendere ai rappresentanti governativi; e insistei sulla necessità della buona volontà di tutti per trovare una soluzione giusta e onorevole a un problema che non era solo di prestigio ma di coscienza. Ma, in risposta, non ne ebbi che nuove forti insistenze a favore dell'Oliva.

Prima di prendere congedo dai rappresentanti governativi, li assicurai che i risultati delle indagini canoniche condotte nei giorni precedenti sarebbero stati sottoposti a chi di dovere. Ma per onestà mi sentivo obbligato ad anticipare che, pur insieme a dati positivi, dalle indagini non erano emersi elementi tali da indurre a mutare la precedente valutazione negativa nei riguardi del canonico Oliva; per cui tornavo a prospettare la conclusione di lasciare la situazione di Litoměřice nello *status quo* (con l'Oliva come «vicario capitolare»), procedendo intanto alle investigazioni canoniche sui possibili candidati – già da me segnalati – per altre provviste, in particolare per Olomouc (Moravia), Banská Bystrica, Košice e Spiš (Slovacchia), senza escludere Hradec Králové (Boemia).

La mia comunicazione non fu accolta, evidentemente, con grande entusiasmo; ma i rappresentanti governativi non esclusero, anzi insistettero sul proseguimento delle indagini, chiedendo però di allargare ancora quelle sul canonico Oliva e di estenderle ad altri «vicari capitolari».

Che interpretazione dare a un simile atteggiamento? Ce lo chiedevamo non senza molta perplessità. Forse il governo sperava di poter ancora salvare il proprio «prestigio». In ogni caso, sapeva che gli restava sempre la possibilità di decidere, alla fine, se andare avanti nelle trattative o interromperle.

Per parte mia, pensavo che non fosse il caso di prendere su di noi la responsabilità di rompere il tenuissimo filo di speranza che ancora rimaneva, per evitare che si potesse poi accusare la Santa Sede di essere stata la causa della ormai imminente scomparsa quasi totale, come ho già detto, di una gerarchia legalmente riconosciuta in Cecoslovacchia (solo il vigoroso monsignor Tomášek dava garanzia di poter resistere ancora un bel po' al passare inesorabile degli anni).

Ma le ragioni di dubbio e di perplessità erano certo fortissime. Fu il Santo Padre stesso a manifestarle con molta chiarezza, una volta ricevuto il resoconto dei nostri incontri praghesi. Egli ci pose, concretamente, le seguenti domande: 1) Stando le cose come stavano, conveniva proseguire nei colloqui e nelle trattative? 2) L'aver accettato di non escludere dalle indagini canoniche i «vicari capitolari» non aveva costituito una specie di impegno in loro favore? 3) Non sarebbe stato possibile e opportuno affidare le indagini canoniche a monsignor Tomášek, per la Boemia e la Moravia, e a monsignor Nécsey o ad altro vescovo dello Slovacchia per quest'ultima regione?

Si discussero i tre interrogativi in ufficio, e particolarmente con il segretario di Stato cardinal Cicognani[54], tanto prudente e ricco d'esperienza. Egli volle appoggiare con una sua risposta scritta, concisa ma assai netta, quella piú estesa e argomentata che io preparai per il papa. E cioè: conveniva, a mio avviso, proseguire in colloqui e trattative, difficili e di scarsa soddisfazione, ma

---

[54] Amleto Giovanni Cicognani (1883-1973) fu delegato apostolico negli Stati Uniti (1933-58); creato cardinale nel 1958, dal 1961 al 1969 fu segretario di Stato di Giovanni XXIII e di Paolo VI.

che apparivano ancora una via, angustissima, senza alternative, che restava ancora aperta alla Santa Sede per tentare di ottenere (non evidentemente «a qualsiasi prezzo») un qualche alleggerimento della gravissima situazione della Chiesa in Cecoslovacchia; se il governo voleva interrompere o votare al fallimento le trattative, con pretese e pretesti irragionevoli, se ne assumesse lui stesso chiaramente la responsabilità, di fronte al paese, al mondo e alla storia. L'aver accettato di non escludere dalle indagini canoniche i «vicari capitolari» non poteva pregiudicare a loro favore il risultato, ma piuttosto ci avrebbe dato il modo di confermare ancor più convincentemente il giudizio negativo che era emerso dalle informazioni già ricevute. Affidare poi le formali indagini canoniche a qualche vescovo in una situazione come quella cecoslovacca, appariva, per molto più di una ragione, impraticabile: in ogni caso, non consigliabile.

Il Santo Padre, per quanto lo conoscevo, non mostrò di aver avuto molte difficoltà a convincersi della fondatezza di questi punti di vista, e diede la sua approvazione con queste parole: «Sta bene. Continuare. Il Signore aiuterà. È un lavoro difficile e delicato, ma può essere assai utile per la Chiesa e meritorio per chi lo compie. Rimanere fermi sui punti su cui non è lecito venir meno. *In nomine Domini*».

Avuto poi il rapporto più completo redatto da monsignor Bongianino, sui nostri incontri, il papa commentava: «Questa relazione è un documento di grande interesse per la storia della Chiesa in Cecoslovacchia e ne dice la lenta e drammatica passione, penosa e triste per un verso, nobile per un altro».

Con la sua benedizione ripartimmo, monsignor Bongianino e io, per la Cecoslovacchia. L'interesse dei nostri interlocutori parve concentrato esclusivamente sul caso Oliva, combattuti tra un timore assai ben fondato e una residua speranza, quasi di un possibile «miracolo».

Quando dovetti deluderli, con ogni possibile riguardo per la persona dell'interessato, ma con ogni nettezza circa l'inaccettabilità della sua candidatura, il loro disappunto poteva quasi apparire commovente, ma divenne ben presto aggressivo: e l'offerta del «consenso statale» per monsignor Trochta? E l'assicurazione data dai rappresentanti statali che, accettato l'Oliva, tutte le altre questioni, di persone e di rapporti Stato-Chiesa, avrebbero trovata piú facile e soddisfacente soluzione? E tutte le prove concrete di «buona volontà» date dal governo (permesso ai vescovi di partecipare al concilio e di venire poi a Roma per motivi ecclesiastici; liberazione e amnistie per vescovi e sacerdoti; regolamento della questione di Praga, e altro) non valevano niente?

I due, quasi facendo eco a quel che aveva detto il ministro Plojhar, non mancarono di fare un'allusione piú o meno velata alla possibilità del verificarsi, ancora una volta, di pericolose reazioni analoghe a quelle del 1948 e degli anni seguenti da parte del clero cecoslovacco (nel qual caso il governo, ebbero il coraggio di aggiungere, «conformemente alle leggi, si manterrebbe neutrale»).

Senza troppo entrare in una polemica, inutile anche per la scarsa rappresentatività e il modesto peso politico dei nostri interlocutori, non mancai di ricordare quanto la Chiesa aveva avuto e aveva ancora da sopportare in Cecoslovacchia: per cui le prove di «buona volontà» del governo non apparivano, semmai, che una piccolissima e insufficiente riparazione.

E poi il problema, al presente, non era questo. La Chiesa, conformemente a un diritto riconosciuto dalle stesse leggi cecoslovacche, aveva esaminato una candidatura episcopale sostenuta dal governo ed era giunta a una conclusione negativa. Nessuna questione politica, né alcuna volontà di confrontazione con lo Stato. Per la Chiesa e per la comunità cattolica, però, si trattava di una questione molto grave e importante, per la quale il *non licet* non poteva far oggetto di scambio o, come suol dirsi, di un *do ut des*.

Tutto qui. E la Santa Sede era andata veramente sino all'estremo per cercar di evitare o superare l'*impasse*.

Nulla da fare. Per non dare come definitivamente

chiusa la partita, i rappresentanti governativi confermarono che avrebbero compiute le proprie indagini sui candidati da noi segnalati negli incontri precedenti, in vista della concessione o del rifiuto del «consenso statale»; poi ne avrebbero fatto conoscere il risultato alla Santa Sede. Solo dopo, e solo per gli ecclesiastici dichiarati «accettabili» dal governo, questa avrebbe potuto svolgere liberamente le indagini canoniche.

Ripetutamente – ma con quanta sincerità o convinzione? – i nostri interlocutori vollero sottolineare che «la porta non veniva chiusa» e che «ci si sarebbe rivisti».

Fissate ormai le rispettive posizioni, passai la sera dell'8 giugno a salutare monsignor Tomášek e la mattina seguente partii con monsignor Bongianino alla volta di Nitra, in Slovacchia, dove fummo ospiti di quell'amministratore apostolico, monsignor Nécsey, e dove convennero gli altri due amministratori apostolici slovacchi, monsignor Lazík di Trnava e monsignor Pobožný[55] di Rožňava. Una lunga riunione, il 9 giugno, anzitutto per informare, specialmente sulla questione Oliva (e tutti, come già monsignor Tomášek, furono d'accordo che non era possibile cedere, anche a costo delle piú gravi conseguenze). Su quel che si doveva e si poteva fare, non c'era troppo da dire; ma ci si riconfortò a vicenda. E a monsignor Nécsey, come già avevo fatto con monsignor Tomášek, resi noto, per quel che poteva valere in pratica, l'incarico che il Santo Padre aveva prima pensato, cioè di affidare a loro la ricerca di possibili candidati vescovili e le relative indagini canoniche.

Il 12 giugno ripartimmo per Roma, costretti ad attendere tempi migliori, Oliva permettendolo. Quel che mi colpiva e mi preoccupava nel governo, piú ancora che la pervicace e quasi capricciosa volontà di imporre il proprio arbitrio, era la cecità che sembrava impedire loro di rendersi conto della delusione e della cre-

---

[55] Róbert Pobožný (1890-1972), fu vicario capitolare e poi amministratore apostolico di Rožňava dal 1949.

scente disaffezione della popolazione. E, potrei aggiungere, senza avere un pur minimo presentimento di quel che fra pochi mesi avrebbe, sia pur temporaneamente, messo cosí a fondo l'assetto politico-sociale del paese.

Nel concistoro di fine giugno il mio immediato superiore monsignor Samorè[56] veniva creato cardinale e subito dopo il papa Paolo VI mi nominava al suo posto come segretario della Congregazione della quale per oltre sei anni ero stato sottosegretario, quella degli Affari ecclesiastici straordinari. Nome che, come ho avuto occasione di ricordare piú sopra, evocava quello originario degli Affari veramente «straordinari» della Francia al tempo della grande Rivoluzione, ma che si attagliava appieno al genere di «affari» dei quali la Congregazione doveva ora occuparsi. Ben presto essa si sarebbe trasformata in «Consiglio per gli Affari pubblici della Chiesa»; sicché io mi trovai a essere l'ultimo segretario della Congregazione e il primo del Consiglio (questo non ebbe però vita lunga, essendo poi stato trasformato da Giovanni Paolo II in «seconda sezione della Segreteria di Stato, per i rapporti con gli Stati»: piccoli particolari sullo sfondo di una tela ben piú importante, ma che occorre pur notare perché il cambiamento dei nomi non finisca per confondere i non addetti ai lavori).

La promozione a segretario comportò per me il non dovere – o non potere – piú recarmi personalmente all'estero per le trattative, che però continuai a seguire da Roma, come responsabile della Congregazione (o del Consiglio), e anche direttamente quando esse, in forza del principio dell'«alternanza», si svolgevano a Roma anziché nella capitale del paese interessato. Come avvenne, nell'ottobre del 1970, per le nuove trattative con la Cecoslovacchia, dopo oltre tre anni dagli addii del giugno 1967.

[56] Antonio Samorè (1905-83), diplomatico, fu segretario della Congregazione degli Affari ecclesiastici straordinari (1953-67) e nel 1967 fu creato cardinale.

## 6. *La Primavera di Praga.*

Molte cose si erano succedute in quei tre anni in Cecoslovacchia: alcune di esse, benché non riguardanti direttamente la Chiesa, davvero storiche e drammatiche. Prima fra tutte, all'inizio del 1968, la Primavera di Praga, con le sue grandi speranze e illusioni, e poi l'invasione della Cecoslovacchia da parte delle truppe del Patto di Varsavia, il 21 agosto di quello stesso anno, con il progressivo ritorno alla «normalità socialista». Un grande sogno finito in tragedia. Anche per la Chiesa, naturalmente, la «Primavera di Praga» ebbe un grande significato, non solo di speranza ma di realtà; queste, però, restarono poi bloccate a metà, o a men che metà.

Al posto degli antichi dirigenti dell'ufficio per le relazioni con le Chiese, altri ne furono posti, guadagnati all'idea di un «socialismo dal volto umano» e del rispetto dei diritti dei cittadini, anche per i credenti. A capo dell'ufficio subentrò la signora Erica Kadlecova, che io non ebbi occasione di conoscere, ma di cui mi furono resi noti gli orientamenti e i propositi.

Ci si può chiedere, e fu chiesto, perché nei mesi della Primavera non vi siano state trattative fra governo e Santa Sede. Qualcuno volle attribuirlo a una specie di prudenza da parte di quest'ultima: una sorta di sfiducia nella durata della nuova situazione e di timore di compromettere il futuro. In realtà non fu cosí. È vero, invece, che di fatto non fu facile per la Santa Sede ristabilire i contatti, con autorità politiche e rappresentanti diplomatici cambiati. D'altronde è comprensibile che i nuovi governanti, presi da tanti problemi, si muovessero con qualche difficoltà nel campo specifico dei rapporti con la Santa Sede.

Io ebbi anche un po' l'impressione che i nuovi responsabili per i rapporti Stato-Chiesa si sentissero piú a loro agio a fare, come si dice, le cose in famiglia, e quindi preferissero parlare delle loro questioni con i vescovi anziché con la Santa Sede. Su un punto la Kadle-

cova sembrava avere idee chiare e certamente condivi-
sibili; essa, a quanto si poté sapere, riteneva – e non sba-
gliava – che parecchie delle situazioni negative fatte alla Chiesa fossero il frutto di ingiustizie commesse contro le stesse leggi cecoslovacche. Lo Stato doveva quindi
ripararle: non era questione di negoziati, ma di dove-
rose e autonome decisioni statali. Ciò era giusto, senza
dubbio, e si videro presto alcuni ottimi frutti di simile
convincimento: fra l'altro, i vescovi Trochta, Skoupý e
Hlouch, illegittimamente allontanati dalle loro sedi, poterono far ritorno a Litoměřice, Brno e České Budějovice. Decisione in certo senso ancor piú importante e
che pareva avere quasi dell'incredibile, dopo tante inutili lotte sostenute con i precedenti rappresentanti governativi, fu il riconoscimento dell'enorme ingiustizia
di cui era stata vittima la diocesi greco-cattolica di
Prešov, soppressa dopo la farsa del «sinodo» che da
quella città aveva preso il nome, con il forzato passaggio di sacerdoti (meno quelli incarcerati insieme al vescovo Gojdič e all'ausiliare Hopko), fedeli, chiese e loro proprietà, all'ortodossia. Con tutti i nostri inutili
sforzi precedenti, mai avremmo osato sperare tanto!

Restavano però molti altri problemi importanti da
risolvere. Tanto per nominarne uno, forse il piú urgente, la provvista delle diocesi vacanti. E qui le cose
ristagnarono; anche perché la Kadlecova, o chi per essa, sosteneva che restava sempre in vigore, per il momento, la legislazione cecoslovacca in materia; questa
andava quindi applicata sino a che non fosse stata cambiata. Ma, mentre si attendeva la cosiddetta «novellizzazione» di questa, come di altre leggi, l'inverno sovietico ritornò a congelare i buoni propositi e la volontà
di metterli in pratica. Questa mancanza di «tempismo»
era in qualche modo spiegabile anche perché non era
facile, forse, prevedere il rapido precipitare di una situazione salutata con tanta gioia, anche da parte di non
pochi comunisti in Occidente.

Tra gli altri protagonisti che erano scomparsi con la
Primavera di Praga riapparve a un certo punto, sia pu-

re in una posizione un po' diversa, quel signor Hruza che per una decina d'anni tante difficoltà aveva create alla Chiesa, affiancato ora, per la parte slovacca, da un signor Homola che si manifestò ben presto appartenente alla stessa linea.

Ad ogni modo, venendo a Roma nell'agosto del 1969 a un anno dall'invasione sovietica, monsignor Tomášek informò il Santo Padre che il presidente della Repubblica, generale Svoboda[57], desiderava giungere «al piú presto» a un accordo con la Santa Sede e a tale fine aveva chiesto l'intervento del presidente del Fronte Popolare, Erban. Questi aveva cercato di incoraggiare i vescovi a dare fiducia al governo, confessando di aver potuto rendersi conto, viaggiando nei paesi del blocco comunista, che le condizioni della Chiesa in Cecoslovacchia erano le peggiori. Anche il signor Hruza si era dichiarato pieno di buona volontà.

Ma dal dire al fare, come suol dirsi...


7. *1970-73.*

Una vera ripresa di contatti formali si ebbe solo nell'ottobre del 1970, a Roma. Cosí anch'io potei prendervi parte: assistito da monsignor Cheli, ora cardinale, e da monsignor Angelo Sodano[58] (attuale segretario di Stato).

Una novità per la parte cecoslovacca: invece che dal signor Hruza – presente però, insieme al signor Homola già ricordato – la delegazione era presieduta da

[57] Ludvík Svoboda (1885-1975), ministro della difesa dal 1945 al 1959, garantí l'appoggio dell'esercito, fortemente epurato, alla presa del potere nel 1948. Messo da parte per tutti gli anni Cinquanta, nel 1968, divenuto presidente della Repubblica durante la Primavera di Praga, resistette alle richieste sovietiche e ottenne la liberazione di Dubček. Fu rieletto presidente nel 1973.

[58] Angelo Sodano (1927) ha svolto servizio diplomatico nelle nunziature in Ecuador, Uruguay e Cile, e quindi, dal 1968 al 1977, nel Consiglio per gli Affari pubblici della Chiesa; è stato poi nunzio apostolico in Cile (1977-88) e dal 1988 segretario dello stesso Consiglio; nominato pro-segretario di Stato nel 1990, dal 1991 è cardinale segretario di Stato.

un diplomatico, il ministro consigliere dell'ambasciata in Italia signor Tichy. Ciò sembrava corrispondere al nuovo organigramma dell'ufficio per gli Affari ecclesiastici, quale ci era stato comunicato (non ufficialmente) nel settembre precedente: a capo un alto funzionario del ministero degli Esteri, insieme a un vice primo ministro del governo federale incaricato delle questioni ecclesiastiche e al capo del segretariato federale per le questioni stesse; alle loro dipendenze, nel quadro dei rispettivi ministeri per la Cultura, i capi degli uffici per gli affari ecclesiastici in Boemia-Moravia e in Slovacchia, i signori Hruza e Homola appunto. La presenza del signor Tichy, uomo di buona educazione e di mite carattere, rendeva un po' più gradevoli le sedute, ma non molto più facile il negoziato. L'odierna situazione cecoslovacca, egli tenne a dire in apertura, non è più quella esistente all'epoca delle ultime trattative, o durante il periodo 1968-69, e offre nuove possibilità per risolvere i problemi della Chiesa. A parte la buona fede del signor Tichy, la situazione non tardò a manifestarsi così simile a quella del 1967 da sembrarne quasi la continuazione.

Nel luglio precedente la Santa Sede aveva fatto avere un elenco delle questioni che stimava utile esaminare (fra gli altri, la libertà degli ordinari nel governo diocesano, i seminari, i religiosi; fortunatamente non c'era più stato bisogno di ritornare ancora una volta sull'argomento della diocesi greco-cattolica di Prešov: il 1968, che il signor Tichy parve poi mettere fra le epoche da deplorare, aveva pensato a raddrizzare parecchie cose!) Ma, volere o no, il problema della provvista delle diocesi tornò a porsi come questione, quanto fondamentale altrettanto difficile nel 1970 non meno che nel 1967.

A togliere ogni eventuale illusione di una possibile «novellizzazione» delle disposizioni di legge in materia ecclesiastica, il signor Hruza tenne ad assicurare che il governo non contemplava, in materia, alcun mutamento. Si cercò almeno di insistere per qualche chiarimento o completamento che limitasse gli arbitrî che erano stati permessi (e se ne potevano addurre molti esempi) da testi interpretabili e applicabili a piacere.

Era scomparso dall'orizzonte delle trattative lo spettro del canonico Oliva ma, riprendendo un timido accenno del ministro Tichy, intervenne lo stesso Hruza a render chiaro un pensiero duro a morire: ci sono in Cecoslovacchia ecclesiastici ben noti alla pubblica opinione, come i professori delle Facoltà teologiche e altri che occupano posti importanti, quali i vicari capitolari ecc.: «Forse la nomina di questo tipo di persone faciliterebbe la nostra intesa. Noi siamo soddisfatti di loro e giungeremmo piú rapidamente a una conclusione».

Il ghiaccio tornava a richiudersi e avremmo presto sperimentato quanto fosse difficile romperlo: anche perché continuava a essere difficile poter mandare sul posto degli incaricati della Santa Sede per assumere informazioni su possibili candidati vescovili. Ad ogni modo ci si lasciò con l'intesa che, nel frattempo, il governo avrebbe fatto le sue indagini sui candidati presentati dalla Santa Sede già nel 1969 e poi nel 1970.

A quando il prossimo incontro, a Praga stavolta, almeno o soprattutto per andare avanti nella questione delle nomine vescovili? Ottimisticamente il ministro Tichy prevedeva il dicembre o al piú tardi il gennaio 1971. Ebbe poi luogo a marzo, con la delegazione della Santa Sede condotta da monsignor Cheli. Questi poté misurare lo spessore del gelo che intanto si era riformato: difficoltà per l'accettazione dei candidati della Santa Sede; irrigidimento nei confronti di monsignor Trochta (forse il signor Hruza aveva saputo del tentativo che, inutilmente, il vescovo aveva fatto per prevenire la sua riassunzione all'ufficio per gli Affari ecclesiastici); ritorno alle insistenze per la nomina di certi «vicari capitolari»...

In seguito, i rappresentanti governativi vollero dare la responsabilità della mancata conclusione positiva del nuovo incontro a quelli della Santa Sede; questi avrebbero esercitato pressioni per giungere subito a una soluzione «globale»: chi troppo vuole, sembravano vo-

ler dire... Ma non era stato difficile capire il gioco che
i nostri interlocutori cercavano, invece, di portare
avanti: procedere con intese parziali, per tentare di
piazzare in ciascuna di esse qualcuno dei propri uomini (che, tutti assieme, non sarebbe stato certamente).

Anche per l'invio di qualche incaricato della Santa
Sede in Cecoslovacchia per raccogliere indicazioni e
informazioni su possibili candidati venne messo avanti il dubbio che sarebbe stato avanzato dai giuristi del
ministero degli Esteri sulla «costituzionalità» o la in-
costituzionalità di un incarico del genere affidato a uno
«straniero» (obiezione che, non era stata sollevata, o
era stata superata, ad esempio, in Ungheria).


Monsignor Cheli ebbe poi modo di incontrare il signor Hruza il 28 febbraio 1972 e il 15 giugno seguente, essendosi recato ai funerali del vescovo Hlouch di
České Budějovice e monsignor Pobožný di Rožňava (in
antecedenza erano mancati anche i vescovi Skoupý di
Brno e Nécsey di Nitra: sicché ormai in Slovacchia non
viveva piú alcun vescovo riconosciuto dal governo; lo
stesso in Moravia, mentre per la Boemia restavano solo monsignor Trochta e monsignor Tomášek). Una situazione che se era naturalmente molto preoccupante
per la Chiesa, non risultava del tutto comoda neppure
per lo Stato: diventava troppo chiaro, per l'opinione
pubblica interna e internazionale, che proprio dallo Stato dipendeva una situazione che si andava sempre piú
aggravando. Ma i rappresentanti governativi calcolava-
no senza dubbio che, trovandosi cosí alle corde, la Santa Sede si sarebbe mostrata piú malleabile nella scelta
dei futuri vescovi.

Credetti di dover dare uno scossone alla barca che
pareva ormai impantanata. Perciò, in quello stesso luglio, consegnai all'ambasciatore di Cecoslovacchia a
Roma due promemoria, facendo presente come «da
lunghi anni la Santa Sede non avesse risparmiato sforzi e iniziative al fine di raggiungere con il governo ce-

coslovacco un'onorevole intesa»: senza alcun risultato concreto, però, mentre erano andati inasprendosi i provvedimenti contro la Chiesa. Di tali provvedimenti e delle conseguenti situazioni facevo un particolareggiato elenco. Sottolineavo, in particolare, l'insuccesso dei tentativi per arrivare almeno alla nomina di nuovi vescovi, benché la Santa Sede avesse presentato circa ottanta candidati, fra i quali figuravano professori di Facoltà teologiche e ordinari in carica. Ma i rappresentanti governativi volevano imporre come vescovi anche certi loro candidati, assolutamente inaccettabili per la Santa Sede.

Alla fine si convenne di riprendere il negoziato il 13 novembre, stavolta a Roma, per cui ebbi anch'io modo di prendervi parte, insieme al ministro Tichy; e non fu cosa né agevole, né molto gradevole. Pur evocando l'esistenza di non pochi altri problemi, l'incontro si concentrò principalmente sulla provvista delle diocesi e su alcune «questioni personali».

I colloqui furono sospesi il 16 di quel mese, a richiesta della delegazione cecoslovacca (che la motivò con la necessità di riferire e chiedere nuove istruzioni a Praga); essi furono ripresi l'11 dicembre per finire il 16. Un sobrio documento congiunto fissava i risultati – per cosí dire – raggiunti. Sobrio il documento, ma lungo, difficoltoso, quasi tortuoso il cammino compiuto per arrivare a una conclusione: lontana dai desideri della Santa Sede, sia per lo scarso numero delle provviste (limitate a tre per la Slovacchia: Nitra, Trnava, Banská Bystrica; una per la Moravia: Olomouc; nessuna per la Boemia), sia per l'esclusione di taluni nostri candidati.

Su dodici diocesi, senza contare quella greco-cattolica di Prešov, sei avrebbero potuto avere, cosí, un ordinario con carattere vescovile; ma le altre sei dovevano attendere, con vicari capitolari non tutti, a dir poco, all'altezza della situazione.

La Santa Sede si risolse ad accettare questa specie di accomodamento attesa la desolata situazione generale e dopo essersi assicurata della sostanziale idoneità canonica degli eletti, nella speranza che ciò potesse aprire la strada ad altri sviluppi non troppo lontani.

Una difficoltà particolare, e molto grave per la Santa Sede, proveniva dal fatto che qualcuno dei quattro nuovi eletti era stato coinvolto nel movimento «Pacem in terris»: ciò si riferiva in particolare al canonico Vrana[59], designato per Olomouc, che del movimento era stato addirittura nominato presidente. Si chiese a tutti, come condizione per la nomina, l'impegno di non accettare o di dimettersi da incarichi di dirigente e a non partecipare attivamente a movimenti o associazioni che, come nominatamente la «Pacem in Terris», rappresentavano iniziative di una parte del clero; il vescovo, invece, doveva essere e mostrarsi padre e pastore di tutti i sacerdoti e fedeli della propria diocesi. Era questa una motivazione, per cosí dire, «minima» che neppure il governo avrebbe potuto rifiutare.

Tutti, compreso il Vrana, sottoscrissero individualmente una dichiarazione d'impegno in tal senso; questa doveva essere portata a pubblica conoscenza. Al momento opportuno, con un'argomentazione che persino un antico sofista si sarebbe vergognato di fare, i rappresentanti governativi vollero sostenere che v'era stato, sí, l'accordo di far conoscere l'impegno assunto, ma non di pubblicarlo (sulla stampa o in altro modo). Per parte sua, il governo si guardò bene dal pubblicizzare la cosa; cercò anzi di forzare la mano, specialmente al Vrana, riuscendo almeno a intorbidire le acque. Sicché il caso Vrana fece molto parlare di sé, dando occasione anche ad attacchi contro la Santa Sede. E la «Pacem in terris» continuò a rappresentare una delle croci della Chiesa – e anche della Santa Sede – in Cecoslovacchia, sino a quando cadde il regime.

---

[59] Josef Vrana (1905-87), canonico, presidente per la Boemia e la Moravia del movimento dei Preti per la pace, filogovernativo, fu dal 1973 amministratore apostolico di Olomouc.

Per portare a termine il lungo cammino monsignor Cheli si recò in Cecoslovacchia allo scopo di informare i candidati dell'avvenuta nomina e degli impegni connessi e per predisporre tempi e luoghi per la loro consacrazione (per la quale fui richiesto di andare io stesso, come segretario per gli Affari pubblici della Chiesa). Il viaggio di monsignor Cheli portò anche a un ultimo aggiustamento delle intese di Roma: uno dei candidati prescelti, infatti, il reverendo Samel, destinato a Banská Bystrica, con una sua nobile lettera aveva chiesto al Santo Padre di esser dispensato dall'accettare; il papa aveva accettato scegliendo in suo luogo il reverendo Jozef Feranec[60]. Il Samel, cosí zelante ed efficace nel lavoro parrocchiale, confessava che dopo il periodo passato in carcere si sentiva *invincibili timore correptus*, preso cioè da invincibile timore, e non credeva di avere la forza sufficiente per resistere a eventuali imposizioni del regime, che pure aveva acconsentito alla sua nomina. A tal punto un sistema di violenza e di terrore poteva ridurre uomini dolci e miti: ma non solo loro!

Cosí, si poterono pubblicare le quattro nomine; insieme si doveva render pubblica – sul settimanale «Katolické Noviny» – la notizia riguardante la rinunzia del Vrana alla presidenza della «Pacem in terris» boema.

Conformemente alle intese, mi recai il 3 marzo 1973 nell'antica cattedrale di Nitra, centro religioso della Slovacchia, per la consacrazione dei tre vescovi slovacchi. La cattedrale non era ampia abbastanza per accogliere quanti avrebbero desiderato assistere a una cerimonia della quale solo i piú anziani potevano forse conservare ancora un lontano ricordo. Molti i sacerdoti, i piú scelti probabilmente nelle file della «Pacem in terris», tutti gli ordinari della Cecoslovacchia, una rappresentanza governativa fra cui, naturalmente, quella dell'ufficio per gli Affari ecclesiastici; gente anche fuori del

---

[60] Jozef Feranec (1910) è stato vescovo di Banská Bystrica dal 1973 al 1990.

tempio. Ma, oltre al fatto che si trattava di un sabato, giorno feriale, era convinzione generale che il governo avesse procurato di render meno agevole la partecipazione popolare: una scarsa informazione, la mancanza di eventuali mezzi di trasporto straordinari, due giorni di ferie concessi agli alunni degli istituti di carattere universitario di Nitra... Cosí mi si diceva, né io avevo modo, anche l'avessi voluto, di controllare la verità di queste affermazioni. Al governo si attribuiva anche la denuncia di un'epidemia di afta epizootica (qualche avviso a stampa, affisso in città, mi fu furtivamente indicato) che imponeva particolari restrizioni. Forse era anche vero, ma non pochi vi sospettarono una manovra delle autorità: tanto alta era la credibilità governativa.

A Nitra ero arrivato il mattino stesso da Vienna, con l'automobile di quella nunziatura; con questa compii poi anche il resto del viaggio.

Fungevano con me quali conconsacranti gli unici due vescovi non «clandestini» rimasti nel paese, nessuno di loro slovacco: monsignor Trochta e monsignor Tomášek, entrambi diventati poi cardinali.

Commovente cerimonia, anche per la suggestione storica del luogo, legato ai primi inizi della nazione e della Chiesa slovacca, e per il significato di una rottura storica con un passato ancora sanguinante e ancora minaccioso. Nella mia omelia, dopo aver ricordato la consacrazione dei tre vescovi slovacchi compiuta, appunto in Nitra, dopo la prima guerra mondiale, nel 1921, mi diffusi sulle doti e sulla missione di pastore proprie del vescovo, richiamando l'esempio di un papa a tutti caro, Giovanni XXIII. Le situazioni e i concreti problemi del paese, presenti alla mente di tutti, richiedevano appunto dai nuovi vescovi la prudenza e il coraggio di veri pastori.

Dopo la cerimonia ci ritrovammo, in gran numero, per un'agape fraterna, come si soleva e si suole dire. Di essa ricordo in particolare la presenza di un bel gruppo di alunni della Facoltà teologica di Bratislava, scelti non saprei con quali criteri, i quali servivano alle mense; l'espressione del loro viso e il loro modo serio e spigliato di fare mi fecero un'impressione molto buona, alla quale per la verità non ero del tutto preparato. Per la brevità del tempo, non ebbi poi modo di intrattenermi con loro; né forse ai loro custodi, ecclesiastici e civili, ciò sarebbe piaciuto gran che.

Sempre per la brevità del tempo, ma anche per l'imbarazzo di non essere in grado di poter distinguere tra «buoni», «meno buoni» e «non buoni», assai brevi furono i miei saluti con gli ordinari presenti. E qui mi accadde qualcosa che poi mi dispiacque sinceramente: nella confusione di persone e di parole non giunsi a distinguere, fra quanti mi venivano presentati, il reverendo Hirka[61], che dalla Santa Sede era stato nominato ordinario della diocesi greco-cattolica di Prešov. Egli non godeva il favore dell'ufficio per gli Affari ecclesiastici, che non voleva riconoscere tale sua funzione e aveva respinto la proposta della Santa Sede di nominarlo amministratore apostolico della diocesi, sia pure, per il momento, senza carattere vescovile. Non avendo ben compreso di chi si trattasse, mi comportai con lui come con gli altri: con cortesia, ma senza particolari effusioni. Non so se le spiegazioni e le scuse che cercai di fargli pervenire una volta chiarito l'accaduto, lo abbiano allora convinto o anche solo raggiunto.

Nel pomeriggio partenza per Olomouc, dove il mattino seguente, con gli stessi concelebranti, procedetti alla consacrazione di monsignor Vrana.

Scusandomi dall'accettare l'offerta di prendere alloggio in un hotel della città, avevo chiesto di avere una stanza, anche modesta, in un locale ecclesiastico. Me ne fu offerta una nell'abitazione dei canonici; era proprio la stanza di un nostro candidato vescovile, escluso dal governo per i soliti motivi. Ebbi modo di incontrarlo brevemente, e la sua cordialità e l'evidente buon spirito mi furono di conforto mentre mi accinge-

[61] Ján Hirka (1923), incarcerato per diversi anni, è stato ordinario provvisorio della diocesi cattolica di rito bizantino di Prešov fin dal 1969 e ne è stato nominato vescovo nel 1989.

vo a «imporre le mani» a un altro canonico, dall'aspetto – a non dir altro – e dal modo di fare che apparivano assai meno spirituali (anche se forse piú preparato al comando, in tempi tanto tristi).

La cattedrale, assai piú grande di quella di Nitra, era letteralmente gremita; essendo in corso alcune opere di restauro anche le impalcature erano state prese d'assalto; e altra gente stava fuori.

Ancora qui, quasi piú ancora che a Nitra, fui favorevolmente colpito dall'aspetto e dal comportamento dei seminaristi provenienti dalla Facoltà teologica di Litoměřice (quella riaperta per breve tempo proprio a Olomouc era finita insieme con la Primavera di Praga). Potei notare anche un certo numero di suore in abito religioso: fatto del tutto insolito, almeno per me (le sole che avevo visto cosí erano le due addette alla Casa di Radvanov dove alloggiava monsignor Beran, nel 1963, e alcune altre che sembravano occhieggiare con un po' di curiosità dietro i vetri chiusi di un grande edificio vicino al santuario di Velehrad).

Solenne fu la cerimonia. E un po' solenne volle essere anche la mia omelia, nella quale mi parve opportuno, date le speciali circostanze di quella consacrazione, riprendere alcune forti espressioni dell'antico rito (che, con mio dispiacere, non si trovano piú nel nuovo): «Ama la verità e non abbandonarla mai, vinto dalle lodi o dalla paura; non chiamare luce le tenebre, né tenebre la luce; non dire bene il male, né male il bene». Direi che l'intenzione di queste parole, tradotte man mano in ceco mentre io le leggevo in latino, fu abbastanza ben compresa, tanto che, a quanto mi dissero in seguito, non comparvero nel testo pubblicato da «Katolické Noviny»...

Nel pranzo che seguí alla consacrazione – presente un gran numero di sacerdoti, i piú certamente scelti fra gli «amici» di monsignor Vrana – avevo vicino a me il viceministro della Cultura, un po' a disagio al principio, ma che si sentí poi quasi nel suo ambiente quando il grande coro di ecclesiastici incominciò uno di quei tradizionali canti nazionali di augurio che affratellano facilmente tutti al di là di ideologie, facendole momentaneamente quasi dimenticare.

## 8. *Nomina di monsignor Trochta a cardinale.*

Grande l'euforia anche del signor Hruza, euforia che io ero però destinato a smorzare decisamente con una comunicazione non attesa da lui e non certo gradita. Dovevo infatti informarlo confidenzialmente, quale rappresentante del governo, che stava per essere annunciato, proprio il mattino seguente, il concistoro nel quale il Santo Padre avrebbe creato cardinale il vescovo Trochta.

Ricordo ancora, con una piccola punta di rimorso (ma anche forse di soddisfazione), lo stato quasi di panico che lo assalí quando, in tono distaccato, gli chiesi sottovoce di poterlo vedere subito a quattr'occhi, avendo una comunicazione importante e riservata da fargli urgentemente da parte della Santa Sede. Lasciare quell'ambiente festoso, dove si sentiva padrone e in qualche modo vittorioso, per incontrarsi cosí con me, senza sapere di che cosa potesse trattarsi e senza aver potuto consultare i suoi capi, senza neppure la vicinanza di un aiuto e testimone, deve essergli apparso presagio di un oscuro pericolo. Cercò di schermirsi, ma io insistetti e i vicini avrebbero potuto notare questo dialogo che stava divenendo involontariamente un po' vivace. Sicché, tra il seccato e il rassegnato, si disse disposto a seguirmi. Dando però alla prudenza quel tanto che poteva ancora esserle dato, mi condusse in un altro salone anch'esso affollato; la gente badava ai fatti propri, ma non ci risparmiava occhiate piuttosto curiose.

Dissi quanto avevo da dire. Non era, precisai bene, una domanda di assenso o di «nulla osta», ma solo un'informazione di cortesia, anche se data all'ultimo momento (cosa che del resto è di prassi per nomine del genere, perfino con gli stessi eletti). Il signor Hruza non sapeva se darmi atto di aver compreso o fare mostra di non aver ascoltato. Alla fine, nel piú grande imbarazzo, si alzò per porre termine al colloquio e anche, evidentemente, per andare a fare il suo rapporto telefonico a chi di dovere. Tra noi non se ne parlò piú. Né me ne fu fatta parola da altri.

Quello che invece fu fatto, a quanto mi risultò poi, fu di disturbare le trasmissioni della Radio Vaticana in lingua ceca e slovacca il giorno dell'annuncio, per fare in modo che la notizia della nomina arrivasse un po' a scoppio ritardato nel paese.

Il pomeriggio del 5 marzo, con monsignor Tomášek e i miei due accompagnatori, mi recai a Litoměřice per rendere omaggio al nuovo cardinale.

L'agenzia Ctk, seguita dal giornale comunista «Rudé Pravo» e da quello del Partito popolare cecoslovacco «Lidová Demokracia», dava la notizia il giorno seguente, con tacitiana laconicità: il papa Paolo VI ha nominato trentadue nuovi cardinali, fra i quali il dottor Štěpán Trochta, vescovo di Litoměřice. Il settimanale «Katolické Noviny» del 18 marzo riprendeva tal quale il comunicato della Ctk, inquadrandolo tuttavia in una sobria biografia di monsignor Trochta e con il voto che «il grande privilegio e la gioia che il Santo Padre ha dato ai nostri fedeli [...] siano l'inizio di una pacifica intesa e di una sempre migliore collaborazione tra Stato e Chiesa in Cecoslovacchia come fanno sperare gli ultimi risultati delle trattative tra questa repubblica socialista e la sede di Pietro».

L'imposizione delle insegne cardinalizie avvenne il 12 aprile, in una speciale cerimonia, alla quale assisteva, come delegato del governo, il ministro consigliere dell'ambasciata cecoslovacca a Roma, signor Forst: un piccolo segno di distensione, o almeno un indizio che della nomina di monsignor Trochta a cardinale non si voleva fare pretesto per un peggioramento di rapporti tra la Chiesa o la Santa Sede e lo Stato.

Cosí, almeno, all'apparenza. E il papa volle manifestare il suo piacere nel vedere rappresentata alla cerimonia anche l'autorità civile, cui rivolgeva il suo deferente saluto, aggiungendo «una parola di speranza [...]. Noi confidiamo, cioè, – diceva Paolo VI, – che questo atto di distinzione della Santa Sede verso uno dei piú eletti figli della sua nobile terra possa portare un serio contributo alla soluzione di quei problemi che la Chiesa ha il dovere di affrontare», per «assicurare alla Chiesa la possibilità di svolgere convenientemente la sua missione, essenzialmente spirituale, che pur ridonda al bene totale della comunità».

Speranze rimaste, purtroppo, senza seguito. Il cardinale continuò nel suo ristretto ministero diocesano, fra le consuete e forse anche piú grandi difficoltà, in un clima di freddezza e di ostilità da parte non soltanto dello Stato, ma anche di quel clero che appariva piú legato allo Stato e al regime, per convinzione e ancor piú per timore o per convenienza.

Per quel che riguardava lo Stato, sia il presidente Svoboda, sia il segretario generale Husák[62], nel rispondere alla notifica della sua nomina che il cardinale aveva fatta loro il 6 marzo, espressero il proprio rincrescimento perché tale nomina non era stata oggetto di «consultazione» con gli organi statali.

9. *La scomparsa del cardinal Trochta (1974)*.

Gli auspici erano poco favorevoli, né il seguito lo fu molto di piú. È quindi comprensibile che alcuni, e forse lo stesso cardinale, si domandassero se egli non avrebbe avuto, non solo una vita piú facile, ma migliori

---

[62] Gustáv Husák (1913-91) partecipò attivamente alla presa del potere da parte comunista nel 1948, ma nel 1951 fu imprigionato per diversi anni. Ormai riabilitato, nel 1968 appoggiò inizialmente Dubček, ma ne prese poco dopo le distanze, gestendo, nella sua veste di segretario del Partito comunista (1969-87), la normalizzazione sovietica. Fu anche presidente della Repubblica dal 1975 al 1989.

possibilità di svolgere un utile servizio alla Chiesa trasferendosi fuori patria, ad esempio a Roma. Ma intanto le cose andarono avanti sino a che il cardinale, la cui salute era stata esposta a tante dure prove, venne a mancare inaspettatamente il 6 aprile 1974, a poco piú di un anno dalla sua nomina.

Sulle circostanze e sulle cause della sua morte cominciarono subito a circolare le notizie piú inquietanti, uscite sottovoce, come è abitudine in casi del genere, dalla cerchia degli intimi del cardinale. A richiesta del papa, monsignor Tomášek mise poi per iscritto quanto in proposito gli aveva comunicato riservatamente il segretario personale del defunto: due paginette di impressionante realismo. Ma già prima, in data 24 aprile, un sacerdote che a Vienna era incaricato dell'assistenza spirituale ai fedeli di lingua ceca, il reverendo Josef Novotny, aveva inviato al papa e al segretario generale dell'Onu, Kurt Waldheim[63], le informazioni ricevute, come egli scriveva, dai piú vicini collaboratori del cardinale. Secondo un malvezzo che è entrato largamente nell'uso, il Novotny fece conoscere i due testi alla stampa austriaca prima ancora che potessero arrivare a destinazione. Cosí l'opinione pubblica venne a sapere che il giorno prima della sua morte, tornato a Litoměřice da Praga dopo una seria operazione all'occhio, con la raccomandazione medica di assoluta tranquillità, il cardinale fu praticamente obbligato a ricevere il segretario distrettuale per gli Affari ecclesiastici, certo Dlabal; questi si impose a lui per sei ore filate, già in preda ai fumi dell'alcool, aggravati poi da quelli del liquore che per debito di ospitalità il cardinale si ritenne in dovere di offrirgli. Il Dlabal gridava e minacciava per costringere il cardinale a prendere certe decisioni nei riguardi di alcuni sacerdoti, e specialmente

[63] Kurt Waldheim (1918), segretario generale dell'Onu (1972-81) e quindi (1986-92) presidente della Repubblica austriaca. Il suo prestigio internazionale è stato messo in discussione dall'accusa di avere partecipato nel corso della seconda guerra mondiale a crimini contro civili e militari in Jugoslavia.

dei confratelli salesiani che vivevano con lui quali suoi piú diretti collaboratori. Stando a quello che il segretario personale del cardinale riferiva di avere udito, a un certo momento il Dlabal era uscito in qualche amenità del genere di «brutto vecchiaccio, se non licenzi tutti questi salesiani, ti rompo le zampe...» («e via dicendo», continua la relazione).

Uscito stremato dal lungo scontro («penso che ciò sarà la mia morte» avrebbe detto) il cardinale si ritirò piú presto del solito a riposare. Il mattino i familiari lo trovarono rantolante e privo di conoscenza. Trasportato in ospedale, non vi fu piú nulla da fare; nel primo pomeriggio spirava.

Le autorità civili fecero del loro meglio per impedire troppo larga partecipazione ai funerali. Non vi riuscirono però del tutto. Poterono giungere a Litoměřice i cardinali König, Bengsch[64], Wojtyła (non poté invece farlo il cardinal Wyszyński), monsignor Poggi[65] per la Santa Sede, alcuni altri vescovi; a tutti fu però impedito di partecipare come celebranti alla cerimonia funebre. Una gran brutta pagina, fra le tante non certo piú belle di quel periodo ridiventato cosí oscuro dopo la breve pausa del 1968.

Restava però da controbattere la storia diffusa dal reverendo Novotný sulla visita del signor Dlabal e sul suo edificante comportamento. E il governo non trovò di meglio che far pubblicare su «Katolické Noviny» del 12 maggio una lunga smentita a firma del canonico Holoubek, già vicario generale del cardinale: il colloquio con il signor Dlabal «si è svolto in modo piano, è stato caratterizzato da reciproca intesa e si è concluso con soddisfazione delle due parti».

Nessuno ci credette (a cominciare, sembra, proprio dal canonico Holoubek). Ma le cose restarono lí.

---

[64] Alfred Bengsch (1921-79), vescovo ausiliare (1959-61) e poi dal 1961 vescovo di Berlino, fu creato cardinale nel 1967.

[65] Luigi Poggi (1917), diplomatico, è stato rappresentante pontificio in Africa centrale, in Perú, nunzio apostolico con incarichi speciali (1973-86) e nunzio in Italia (1986-92); nel 1994 è stato creato cardinale.

10. *1974-78.*

Nel conchiudere il negoziato del novembre-dicembre 1972 era stato espresso il voto di una prossima ripresa di colloqui per portar avanti le nomine di vescovi per le diocesi ancora vacanti. In realtà non vi furono piú grandi novità su questo fronte, nonostante i ripetuti tentativi di riprendere e di tener vivo il dialogo, protrattisi negli anni sino al 1978.

A metà febbraio del 1974 la Santa Sede faceva presente la propria disponibilità a nuovi contatti, proponendo una data e la sede concreta: l'11 marzo, a Roma. Proponeva anche un'agenda: provvista delle diocesi vacanti; vescovi «clandestini»; confini delle diocesi, soprattutto per far coincidere le frontiere ecclesiastiche con quelle dello Stato uscito dalla seconda guerra mondiale; ma, in piú, la Santa Sede segnalava le necessità di affrontare anche i temi della libertà nelle nomine ecclesiastiche, dei seminari, delle religiose e dell'insegnamento religioso.

Con la consueta tempestività il governo faceva sapere il 9 aprile: programma troppo vasto, meglio limitarsi alle questioni dei vescovi «clandestini» e dei confini diocesani; anche la data proposta era troppo ravvicinata, la delegazione cecoslovacca avrebbe potuto venire solo nel settembre.

La partecipazione di monsignor Poggi ai funerali del cardinal Trochta, il 16 aprile, gli diede la possibilità di incontrarsi a colloquio con il signor Hruza, il pomeriggio di quello stesso giorno e, una seconda volta, il 18 seguente. A conclusione venne confermata la data di settembre per una trattativa che avrebbe dovuto prendere in esame anche la provvista di diocesi: sullo sfondo, sempre, la questione del previo invio di qualche incaricato della Santa Sede per indagini canoniche su possibili candidati. Sconsigliata invece «nel modo piú assoluto» la visita che monsignor Poggi desiderava compiere ai seminari cecoslovacchi: i giovani, al dire del signor Hruza, erano un po' agitati e turbolenti e la situazione del momento richiedeva molta prudenza; monsignor Poggi, se lo voleva, visitasse invece, ad esempio, Karlovy Vary, dove v'era una villetta ancora di proprietà della Santa Sede (come la residenza della nunziatura apostolica a Praga), ma senza avere alcun contatto con sacerdoti e fedeli...

Nel settembre, dal 16 al 20, la prevista riunione a Roma. Molte parole, osservazioni e controsservazioni, proposte e controproposte, richieste e rifiuti e promesse, ma, in pratica, nessun risultato: necessario rivedersi!

Nel febbraio del 1975, in risposta all'invito del ministro degli Esteri Bohuslav Knoupek, nel quadro della Conferenza di Helsinki, mia breve visita a Praga, dal 24 al 26.

Lungo colloquio sui temi della pace, del disarmo, della composizione dei conflitti, della collaborazione internazionale: pur nella consapevolezza delle differenze di fondo delle due parti, non era difficile trovare qui una qualche piattaforma comune sulla quale convergere. Cortese rifiuto di toccare questioni di rapporti bilaterali Stato-Chiesa: non entravano nelle competenze del ministero degli Esteri... Negli scambi di brindisi ufficiali, consueti in simili occasioni, volli però ricordare che «la forza della Santa Sede, anche per il servizio alla pace, è la Chiesa». «Senza questa, – continuavo, – la Santa Sede sarebbe una testa senza corpo, il papa un capo senza esercito». Capo, invece, vuol essere il papa «di un esercito spirituale che, una volta convogliato dalla sua parola e dal suo esempio sul cammino della pace, può davvero offrire a questa un appoggio e una difesa di valore difficilmente calcolabile». Di là l'interesse, anche sul piano politico mondiale, della soluzione dei problemi della vita della Chiesa ovunque ne esistano. E quanti ne esistevano in Cecoslovacchia! Ne parlai a lungo con il vice primo ministro Matej Lúčan, responsabile della politica ecclesiastica del governo, senza tuttavia giungere ad alcun risultato (né d'altronde il colloquio era stato previsto come trattativa), se non l'impegno di un nuovo incontro tra le due delegazioni: prima o poi!

«L'opinione pubblica è impaziente, – osservavo alla fine della mia visita, – soprattutto quando si tratta di argomenti considerati importanti. E il rapporto della Santa Sede con il mondo socialista è certamente uno di essi: non solo per quel che riguarda i contatti e le possibili collaborazioni nel campo della pace e dei problemi della vita internazionale in genere, ma anche, e non meno, per quel che si riferisce ai problemi della vita della Chiesa cattolica nei singoli paesi».

Il nuovo incontro ebbe poi luogo a Roma dal 10 al 13 dicembre del 1975: vescovi «clandestini», emigrazione ecclesiastica ostile, confini delle diocesi. Provviste diocesane? Ancora in alto mare, anche per la Boemia che la delegazione cecoslovacca aveva accettato, in principio, di prendere in considerazione. La ragione sempre la stessa: l'immutato atteggiamento governativo circa i candidati. La situazione, e non solo per le provviste, diventava sempre piú pesante. La delegazione cecoslovacca cercò di mettere le mani avanti: sperava in risultati piú concreti; se fosse stata accusata di aver tirato le cose per le lunghe, si sarebbe difesa.

Altro incontro dal 5 al 9 luglio 1976, a Praga stavolta, con le consuete discussioni, le solite difficoltà e gli ormai tradizionali risultati... rimandati a un prossimo incontro. Siccome però sembrava essere apparsa qualche maggiore apertura, anche se sempre condizionata, il segretario di Stato cardinal Villot[66] annotava: «C'è... un po' di speranza in mezzo a tante prove e difficoltà».

Le due delegazioni si riunirono di nuovo a Roma, dal 20 al 27 settembre del 1977. Con un certo coraggio il signor Hruza quasi ci rinfacciava d'aver provocato il ritardo dell'incontro, mentre da parte cecoslo-

---

[66] Jean Villot (1905-79), vescovo ausiliare di Parigi (1954-59), poi coadiutore (1960-65) e quindi arcivescovo di Lione (1965-67), creato cardinale nel 1965, fu dal 1969 segretario di Stato.

vacca si era sperato di poter riprendere le trattative già alla fine del 1976; però da parte della Santa Sede non si era registrata la stessa urgenza!

Ma, nel frattempo, la Santa Sede aveva compiuto per conto suo un passo di grande importanza: nel concistoro del 27 giugno di quello stesso 1977 il papa aveva resa pubblica la nomina a cardinale, rimasta *in pectore* da oltre un anno, di monsignor Tomášek, ancora amministratore apostolico di Praga. Il governo non aveva mal reagito.

Il negoziato si svolse poi sul binario diventato ormai quasi tradizionale e minacciava di potersi conchiudere soltanto con un accordo per la coincidenza dei confini ecclesiastici con quelli statali. Magro risultato dopo tante trattative! È vero che, se quel risultato poteva apparire d'interesse più per lo Stato che per la Chiesa, in realtà esso rispondeva a un'aspirazione profondamente sentita dalla popolazione cattolica della Slovacchia. L'erezione della provincia ecclesiastica slovacca era stata, del resto, decisa già nel 1937 e la relativa Bolla era apparsa sugli «Acta Apostolicae Sedis»; poi le note vicende politiche ributtarono tutto a mare.

Proposi quindi al papa di giungere all'accordo su questo punto, a condizione tuttavia che si potesse insieme pubblicare la nomina dell'amministratore apostolico cardinal Tomášek ad arcivescovo di Praga; nomina che non avrebbe introdotto modificazioni sostanziali nel governo ecclesiastico dell'arcidiocesi, ma che sarebbe stato di straordinario significato morale.

Il papa acconsentí, annotando che «per il resto, la pazienza è in questa situazione la nostra forza» (e lo era in realtà, perché mentre noi si era obbligati a pazientare e a «tener duro», come si suol dire, cercando di tener viva, sia pure in una forma forzatamente ridotta, l'istituzione ecclesiastica e la vita religiosa, il tempo – con Dio – lavorava per noi e contro un regime ormai destinato a soccombere).

Cosí «L'Osservatore Romano» del 10 gennaio 1978 poteva render nota la «promozione» del cardinal

Tomášek e l'erezione della provincia ecclesiastica slovacca, con l'aggiustamento dei confini ecclesiastici con
Polonia e Romania, ma soprattutto con l'Ungheria:
l'amministrazione apostolica di Trnava, eretta in diocesi, anzi in arcidiocesi metropolitana, era stata sino
allora territorio dell'arcidiocesi di Esztergom, cosí come la diocesi di Rožňava e Košice facevano parte della provincia ecclesiastica ungherese di Eger.

Di «pazienza-forza» aveva parlato il papa. E la delegazione della Santa Sede, presieduta da monsignor
Poggi, ebbe ampio modo di esercitare quella virtú in
occasione della successiva riunione, avvenuta a Praga
dal 20 al 27 aprile 1978 con triplice obiettivo: 1) nomina dei due arcivescovi di Trnava e di Olomouc, provvista delle diocesi boemo-morave (Brno, České Budějovice, Litoměřice, Hradec Králové): proposte della Santa Sede, controproposte cecoslovacche, nuove proposte
della Santa Sede, risposta negativa: nulla da fare. 2)
Chiesa «clandestina» e attività dell'emigrazione ecclesiastica: lagnanze governative, spiegazioni, precisazioni, alcune assicurazioni della delegazione della Santa
Sede. 3) Libertà religiosa: ampia e concreta esposizione delle lagnanze della Santa Sede. Risposta governativa: in Cecoslovacchia si rispettano la libertà religiosa e gli impegni di Helsinki; comunque, il governo non
pensa a modificare le sue leggi.

Conclusione: per la delegazione governativa le discussioni sono state proficue anche se non hanno portato ad
alcun accordo; speriamo di arrivare a risolvere le questioni
pendenti in un nuovo incontro entro breve tempo! Meno positive, certo, e meno ottimiste le conclusioni che la
delegazione della Santa Sede poteva trarre da questo ripetuto esercizio di pazienza nella ricerca di un qualche
utile e dignitoso accordo sempre sfuggente e nella fiducia
di una non troppo lontana vittoria della Chiesa.

Il papa Paolo VI, mentre lodava lo sforzo dei suoi
inviati, non poteva nascondere di aver «sofferto molta pena per l'infido, ostile e alla fine negativo atteggiamento dei rappresentanti governativi»; e augurava

alla Chiesa in Cecoslovacchia di poter «svolgere la sua missione in migliore lealtà e sincera libertà».

Il papa scriveva questo in una sua nota della fine del maggio 1978. Il 6 agosto egli lasciava questa vita, consolato dalla forza della fede e della speranza che aveva sempre accompagnato e sostenuto il suo servizio alla Chiesa e all'umanità.

Il 16 ottobre, dopo la brevissima pausa luminosa di papa Giovanni Paolo I[67], un nuovo pontificato si apriva, segnato da preoccupazioni, da speranze ma anche da certezze che l'azione della provvidenza avrebbe reso mano a mano sempre piú chiare e vicine, sino a sfociare negli eventi del 1989.

## 11. 1979-80.

Con l'avvento del nuovo papa si sarebbe potuto pensare che i governi comunisti, e in particolare quello di Praga, avrebbero perduto la voglia di portare avanti con la Santa Sede un dialogo già tanto difficile e che essi potevano agevolmente prevedere destinato a farsi ancor meno morbido e, per loro, privo di prospettive. La Santa Sede, però, non avrebbe voluto che la si potesse accusare di aver congelato le trattative, anche se i precedenti e le conoscenze personali degli intenti e dei metodi comunisti che portava con sé il papa Giovanni Paolo II non potevano non renderlo ancor meno ottimista di quanto lo fossimo noi della «vecchia guardia» della Ostpolitik.

L'impressione generale era che le assicurazioni di disponibilità e di «buona volontà» del governo, tante volte rinnovate, rispondessero prevalentemente alla speranza di tenere quieta la pubblica opinione, all'interno del paese e all'estero, dove la pessima situazione della

[67] Albino Luciani (1912-78) fu vescovo di Vittorio Veneto (1958-69) e dal 1969 patriarca di Venezia; creato cardinale nel 1973, fu eletto papa il 26 agosto 1978 e prese il nome di Giovanni Paolo; morí improvvisamente il 28 settembre successivo.

Chiesa appariva sempre piú chiaramente, anche in relazione agli impegni di Helsinki sottoscritti da Praga.
Le informazioni e le denunce in varie parti del mondo,
specialmente da parte cattolica, riuscivano insopportabili per il regime cecoslovacco, attaccato anche per il
suo comportamento nel campo piú generale dei diritti
umani.

L'«emigrazione ecclesiastica», in particolare, era diventata una delle bestie nere del governo. E il timore
che il nuovo papa potesse personalmente farsi porta-
voce delle lagnanze della Chiesa doveva pesare come
un incubo nelle sue previsioni.

D'altra parte, le necessità della vita religiosa della
massa dei fedeli e i problemi del governo ecclesiastico
erano enormi e andavano rapidamente aggravandosi.
La Santa Sede non poteva quindi esimersi dal continuare a tentare pazientemente e coraggiosamente tutto il possibile per uscire dall'insabbiamento delle trattative: questa era stata in realtà la strategia del regime,
grazie a schermaglie tattiche che avrebbero dovuto di-
sanimare anche i piú volenterosi.

Perciò, il 14 maggio 1979 la Santa Sede propose la
ripresa delle trattative, precisando anche una data: il
15 giugno. Il 30 luglio, rapido come sempre, il governo si dichiarava disposto ad accogliere la proposta a
partire dalla metà di ottobre. Rifiutava però l'agenda
indicata dalla Santa Sede (in particolare, le questioni
riguardanti l'insegnamento religioso, i seminari, la libertà degli ordinari nel governo diocesano) e riproponeva i suoi argomenti: Chiesa clandestina, emigrazione ecclesiastica e provvista delle diocesi, incluse le arcidiocesi di Trnava e di Olomouc, che invece la Santa
Sede, per le sue buone ragioni, ora escludeva. Infatti
il governo aveva uno speciale interesse alla nomina
dell'amministratore apostolico di Olomouc, monsignor
Vrana, ad arcivescovo: cosa che presentava gravissime
difficoltà per la Santa Sede. Quest'ultima si era però
mostrata disposta a superarle purché monsignor Vrana
rinunciasse previamente e pubblicamente a ogni par-

tecipazione attiva al movimento «Pacem in terris» e
purché contemporaneamente, oltre a Trnava, venissero provviste le quattro diocesi boemo-morave vacanti,
o almeno due di esse, con candidati accettabili. Sino
alle trattative dell'aprile dell'anno precedente il cardinal Tomášek si era dichiarato d'accordo per una soluzione globale che comprendesse anche monsignor Vrana, alle condizioni precisate. Ma venendo a Roma nel
febbraio 1979 egli disse al papa che dopo di allora la
posizione dell'amministratore apostolico di Olomouc
era molto peggiorata, al punto che una sua nomina ad
arcivescovo avrebbe provocato forti reazioni di sdegno
fra il clero. La Santa Sede non poteva che accettare il
giudizio di un cosí autorevole informatore, anche se in
tale modo era verosimile che tutto sarebbe stato rimandato in alto mare.

Cosí, sotto auspici ancor meno fausti che altre volte, le due delegazioni si riunirono a Roma il 15 gennaio
1980, protraendo le loro fatiche sino al 21 del mese.
Vere fatiche di Sisifo!

Alcuni mesi avanti io ero stato nominato, prima pro-
segretario (aprile) e poi segretario di Stato (luglio
1979). Cosí non partecipai alle trattative, aperte dal
mio successore, monsignor Achille Silvestrini, e portate avanti dal nunzio con incarichi speciali monsignor
Luigi Poggi; ricevetti, tuttavia, la delegazione cecoslovacca, senza entrare direttamente nel merito dei problemi dibattuti, ma esortando e incoraggiando: parole
ben accolte, ma piú o meno buttate al vento!

Le trattative furono lunghe e piuttosto tese. Monsignor Poggi ebbe almeno la possibilità di tracciare
chiaramente, di fronte agli interlocutori, il quadro com-
plessivo della situazione della Chiesa in Cecoslovacchia: quadro davvero impressionante, per le molte, gravissime ombre e per le pochissime, incerte luci. La delegazione cecoslovacca cercò di smantellare le accuse,
attribuendole prevalentemente a scarse e unilaterali
informazioni. E si lanciò poi al contrattacco, insistendo vigorosamente sui suoi «cavalli di battaglia»: la

Chiesa clandestina e l'emigrazione ecclesiastica ostile. Nessun avvicinamento di posizioni. E nessuna intesa neppure sul capitolo delle provviste diocesane.

Cosí il rituale comunicato conclusivo, nel quale si dava atto che le conversazioni si erano svolte «con spirito di franchezza» (espressione eloquentissima per orecchie use al vocabolario di documenti del genere), finiva annunciando ancora una volta che le due parti avevano «convenuto di proseguire i colloqui».

Le intenzioni erano certamente quelle, ma otto anni dovevano passare prima che si realizzassero. Otto anni interrotti solo da un'altra mia visita nella Repubblica cecoslovacca, durante la quale non vi furono però trattative.


12. *Ritorno in Cecoslovacchia (luglio 1985).*


La mia assenza dalla Cecoslovacchia, dopo la visita compiuta a Praga su invito del ministro Knoupek, si era protratta per dieci anni quando il 1985 mi offrí l'occasione di potervi tornare: come cardinale, stavolta, e segretario di Stato. Cadeva infatti, in quell'anno, l'XI centenario della morte di Metodio che, insieme al fratello Cirillo, è stato il grande evangelizzatore dei popoli slavi.

A Metodio e al fratello Costantino-Cirillo[68] «figli di Oriente, bizantini di patria, greci di nazione, romani per missione e slavi per i risultati del loro apostolato», come li definí il papa Pio XI, si deve l'opera di evangelizzazione delle popolazioni estese dalla Macedonia alla Moravia e dalla Croazia alla Polonia; a loro si debbono anche gli inizi della cultura slava, grazie all'introduzione dell'alfabeto e della scrittura chiamata appunto «cirillica». Portatisi a Roma per avere dal papa, che era al-

---

[68] Metodio (815-885) e il fratello Costantino (826-869), che da monaco prese il nome di Cirillo, greci, furono protagonisti dell'evangelizzazione degli slavi e sono stati proclamati compatroni d'Europa da Giovanni Paolo II nel 1980.

lora Adriano II[69], il riconoscimento dell'ortodossia del loro insegnamento, Costantino-Cirillo terminò la sua breve giornata terrena nel centro stesso della Cristianità, dove trovò sepoltura presso il sepolcro del santo pontefice Clemente I[70]. Il fratello Metodio, nominato arcivescovo di Sirmio, era tornato nell'anno 869 al suo campo di lavoro, morendo nell'885 in Moravia.

Leone XIII, nel 1880, aveva messo in luce le figure dei due grandi fratelli estendendo il loro culto alla Chiesa universale. Dopo di lui ne avevano scritto i papi Benedetto XV[71], Pio XI, Giovanni XXIII e Paolo VI. Ma è stato soprattutto Giovanni Paolo II, il primo papa slavo della storia, a esaltare la grandezza di questi due evangelizzatori delle sue genti, nella cornice dell'Europa intera. Nel 1980 egli aveva voluto dichiararli patroni di questo continente, insieme a san Benedetto da Norcia[72]. Nell'occasione dell'XI centenario della morte di Metodio il papa pubblicò, con la data 2 giugno 1985, un'enciclica alla Chiesa universale (*Slavorum apostoli*), ma desiderò inoltre richiamare le benemerenze e gli insegnamenti del santo, particolarmente alla memoria degli slavi delle regioni già parte della Grande Moravia: la lotta dei poteri comunisti contro l'eredità religiosa da lui lasciata rendeva singolarmente propizia una simile circostanza per esortare a non tradirla.

La data fu solennizzata principalmente in Jugoslavia, nella diocesi di Djakovo (che porta ancora anche il titolo di Sirmio), e ancor piú in Cecoslovacchia dove

---

[69] Adriano II (792-872), romano, fu eletto papa nell'867 e accolse a Roma i fratelli Metodio e Costantino.

[70] Clemente I, vescovo di Roma alla fine del I secolo, fu autore di una lettera alla Chiesa di Corinto e protagonista di una ricchissima letteratura leggendaria; secondo un'antica tradizione, le sue reliquie furono portate a Roma da Metodio e Cirillo.

[71] Giacomo Della Chiesa (1854-1922), diplomatico, fu dal 1907 arcivescovo di Bologna e venne creato cardinale nel 1914; nello stesso anno fu eletto papa e prese il nome di Benedetto XV.

[72] Benedetto (480-550), autore della *Regula* e grande riformatore del monachesimo occidentale, è stato proclamato patrono d'Europa da Paolo VI nel 1964.

in Velehrad, nella Moravia, si trova secondo un'antica tradizione il sepolcro del santo.

L'episcopato cecoslovacco promosse un pellegrinaggio dei sacerdoti e dei religiosi del paese a Velehrad per commemorare i 1100 anni della morte di san Metodio, avvenuta il 6 aprile dell'anno 885; in quell'occasione il papa rivolse ai convenuti una lettera di ampio respiro, che non poté che alimentare lo scontento e la preoccupazione degli organi del partito, già in allarme per la risonanza che il mondo cattolico, anche fuori della Cecoslovacchia, stava dando all'avvenimento.

Ne fa fede un documento «interno» del partito che, nella migliore tradizione di simili documenti, qualcuno si curò di passare anche all'esterno. Era particolarmente preso di mira l'intento di far risalire esclusivamente all'impresa evangelizzatrice dei due fratelli di Salonicco anche l'inizio della cultura e della coscienza nazionale dei popoli evangelizzati; come anche il desiderio di trarre spunto da un rinnovato impulso al culto cirillo-metodiano per rafforzare la nuova «ideologia cristiana circa l'Europa» e promuovere la desiderata nuova evangelizzazione del continente: ciò, notava il documento, era chiaramente diretto contro la Cecoslovacchia e gli altri paesi socialisti. Pellegrinaggi, preparazione spirituale e religiosa, e infine il grande pellegrinaggio conclusivo di clero e fedeli previsto per il 7 luglio presso il sepolcro di san Metodio a Velehrad si presentavano con il proposito di approfondire la fede e la religiosità nel paese (e già questo sarebbe stato sufficiente per urtare la sensibilità di marxisti convinti), ma ovviamente, per il documento, in tutto ciò si nascondeva il «clericalismo politico».

Escluso un confronto aperto e diretto con la propaganda «del Vaticano e della Chiesa cattolica», venivano chiamate a raccolta le Facoltà marxiste di scienze storiche, la propaganda scientifico-marxista, i centri dell'ateismo, la scuola media e superiore, radio e giornali. Una conferenza scientifica internazionale avrebbe dovuto essere organizzata a Nitra da parte dell'Accademia delle scienze (non so se poi essa abbia avuto luogo). Tutti i comitati distrettuali e locali del partito dovevano mobilitarsi di fronte allo «sfruttamento politico e ideologico» del culto cirillo-metodiano, curando che fossero rigorosamente rispettate le leggi riguardanti la religione e la Chiesa e sorvegliando i luoghi di pellegrinaggio.

Un capolavoro di impegno burocratico, ma insieme una confessione di impotenza di fronte al nuovo risvegliarsi della coscienza e del coraggio popolari. Il regime poteva, certo, continuare a impedire le nomine di vescovi e porre cento ostacoli alla libertà del governo delle diocesi. Poteva anche opporsi al desiderio di avere la presenza del papa alle celebrazioni conclusive del Centenario, come era stato chiesto (e il documento del partito lo ricordava, scandalizzato!) Ma per il resto era ridotto ad annaspare per non esser completamente sommerso da un avvenimento che stava unendo le popolazioni, specialmente della Moravia e della Slovacchia, in manifestazioni sempre piú aperte di attaccamento all'antica fede.

Di queste manifestazioni, o almeno del loro culmine a Velehrad, potei essere io stesso testimone oculare. Poiché i tempi (o meglio, la situazione) non erano ancora maturi per una sua visita in Cecoslovacchia, il papa accolse la richiesta di inviare un suo legato e mi scelse, come segretario di Stato, per tale incarico. Come suo legato, mi nominò anche per le analoghe, quasi concomitanti celebrazioni a Djakovo in Jugoslavia. Confesso che l'una e l'altra designazione mi fecero enorme piacere, per l'affetto che portavo, e ancora sempre porto, a quei due paesi ormai divisi, anzi, per quel che riguarda la Jugoslavia, lacerati al loro interno.

Mi recai prima a Djakovo e di lí mi portai a Praga, nel pomeriggio di venerdí 5 luglio, anticipando di un giorno il mio arrivo nella capitale cecoslovacca per poter incontrare il presidente della Repubblica, che tramite l'ambasciata a Roma mi aveva fatto sapere di essere disposto a ricevermi.

Anch'io tenevo a quell'incontro, il primo che potevo avere a quel livello in Cecoslovacchia. Avevo incrociato il signor Husák a Helsinki, nell'estate di dieci anni prima, in occasione della sessione finale della Conferenza sulla sicurezza e la cooperazione in Europa e le nostre firme erano apparse assai vicine sull'atto finale della Conferenza; ma oltre a qualche cenno di saluto e a qualche insignificante parola casualmente scambiata non si era andati, e non per scelta mia. Ora pareva aprirsi la possibilità di avere un dialogo non esclusivamente formale con una persona che speravo capace, forse, di smuovere un po' le acque stagnanti dei rapporti Stato-Chiesa nel suo paese; non volli quindi perderla, benché le condizioni di tempo postemi mi obbligassero a qualcosa di non consueto, per noi e per la nostra tradizionale sobrietà in materia economica: dovetti cioè noleggiare in fretta un piccolo aereo privato per portarmi dalla Jugoslavia a Praga, con i miei accompagnatori, in orario per l'udienza propostami. Grazie all'interessamento del rappresentante pontificio in Jugoslavia monsignor Francesco Colasuonno[73], che fu poi scelto come primo inviato della Santa Sede a Mosca e poi nunzio apostolico in Italia, oggi cardinale, ci si riuscì: e non fu neppure enorme spesa.

Eccomi dunque, la sera di venerdì 5 luglio, nelle grandi sale del Castello reale di Praga, che apparivano ancora piú vaste e vuote in quell'ora vespertina. Tutto lí parlava di una storia passata, non priva di grosse ombre, e io pensavo alla storia futura che continuava ad apparire, per il momento, ancor meno luminosa.

Il presidente, accompagnato da poche persone, fra le quali il vice primo ministro signor Lúčan, fu molto gentile, quasi cordiale, come a voler far dimenticare la sua passata freddezza verso di me e a portare un po' di

[73] Francesco Colasuonno (1925), diplomatico, è stato rappresentante pontificio in Mozambico, Zimbabwe e, tra il 1985 e il 1986, in Jugoslavia (1985-86); responsabile dei rapporti con la Polonia (1986-90), dal 1990 al 1994 ha rappresentato la Santa Sede a Mosca ed è stato poi nunzio in Italia (1994-98); nel 1998 è stato creato cardinale.

calore nel gelo che purtroppo durava ancora nei rapporti fra lo Stato e la Chiesa nel suo paese.

La conversazione si protrasse assai piú a lungo di quanto mi sarei aspettato. La prima parte, la piú facile tutto sommato, almeno in apparenza, si allargò sui temi ormai consueti degli incontri fra rappresentanti degli Stati comunisti e la Santa Sede, a cominciare da quelli con il papa in persona: pace, disarmo, cooperazione internazionale, il tutto un po' sulle generali e, da parte del presidente, nella tradizionale armonia con la visione sovietica dei problemi. Ad ogni modo, in questo campo non era impossibile trovare una base di consenso sui grandi principî che sia la Santa Sede sia, almeno a parole, gli Stati comunisti erano pronti a enunciare, soprattutto dopo il grande sforzo di omogeneizzazione compiuto con il processo di Helsinki: salvo poi a divergere sostanzialmente nelle interpretazioni e nelle applicazioni.

Diversa la musica quando si passò ai problemi della Chiesa, dove il presidente, convinto personalmente o indottrinato dagli «specialisti» del settore, incominciò a metter avanti le stesse tesi, le stesse lagnanze, e insieme le stesse affermazioni di rispetto per i diritti della Chiesa e dei cittadini credenti, le stesse assicurazioni di «buona volontà» che i miei collaboratori e io conoscevamo da un pezzo.

Naturalmente cercai di dare appropriata risposta ai singoli punti. Ma quello su cui il presidente e i suoi assistenti battevano con particolare insistenza era quello dei candidati per la provvista delle diocesi: perché escludere gli appartenenti al movimento dei Preti per la pace? E perché proporre e riproporre ecclesiastici ostili al movimento stesso e alla repubblica socialista? Perciò, dopo molto battere e controbattere da una parte e dall'altra, credetti opportuno di avanzare l'idea di una specie di «armistizio» temporaneo, in attesa di tempi migliori: il governo rinunciasse a insistere su esponenti della «Pacem in terris» e la Santa Sede avrebbe cercato con ogni possibile impegno di proporre, quali candidati per l'ufficio di vescovi, ecclesiastici largamente conosciuti come veri uomini di Chiesa, che non potessero essere accusati, oggettivamente, di atteggiamenti antistatali, desiderosi, in piú, di mantenere o ricreare la buona armonia nelle file di un clero diviso e in lotta. Questo – sottolineai esplicitamente benché ciò avesse dovuto apparire ovvio – presupponeva, per la Santa Sede, la possibilità di trovarli, simili candidati; i nomi precedentemente proposti (circa un centinaio) erano stati a mano a mano scartati dal governo; ovvia quindi la necessità che la Santa Sede potesse compiere in Cecoslovacchia una ricerca diretta e possibilmente senza «filtri»: cosa ripetutamente chiesta nei nostri precedenti colloqui, ma mai accettata dalla controparte cecoslovacca.

Il presidente ascoltava con interesse e sembrava acconsentire: rimandando però tutto ai contatti e alle trattative con gli organi competenti della Repubblica. Il lungo colloquio si conchiuse in un tono ancora accresciuto di cordialità da parte del presidente (in seguito fui portato a pensare che forse agivano già in lui quei fermenti che lo portarono qualche anno dopo, ormai in fine di vita e non piú presidente, a riconciliarsi con la fede e con la Chiesa cosí a lungo combattute).

Il mattino seguente altro lungo incontro, con il vice primo ministro Lúčan, assistito dal ministro federale per la Cultura Klusák e con lo stato maggiore dell'ufficio per gli Affari ecclesiastici, al livello federale e ai livelli ceco e slovacco.

Anche qui molto sfoggio di cortesia nei miei riguardi, ma forti rimostranze che ricalcarono quelle toccate o accennate nel colloquio della sera precedente: la campagna contro la Cecoslovacchia, che da qualche anno anche la Radio Vaticana aveva fatta propria; l'emigrazione ceca e slovacca; la Chiesa clandestina; l'ostilità alla «Pacem in terris».

Di nuovo una risposta ai singoli punti. Per la «Chiesa clandestina», avevo già fatto notare al presidente che il fenomeno, nient'affatto gradito alla Santa Sede nelle forme anarchiche che a volte stava prendendo spontaneamente, era però strettamente legato alla progressiva scomparsa della «Chiesa legale», in particolare dei vescovi. E le lamentate attività «clandestine» del clero, svolte cioè fuori delle leggi civili, non dovevano forse attribuirsi anch'esse al soffocamento «legale» al quale era sottoposta la Chiesa, anche quando cercava di andare incontro almeno alle fondamentali necessità religiose della popolazione? Lo Stato non poteva pretendere che la Chiesa, in qualche modo, si «suicidasse» rinunciando all'esercizio della propria missione in forme che erano legittime in sé anche se il prepotere statale le rendeva «illegali». Si tornava cosí sempre, inevitabilmente, al problema della nomina dei vescovi.

Per uscire dall'immobilismo io avevo proposto quella specie di «armistizio» che i miei interlocutori avevano ascoltato la sera avanti: il governo rinunciasse a interpretare la condizione posta dalla legge cecoslovacca per l'accettazione dei candidati («leali allo Stato») nel senso che essi dessero un attivo appoggio, in parole e in azioni, al regime statale vigente, come facevano i membri della «Pacem in terris»; e la Chiesa si sarebbe nuovamente impegnata nella ricerca di candidati che non si prestassero a ragionevoli accuse di opposizione «politica» e fossero favorevoli, inoltre, alla pace e alla concordia nel clero.

Era chiaro, però, che ai miei interlocutori la cosa tornava non molto comprensibile, e tanto meno gradita. Per cui la loro conclusione fu di provare ancora, con vecchi ed eventuali nuovi candidati; poi si sarebbe visto. Come a dire che si sarebbe continuato con il vecchio sistema, senza approdare a nulla.

D'altra parte, per la verità, le cose erano ormai giunte a tal punto che l'idea di un «armistizio», tiepidamente proposta per cercar di evitare possibilmente ulteriori deterioramenti di uno stato di cose già gravissimo, e tiepidamente accolta anche da parte statale, non sarebbe ormai stata né ben compresa, né bene accettata dalla maggioranza del clero e dei cattolici. Troppe delusioni essi avevano avuto dalla politica religiosa prepotente e, bisogna pur dirlo, mancante d'intelligenza di un governo ormai con il fiato corto, anche se non era disposto a rinunciare a mostrare i denti e a esercitare sulla Chiesa l'oppressione che le leggi e le sue residue forze ancora gli permettevano. Ed erano ugualmente stanchi della debolezza di una parte del clero ormai logorata dalla lunga lotta; per non parlare degli ecclesiastici che continuavano a restare legati chiaramente al carro governativo.

Un nuovo vento aveva incominciato a soffiare. Nella vicina Urss il giovane segretario generale del Pcus Michail Gorbaciov, eletto nel marzo precedente, incominciava a dare la sensazione di possibili cambiamenti, che non avrebbero mancato di interessare l'intero blocco sovietico.

Non potendosi prevedere con sicurezza quanto tempo ciò avrebbe potuto prendere, io avevo stimato prudente di far ancora un tentativo per sbloccare, senza cedimenti nell'essenziale, una situazione che avrebbe potuto ridurre la comunità cattolica a non aver piú nessun legittimo pastore operante fuori dalla clandestinità. Ma mi rendevo abbastanza conto che, in ogni caso, si trattava di impresa quasi disperata. Per fortuna, quel che potei vedere e toccare a Velehrad il giorno dopo, 7 luglio, venne a rincuorare le mie speranze in un futuro che, parlando con i rappresentanti governativi, appariva ancora cosí oscuro.

Il pomeriggio del 6 lasciai Praga per Olomouc, nel cui territorio si trova Velehrad. Viaggiavo in macchina con il ministro Klusák e l'interprete. Siccome a un certo momento del lungo viaggio quest'ultimo dava segni evidenti di grande stanchezza, chiesi al ministro di continuare da soli il dialogo servendoci del francese, sufficientemente conosciuto anche da lui. A un certo momento gli dissi: «Mi permetta di parlare, non piú come segretario di Stato a un ministro della Repubblica ma, se cosí posso esprimermi, quasi come da amico ad amico, senza ufficialità, né impegni. Sono personalmente molto interessato a un certo problema, anche perché nel tempo libero mi occupo a Roma di giovani e della loro educazione: crede Lei che, dopo il periodo nel quale avete avuto in mano completamente, fra l'altro, la scuola e le organizzazioni giovanili di sport, di cultura, di divertimento, siete riusciti a creare una nuova generazione di ragazzi e di giovani realmente formati agli ideali collettivistici del marxismo?» Questa, piú o meno, la domanda; essa era forse un po' troppo diretta e senza sfumature, ma rispondeva a una mia reale curiosità: se e sino a che punto l'«utopia» avesse incominciato, forse, a dare qualche frutto nella parte giudicata piú «malleabile» della società: senza guardare alle grandi manifestazioni di massa che ogni regime totalitario riesce a organizzare e sbandiera a prova della sua presa sul popolo, e soprattutto sulla gioventú. La risposta del ministro fu piuttosto generica e confusa. In realtà non rispose. Ma mi rendevo conto io stesso che gli sarebbe stato troppo difficile esser piú preciso. Certo, il ricordo del 1968 e della parte allora avuta dai giovani non poteva non aleggiare come un incubo nella mente del signor Klusák.

Alla fine arrivammo a Olomouc, e il ministro poté ritirarsi a riposare dalle fatiche di quel giorno preparandosi a quelle del giorno seguente: che non sarebbero state leggere.

Io fui ospite dell'amministratore apostolico Vrana, che aveva radunato nella sua residenza anche diversi vicari capitolari. Con questi potei poi intrattenermi individualmente per breve tempo, senza averne però luci o dati particolari; ma fu un incontro senz'altro utile per potermi calare un poco nella concretezza della vita di una Chiesa osteggiata, ma in qualche modo anche corteggiata dal potere pubblico, nella speranza di poterla avere un po' alleata contro la montante avversione popolare.

Il mattino seguente, la grande festa a Velehrad, presenti il cardinal Tomášek e i residui vescovi cecoslovacchi (la partecipazione di cardinali o vescovi stranieri era stata esclusa dal governo). Per la prima volta, forse, era stata consentita la celebrazione all'aperto nei pressi della basilica troppo angusta per poter contenere anche solo un'esigua parte della folla convenuta da tutta la repubblica. Una folla mai vista ancora per una manifestazione del genere, che gremiva lo spazio antistante la tribuna sulla quale era stato eretto l'altare e sciamava per le strade della cittadina. Le cifre, come succede di solito in questi casi, variavano secondo criteri piuttosto soggettivi: centomila? centocinquantamila? forse duecentomila e piú. In ogni caso, un'affluenza eccezionalmente alta, tenuto conto delle circostanze, anche se favorita dalla giornata domenicale.

Prima dell'inizio della messa, vollero porgere un saluto le autorità civili, anche per dare alla giornata un significato piú ampio di quello esclusivamente religioso. Ma quando incominciò a parlare il sindaco di Velehrad un subisso di grida e di fischi lo costrinse al silenzio: non conoscendo le circostanze locali, né riuscendo a capire le sue parole, non arrivavo a rendermi conto di un'accoglienza cosí poco amichevole. Fu poi la volta del ministro della Cultura. L'inizio fu piú tranquillo, sino a che non fece i nomi dei due fratelli, Cirillo e Metodio, entrambi grandi figure anche nella storia della civiltà slava. Un clamore si alzò imperiosamente dalla folla: «*Santi* Cirillo e Metodio, *santi* Cirillo e Metodio!» E l'oratore non poté continuare sino a che non si decise a riconoscere ai due quella nota di santità che, a un marxista, doveva apparire cosa assolutamente fuori tempo. Dopo di che poté ultimare il suo intervento, sia pure tra qualche altra contestazione di cui io non riuscivo a comprendere l'oggetto. La messa era equamente divisa fra le due lingue del paese. E anche la mia omelia fu da me letta mezza in ceco e mezza in slovacco (alla fine della messa, rispondendo a una mia scherzosa domanda i pazienti e indulgenti ascoltatori assicurarono di aver tutto capito, cosa di cui era piú che lecito dubitare: risposi, per parte mia, promettendo che per il prossimo centenario avrei migliorato la mia pronunzia, compresa la terribile *r* ceca, che neppure gli slovacchi riescono a pronunziare).

Nell'omelia posi naturalmente l'accento sull'opera evangelizzatrice di Metodio e del fratello Cirillo, messa in luce proprio in quei giorni dall'enciclica *Slavorum Apostoli*. Insieme sottolineavo il significato storico della loro azione di iniziatori dei popoli da loro evangelizzati alla vita civile, rilevando come l'«invenzione» dell'alfabeto cirillico resti uno dei «momenti forti» nella storia dello sviluppo culturale europeo, e quindi mondiale. «La civiltà slava, come quella europea in genere, – non mancavo di ricordare, – è rimasta segnata dall'impronta cristiana che ne ha caratterizzato le origini»: impronta che è anche radice «della speranza di una futura superiore unità dell'Europa, pur nelle molteplici e difficilmente superabili differenze che ne solcano il volto e l'animo».

Ancor migliore accoglienza ebbe naturalmente la lettura, fatta dal cardinal Tomášek, della lettera del papa indirizzata a me come cardinale legato, ma in realtà diretta a tutti i partecipanti alla cerimonia e accompagnata dal dono della Rosa d'oro per il santuario di Velehrad.

La mattina seguente potei celebrare pubblicamente la messa in una Chiesa di Trnava e dopo una visita a Bratislava, ospite del ministro della Cultura slovacco, feci ritorno a Roma.

Il ricordo di quei giorni mi ha accompagnato e mi accompagna come quello di uno dei migliori momenti della mia vita: anche se l'incontro con il presidente e i colloqui avuti in quell'occasione non portarono nessuno dei frutti che un incorreggibile ottimista avrebbe forse potuto sperare. Ma i comunisti cecoslovacchi non volevano smentirsi neppure in ultimo: moribondi ma tenaci. O forse ciechi!

Passati gli incontri del luglio 1985, tutto sembrava esser tornato alla quiete stagnante di prima. E cosí, verosimilmente, le cose sarebbero andate avanti, se due avvenimenti non programmati non vi avessero dato una specie di scossa: a metà novembre 1987 veniva a mancare ai vivi monsignor Július Gábriš[74], amministratore apostolico di Trnava, e all'inizio di dicembre seguiva le sue orme quello di Olomouc, monsignor Vrana.

Per i funerali del primo il Santo Padre desiderò inviare una delegazione presieduta da monsignor Silvestrini e della quale faceva parte anche monsignor Colasuonno, succeduto nel frattempo a monsignor Poggi come nunzio con incarichi speciali. Per i funerali di monsignor Vrana tornava in Cecoslovacchia monsignor Colasuonno. Entrambe le volte vi furono incontri con il dottor Vladimir Janku, che sin da prima del 1985 aveva preso il posto del vecchio Hruza quale responsabile dell'ufficio statale per gli Affari ecclesiastici presso il governo di Praga.

Il dottor Janku, incontrando monsignor Silvestrini, aveva creduto bene di prendere l'iniziativa lamentando che le relazioni tra il suo governo e la Santa Sede fossero andate peggiorando, al punto che le autorità cecoslovacche si domandavano se da parte della Santa Sede ci fosse ancora disponibilità a continuare (o a riprendere) il dialogo. Motivi: un discorso del Santo Padre al cardinal Tomášek, il comportamento del medesimo cardinale al sinodo dei vescovi, la nomina al sinodo stesso di monsignor Hirka di Prešov e di un laico cattolico inviso al governo, gli attacchi «diffamatori» della Radio Vaticana... e il «colpo di mano» dei sei consultori dell'arcidiocesi di Trnava che, riunitisi alle sei del mattino del giorno seguente alla morte di monsignor Gábriš, avevano eletto monsignor Sokol[75] ad amministratore diocesano (mentre la legislazione statale non aveva ancora «recepito» l'istituto dei consultori).

Monsignor Silvestrini rispondeva a tono, meravigliandosi della meraviglia manifestata dal dottor Janku e chiedendosi quasi se il governo si rendesse conto di come appariva nel mondo la situazione religiosa ceco-

---

[74] Július Gábriš (1913-87) fu dal 1973 amministratore apostolico di Trnava.

[75] Ján Sokol (1933), amministratore diocesano (1988-89) e dal 1989 arcivescovo di Trnava (dal 1995 Bratislava-Trnava).

slovacca, indipendentemente da ogni «diffamazione»: ad esempio, per la visita *ad limina* era arrivato dalla Cecoslovacchia un solo vescovo, mentre dall'Ungheria ne erano venuti tredici. Necessario, quindi, riprendere il cammino, in modo però da poter arrivare a qualche conclusione (ma, se il ministro slovacco della Cultura si era mostrato disposto a consentire che la Santa Sede svolgesse *in loco* le necessarie indagini sui candidati, il dottor Janku vi si opponeva perché ciò «avrebbe violato i diritti dei cittadini cecoslovacchi»!)

Veniva concretata la proposta di una formale ripresa delle trattative a Roma, a partire dal 14 dicembre 1987. Esse si protrassero sino al 17 e mostrarono quanto difficile fosse ancora, per i rappresentanti governativi, abbandonare i loro vecchi schemi mentali. Ciononostante, una qualche apertura sembrava faticosamente farsi strada; il che permise di riprendere i contatti, a Praga stavolta, dal 18 al 29 gennaio dell'anno seguente, 1988. Ma nulla di fatto ancora, mentre permanevano segni di irrigidimento sul nome di qualche candidato.

La delegazione della Santa Sede propose un nuovo incontro, che ebbe luogo a Roma, dall'11 al 15 aprile. Alla fine il dottor Janku si limitò a dire che la parte cecoslovacca non voleva chiudere la porta a un dialogo costruttivo e concreto; come frutto dell'incontro, nel maggio seguente la Santa Sede poté annunziare la nomina di due vescovi ausiliari per il cardinale arcivescovo di Praga e di monsignor Sokol quale amministratore apostolico di Trnava.

Bisognerà attendere l'aprile dell'anno seguente, 1989, per un riavvio delle trattative. Il 10 di quel mese monsignor Colasuonno andò a Praga, per un soggiorno che lo portò anche a visitare Litoměřice, Olomouc, Trnava e varie altre città della Slovacchia. Il 20 aprile egli era di nuovo a Praga per tirare le conclusioni. Ancora difficoltà, ma notevolmente minori delle volte precedenti. Altro incontro, di nuovo a Praga, il 27 e 28 giugno. Ancora alcune residue, tenaci resi-

stenze, ma stavolta la graduale ricostituzione della gerarchia poteva compiere altri importanti passi avanti,
con la nomina di monsignor Sokol ad arcivescovo di
Trnava e dei vescovi di Litoměřice e di Spiš, come pure di un amministratore apostolico con carattere vescovile per Olomouc, che rimaneva il punto piú duro
nella trattativa. Con queste nomine, pubblicate il 27
luglio, metà delle diocesi cecoslovacche veniva ad avere a capo un vescovo.

Naturalmente, la Santa Sede premeva perché anche
le restanti diocesi potessero avere un proprio ordinario provvisto del carattere vescovile. Di conseguenza,
a partire dal 14 novembre 1989, nuovo incontro delle
delegazioni a Roma, due giorni dopo la solenne canonizzazione della beata Agnese di Boemia[76]. Tale circostanza appariva di assai buon auspicio; d'altra parte, il
clima e la situazione nell'Europa comunista andavano
rapidamente cambiando (il muro di Berlino era caduto il 9 novembre; e il presidente sovietico Gorbaciov,
che stava portando avanti la sua *perestrojka* e una nuova politica mondiale, stava per oltrepassare, il 1° dicembre, le soglie del Vaticano). Però la delegazione cecoslovacca sembrava assai poco toccata dal vento delle novità; un risultato, da lungo atteso, si ebbe tuttavia
con l'accettazione del candidato della Santa Sede per
la diocesi greco-cattolica di Prešov. Per il resto, si sarebbe visto... al prossimo incontro.

Ma non ci sarebbe stato un prossimo incontro: almeno non con la delegazione cecoslovacca che aveva
condotto le ultime trattative. Infatti nel quadro piú generale dei cambiamenti avvenuti a Praga sul finire del
1989, anche il posto di viceministro incaricato degli
Affari religiosi fu occupato da un nuovo responsabile:
il dottor Hromadka, presidente del consiglio ecumenico delle Chiese in Cecoslovacchia.

Il dottor Hromadka non pose tempo in mezzo e il 18

---

[76] Agnese di Boemia (1208-82), figlia del re Ottocaro, fu clarissa fran-
cescana; è stata canonizzata nel 1989 a Roma.

dicembre compí un viaggio lampo a Roma. In tale occasione, non solo confermava che il governo non sollevava obiezione alla nomina di monsignor Hirka a vescovo di Prešov, ma comunicava insieme che neppure si opponeva alla nomina dell'amministratore apostolico di Olomouc ad arcivescovo e alla provvista di Hradec Králové nella persona di monsignor Karel Otčenášek[77] (monsignor Otčenášek, nominato già nel 1950 amministratore apostolico di quella diocesi, ma immediatamente impedito dal governo, era stato ostinatamente rifiutato ancora nelle trattative del novembre precedente). Il dottor Hromadka domandava, anzi, se le tre nomine non potessero essere pubblicate già prima di Natale; il papa acconsentí senza difficoltà e il 21 dicembre «L'Osservatore Romano» ne dava notizia.

Ormai la strada alla libera provvista delle rimanenti diocesi vacanti e all'eventuale nomina di vescovi ausiliari era aperta. La Santa Sede non mancò naturalmente di approfittarne per porre finalmente rimedio a una situazione ingiusta e gravemente dannosa che si trascinava da tanto tempo, ricorrendo a candidati di piena fiducia, che mai sarebbero stati accettati dal regime comunista: basterà ricordare monsignor Vlk[78], nominato a České Budějovice e poi a Praga, reduce da un'esperienza decennale di lavoro quale manovale, e l'eroica figura del vescovo «clandestino» monsignor Korec[79], incarcerato, impedito, braccato e, alla fine, nominato vescovo di Nitra. Entrambi sono ora cardinali.

La storia della Cecoslovacchia, compresa quella della Chiesa, aveva cambiato decisamente pagina. E il 21 aprile 1990 il nuovo presidente Havel poteva ricevere

---

[77] Karel Otčenášek (1920), consacrato in segreto nel 1950, è stato amministratore apostolico (1950-89) e poi vescovo (1989-98) di Hradec Králové.

[78] Miloslav Vlk (1932), vescovo di České Budějovice (1990-91), dal 1991 è arcivescovo di Praga; nel 1994 è stato creato cardinale.

[79] Ján Chryzostom Korec (1924), gesuita, consacrato vescovo clandestinamente nel 1951, è stato incarcerato per dodici anni; nominato vescovo di Nitra nel 1990, nel 1991 è stato creato cardinale.

Capitolo decimo

Jugoslavia

## 1. Verso la rottura con la Santa Sede (1946-52).

Il 18 settembre 1946 veniva arrestato l'arcivescovo di Zagabria monsignor Alojzije Stepinac. Sottoposto a processo, l'11 ottobre seguente fu condannato a sedici anni di lavori forzati e il 19 ottobre trasferito al carcere di Lepoglava. Questo fatto portò alla forte protesta della Santa Sede, ma non, come forse molti si aspettavano, alla rottura dei suoi rapporti diplomatici con la Jugoslavia.

Il 23 giugno 1948 il maresciallo Tito rompeva con l'Urss e il Cominform. Tuttavia la persecuzione contro persone e istituzioni cattoliche, imperversante nella «nuova Jugoslavia» sin dalla sua nascita, proseguí senza soste. A partire dalla fine 1950, però, il governo incominciò a manifestare il desiderio di migliorare le sue relazioni con la Santa Sede e con la Chiesa.

Il 9 ottobre 1950 l'incaricato d'affari della Santa Sede a Belgrado, monsignor Silvio Oddi[80], oggi cardinale, veniva convocato dal viceministro degli Affari esteri Leo Mates, mentre il ministro Kardelj[81] si tro-

[80] Silvio Oddi (1910), diplomatico, dopo aver prestato servizio nel Medio Oriente e in Jugoslavia, è stato rappresentante pontificio a Gerusalemme, in Egitto e in Belgio; creato cardinale nel 1969, è stato prefetto della Congregazione per il clero (1979-85).

[81] Edvard Kardelj (1910-79), vicepresidente, nel 1945, del primo governo di Tito, rappresentò la Jugoslavia presso le Nazioni Unite e diresse il dicastero degli Esteri dal 1948 al 1954. Teorico del modello dell'autogestione delle fabbriche, fu anche un sostenitore convinto all'interno della Lega dei comunisti dell'autonomia jugoslava e, nel 1974, fu tra gli ideatori della riforma volta a dare maggiore potere decisionale alle singole repubbliche federali.

vava a New York per l'Assemblea generale dell'Onu.
Argomento: lagnanze per «la continua ingerenza negli affari interni del paese» da parte della Santa Sede
(pressioni sul decano della Facoltà teologica di Lubiana, su alcuni sacerdoti della associazione – filogovernativa – dei santi Cirillo e Metodio e sull'amministratore apostolico monsignor Toros). Se questo stato
di cose fosse continuato, sarebbe venuta in discussione la stessa continuazione delle relazioni diplomatiche
fra la Jugoslavia e la Santa Sede. Oltre che con la Santa Sede, anche con l'episcopato il governo aveva da ri-
dire. Il comitato esecutivo della Conferenza episcopale, a fine aprile, aveva inviato alle autorità un memorandum per auspicare un regolamento dei rapporti
fra Stato e Chiesa mediante un'intesa con la Santa Sede, indicando alcune delle lagnanze della Chiesa; il governo l'aveva respinto (quello non era un memorandum, osservò il viceministro, ma una specie di ultimatum!) Nel corso del colloquio, ad ogni modo, l'idea
della ricerca di un *modus vivendi* sembrò avere il so-
pravvento.

Il 21 novembre, nuovo incontro fra il viceministro
e monsignor Oddi, il quale assicurò che la Santa Sede
non era contraria, in linea di principio, a quell'idea, ma
desiderava conoscere meglio il punto di vista del governo. Il viceministro se ne disse lieto, accennò anzi alla necessità di fissare una specie di agenda. Monsignor
Oddi si richiamò al contenuto del memorandum dei vescovi; il signor Mates si riservò di consultare il governo, poi avrebbe nuovamente convocato l'incaricato
d'affari. Ad ogni modo la Santa Sede tenne a far subito presente che un inizio di trattative presupponeva la
cessazione delle vessazioni contro la Chiesa. L'incaricato d'affari non fu piú convocato.
Per il governo jugoslavo, nel suo desiderio di progressivo avvicinamento all'Occidente, la situazione
dell'arcivescovo Stepinac rappresentava naturalmen-

te un ostacolo ingombrante, facendo apparire la Jugoslavia sullo stesso piano dell'Ungheria, dove all'inizio del 1949 un processo e una condanna analoga avevano avuto luogo contro un altro arcivescovo cattolico, il cardinal Mindszenty. Cosí, a metà giugno del 1951, il governo fece sapere alla Santa Sede che, pur mantenendo la sua posizione circa le responsabilità di monsignor Stepinac e la legalità della sua condanna, non intendeva che egli dovesse scontare in carcere l'intero periodo di pena; era quindi disposto a mettere in libertà l'arcivescovo a condizione, tuttavia, che lasciasse la Jugoslavia.

La Santa Sede rispose che essa non poteva che rispettare il sentimento di monsignor Stepinac il quale, convinto della propria innocenza, aveva fatto conoscere che preferiva non allontanarsi dai suoi fedeli. D'altra parte, il caso di monsignor Stepinac non era il solo: in carcere si trovavano anche il vescovo di Mostar monsignor Čule[82] e numerosi sacerdoti e religiosi. La Santa Sede continuava ricordando sommariamente altri aspetti della penosa e ingiusta situazione fatta alla Chiesa in Jugoslavia. «È chiaro – proseguiva la risposta vaticana – che, qualora si volesse giungere a un *modus vivendi*, tale deplorevole stato di cose non potrebbe essere sanzionato, ma dovrebbe essere riparato».

Le cose si fermarono lí e il dialogo appena iniziato parve restare per allora congelato. Nel dicembre 1951 l'arcivescovo Stepinac veniva, ad ogni modo, trasferito dal carcere di Lepoglava al domicilio coatto nell'angusta casa parrocchiale del suo villaggio natale di Krašić, dove era strettamente sorvegliato dalla polizia che controllava rigorosamente anche quanti ottenevano l'autorizzazione a fargli visita.

La «liberazione» di monsignor Stepinac non portò a una modificazione sostanziale della situazione della Chiesa. Ma dall'inizio del 1952 fu dato notare qualche

---

[82] Petar Čule (1898-1985) fu dal 1942 al 1980 vescovo di Mostar-Duvno.

segno piú consistente di un desiderio del governo jugoslavo di cercare qualche via di accordo con la Santa
Sede. I segni arrivavano per vie non ufficiali e, si sarebbe detto, traverse, evitando la rappresentanza pontificia in Jugoslavia mentre, sia pure indirettamente,
venne a trovarvisi interessata quella in Austria.

Nel marzo del 1952, infatti, un industriale austriaco, buon cattolico, trovava modo di far sapere di esser
stato avvicinato da una personalità jugoslava: essa, di-
cendosi interprete del pensiero del maresciallo Tito e
precisando che il governo non voleva trattare con il ge-
rente della nunziatura di Belgrado, prospettava la possibilità di una buona intesa fra lo Stato e la Chiesa: a
certe condizioni naturalmente! In particolare, tra l'altro, il maresciallo desiderava, che la Santa Sede chiamasse a Roma l'arcivescovo Stepinac, prevedendo anzi – secondo l'intermediario – che il papa potesse anche elevarlo alla dignità cardinalizia (!)

Le dichiarazioni di buona volontà attribuite al maresciallo Tito parvero «incredibili». La nunziatura di
Vienna si era mostrata essa stessa molto perplessa nel
trasmettere le informazioni, provenienti però – scriveva – da persone ritenute prudenti e circospette. Nel
rispondere, la Santa Sede faceva notare che, in realtà,
fatti anche recentissimi – ad esempio disposizioni piú
vessatorie circa l'insegnamento catechistico – erano in
netto contrasto con l'asserita buona volontà governativa; quanto al caso Stepinac essa non poteva che ricordare quanto era stato comunicato al governo a metà
dell'anno precedente.

Ciononostante, segnali sulle favorevoli disposizioni
del governo continuarono a pervenire nel corso dello
stesso anno. Particolarmente attivo un sacerdote croato, il dottor Rittig, che si era unito prima ai partigia-
ni, poi al governo, nel quale rivestiva la carica di ministro «senza portafoglio» e l'incarico di capo della
Commissione per gli Affari religiosi.

Ancora all'inizio di dicembre del 1952, l'industriale austriaco già ricordato comunicava quanto, a suo di-

re, il ministro degli Interni di Croazia, Bakarić[83], gli aveva chiesto di far sapere alla Santa Sede e cioè che il governo, desiderando risolvere il conflitto con la Chiesa cattolica, era pronto a prendere l'iniziativa per una prima presa di contatto, purché fosse assicurato della risposta affermativa della Santa Sede.

Ma parallelamente, e quasi senza rapporto con questi tentativi di contatti, non ufficiali e quindi sempre insicuri nel loro contenuto e nella loro affidabilità, si era andata sviluppando sul piano ufficiale una situazione sfociata alla fine in un contrasto, non solo non in sintonia con quei tentativi, ma che sembrò affossarli del tutto.

Nel settembre precedente aveva avuto luogo a Zagabria una riunione della Conferenza episcopale, nel corso della quale i vescovi avevano proibito la fondazione e la partecipazione degli ecclesiastici alle associazioni professionali del clero (fra le quali quella, già ricordata, dei santi Cirillo e Metodio), tanto sostenute invece dal governo. Questo affermava che tale decisione era frutto di un intervento della Segreteria di Stato presso l'arcivescovo di Belgrado, facente funzione di presidente della Conferenza: nuova inammissibile ingerenza – diceva – della Santa Sede contro i diritti costituzionali dei sacerdoti quali cittadini jugoslavi.

Con nota del ministero degli Esteri in data 1° novembre 1952, il governo protestava nella maniera piú energica, interpretando il passo attribuito alla Santa Sede come una nuova prova del persistere della sua politica intesa ad «aggravare le relazioni fra il clero cattolico e le autorità popolari». Il governo aggiungeva però, alla fine, che nessun cambiamento si era prodotto «nel suo atteggiamento favorevole, né nella sua buona volontà di arrivare a un accomodamento bilaterale soddisfacente relativo ai rapporti con la Santa Sede», sulla base dei

---

[83] Vladimir Bakarić, esponente croato della componente riformatrice della Lega dei comunisti, fu alleato di Kardelj nella richiesta di decentralizzazione e democratizzazione del regime jugoslavo; a Zagabria disponeva del giornale «Vjesnik».

principî costituzionali della separazione della Chiesa dallo Stato e della garanzia della libertà del culto, come era stato fatto in maniera soddisfacente – assicurava – con le altre chiese della Repubblica federale.

La nota fu consegnata dal viceministro Bebler[84], successore del Mates, all'incaricato d'affari della Santa Sede. Questi cercò di dimostrare che non v'era stata l'«ingerenza» della Santa Sede deplorata dal governo e procurò di rispondere ad altre lagnanze avanzate dal signor Bebler; questi, all'ultimo, pose direttamente la domanda: «Possiamo o no trovare un modo di coesistere, come si usa dire ora in Occidente?»

L'incaricato d'affari rispose osservando che vi erano già stati degli approcci, ma che poi il governo sembrava aver lasciato cadere tutto. Il Bebler promise che si sarebbe interessato della cosa, per presentare un abbozzo di proposte del governo e monsignor Oddi poté ricordare una volta ancora i motivi di lagnanze che aveva la Chiesa in Jugoslavia.

La nota governativa fu immediatamente data alla stampa jugoslava e commentata. La Santa Sede, per parte sua, ritenne invece necessario preparare una risposta ben sostanziata di fatti, piú forse per mettere bene in chiaro fatti e principî che nella speranza di un risultato, almeno immediato, nel dialogo con il governo e per precisare poi, sia pure sommariamente, i diritti fondamentali e irrinunciabili della Chiesa cattolica, «il cui disconoscimento renderebbe infruttuosi eventuali conversazioni con il governo jugoslavo».


2. *La rottura (dicembre 1952)*.


Mentre gli uffici svolgevano il loro lavoro, il 10 dicembre «L'Osservatore Romano» uscí con una notizia

---

[84] Aleš Bebler (1907-81), politico e diplomatico jugoslavo, fu viceministro degli Esteri tra il 1952 e il 1955.

ufficiale che venne a sconvolgere ogni residua, ancorché disperata, prospettiva di un possibile dialogo: l'annuncio, cioè, che nel concistoro del 13 gennaio seguente il papa avrebbe elevato alla porpora cardinalizia monsignor Stepinac. Pio XII, che non aveva in animo un'altra creazione di cardinali, aveva ritenuto doveroso non lasciar mancare un riconoscimento pubblico, di fronte alla Chiesa, a un pastore cosí degno e cosí maltrattato dal regime jugoslavo. L'annuncio giunse al governo come un fulmine, anche se non proprio a ciel sereno, perché l'atmosfera era già abbastanza carica di nubi. Belgrado volle interpretare il gesto come una provocazione e una prova che la Santa Sede non aveva piú interesse a una normalizzazione dei rapporti della Chiesa cattolica con lo Stato. L'ostilità della Santa Sede contro la Jugoslavia era, a suo avviso, confermata anche dall'intensificarsi della campagna internazionale antijugoslava, che il governo attribuiva al Vaticano, e dalle pressioni che questo esercitava sul clero cattolico jugoslavo perché agisse contro gli interessi e le leggi del paese.

Perciò, con una forte nota datata il 17 dicembre, il governo dichiarò che «il mantenimento delle normali relazioni diplomatiche tra la Repubblica Popolare Federativa di Jugoslavia e la Santa Sede non aveva piú alcuna ragion d'essere», chiedendo che il Vaticano richiamasse, nel piú breve termine possibile, la sua missione a Belgrado.

Il 27 dicembre monsignor Oddi lasciava la capitale jugoslava, mentre la rappresentanza e la tutela degli «interessi» della Santa Sede (fra l'altro, la custodia dell'edificio della nunziatura) erano assunte dalla Francia.

Prima di partire monsignor Oddi aveva avuto appena il tempo di far arrivare al ministero degli Esteri un plico contenente la nota di risposta della Santa Sede a quella governativa del 1° novembre. La nota portava la data del 15 dicembre, ma era arrivata a Belgrado solo il 25. La nunziatura accompagnava il plico con una sua nota in data 25 dicembre indicante il suo contenuto. Poche ore dopo il ministero restituí il plico ancora sigillato. In seguito il governo ritenne di poter pubblicamente affermare che non aveva mai ricevuto risposta alla nota del 1° novembre 1952.

Quasi a sottolineare spettacolarmente che la rottura era avvenuta con la Santa Sede e non con la Chiesa cattolica in Jugoslavia, l'8 gennaio del 1953, a pochi giorni dalla partenza dell'incaricato d'affari, il maresciallo Tito convocò presso di sé sette rappresentanti dell'episcopato cattolico trattenendoli a colloquio per un paio d'ore. Scopo: studiare la possibilità di un accordo fra lo Stato e la Chiesa cattolica. Tolta di mezzo, in certo senso, la Santa Sede, la Chiesa cattolica jugoslava sarebbe stata cosí l'interlocutrice diretta del governo del proprio paese; il colloquio avrebbe dovuto risultare piú facile e spedito, lasciando sperare in un'intesa che sino ad allora era apparsa quasi impossibile. Era, in pratica, il vecchio sogno di separare la Chiesa jugoslava dal centro della cattolicità: «Noi ci siamo separati da Mosca, perché voi non potete separarvi da Roma?» aveva detto una volta il maresciallo.

I vescovi erano venuti a trovarsi in una situazione singolare, certamente molto imbarazzante, (alcuni di loro era forse la prima volta che vedevano Tito di persona, e cosí da vicino, e cosí affabile nel tratto!) Essi non mancarono di far presente che la struttura della Chiesa non consentiva ai singoli vescovi, o a loro gruppi, di prendere con gli Stati impegnativi accordi giuridici senza almeno l'assenso della sede apostolica. Ad ogni modo non respinsero la proposta della costituzione di una piccola commissione mista di lavoro per proseguire il dialogo. Intanto approfittarono dell'inatteso incontro per presentare al maresciallo un elenco di lagnanze per il trattamento riservato alla Chiesa cattolica in Jugoslavia: lagnanze già formulate altre volte, e ultimamente ancora, dopo la riunione della Conferenza episcopale del settembre precedente, ma rimaste del tutto disattese, anzi respinte sdegnosamente come provocatorie.

La notizia dell'invito ai vescovi per promuovere una convenzione o un *modus vivendi* con la Chiesa cattolica e la prevista istituzione di una commissione mista non potevano non preoccupare un po' la Santa Sede. Chiare apparivano le intenzioni governative. Per quel che riguardava i vescovi, si poteva certo contare sulla loro assoluta fedeltà alla Chiesa e alla Santa Sede e sulla loro conoscenza dei principî circa i rapporti di base fra Chiesa cattolica e Stato. Tuttavia, essa poteva rendersi conto anche delle pressioni alle quali i vescovi avrebbero potuto venire sottoposti, fra minacce e lusinghe; la segreteria di Stato ritenne quindi opportuno sostenerli ricordando esplicitamente, a uso del governo, tali principî. Ciò fu fatto il 16 febbraio 1953, con una lettera di monsignor Tardini, (da poco nominato da Pio XII prosegretario di Stato per gli Affari straordinari), indirizzata a monsignor Ujčić[85], arcivescovo di Belgrado, nella sua qualità di facente funzione di presidente della Conferenza episcopale jugoslava. Monsignor Tardini ricordava, prima di tutto: «In questi ultimi anni la sede apostolica, piú e piú volte, dichiarò di non voler sottrarsi in alcun modo a trattative per stabilire un *modus vivendi* tra la Chiesa cattolica e la Repubblica jugoslava, purché le competenti autorità, con le prove dei fatti, dimostrassero di voler rispettare i principali diritti della Chiesa. La qual cosa, purtroppo, non si poté ottenere mai». Dopo la rottura con la Santa Sede, la tutela di tali fondamentali diritti era venuta a trovarsi affidata in maniera speciale alla coscienza, allo zelo e alla fedeltà dei vescovi. Tuttavia, continuava la lettera, era noto che «ogni accordo tra la Chiesa e i governi delle nazioni oltrepassa la legittima competenza degli ordinari e, a norma dei canoni, spetta unicamente alla sede apostolica».

Ciò appariva una limitazione ed era una salvaguardia. Ma proprio per questo non poteva piacere alla gente del governo.

[85] Josip Ujčić (1880-1964) dal 1936 fu arcivescovo di Belgrado.

Sul finire del maggio 1953, fu presentato alla Camera il disegno di legge sulle comunità religiose. Di tale occasione il vicepresidente e ministro degli Interni Aleksandar Rancović[86] volle approfittare per sferrare un nuovo attacco, in particolare, alla Chiesa cattolica e piú direttamente alla Santa Sede. Questa, affermava, alla sua linea politica, avversa alla nuova Jugoslavia, voleva tenere aggiogato anche l'episcopato, comprimendone la legittima autonomia.

A sostegno della sua affermazione il Rancović dava lettura del testo della lettera di monsignor Tardini sopra ricordata, numero di protocollo compreso. Testo avuto da chi? si chiedeva, con un po' di finta ingenuità, «L'Osservatore Romano» del 31 maggio, visto che il Codice penale jugoslavo proibiva la violazione del segreto epistolare. Ma quel che è peggio, notava «L'Osservatore» nella lettura fatta dal Rancović, come anche nel testo della lettera pubblicato dall'ufficiale «Borba» del 23 maggio, era stato omesso il passo relativo alla disponibilità della Santa Sede, sia pure condizionata a trattare per giungere a un *modus vivendi* con la Jugoslavia.

## 3. *Verso una ricucitura dello strappo*.

«Ingerenze negli affari interni» della Jugoslavia, era il rimprovero di fondo che il governo rivolgeva costantemente alla Santa Sede e con il quale giustificava la sua iniziativa di rottura dei rapporti diplomatici, indicando in tali ingerenze quasi l'unica causa di tale rottura. Ancora nell'agosto del 1953, in un'intervista pubblicata dall'agenzia Associated Press e riportata a scopo polemi-

[86] Aleksandar Rancović (1900-83), serbo, esponente di primo piano della Lega dei comunisti, fu ministro degli Interni dal 1945 al 1953. Fondò e diresse la potente polizia segreta (Udba), il cui potere cominciò a essere considerato pericoloso anche dall'*establishment* dopo il 1953. Guidò nella Jugoslavia degli anni Sessanta la corrente piú conservatrice, favorevole al rafforzamento del potere centrale della Federazione, e dalla sua carica di vicepresidente della Repubblica aspirò a divenire il successore di Tito. Nel 1966, tuttavia, persa la fiducia di Tito, fu allontanato da ogni incarico.

co anche da «L'Osservatore Romano» (13-8-1953), il presidente Tito affermava: «La Jugoslavia esaminerà la questione della ripresa dei rapporti diplomatici con la Santa Sede solo quando il Vaticano cesserà di ingerire nei nostri affari interni». D'altra parte, il presidente assicurava che la Jugoslavia, nonostante le notizie sparse in contrario, non pensava «a creare una Chiesa cattolica indipendente, press'a poco come la Chiesa ortodossa serba».

Questa assicurazione mirava a dare una certa tranquillità circa le intenzioni governative (d'altra parte, il maresciallo Tito conosceva abbastanza la tempra del cattolicesimo jugoslavo per potersi illudere che sarebbe stato agevole «creare» qualcosa come una Chiesa cattolica staccata da Roma; al massimo poteva riuscire con quelle associazioni professionali del clero che erano, in ogni caso, all'origine di tante preoccupazioni per i vescovi e per la Santa Sede).

Atteso il concetto che il governo aveva delle «ingerenze» vaticane, la ripresa dei rapporti non poteva che apparire una prospettiva lontana e molto incerta. E di fatto le cose andarono avanti cosí per diversi anni senza novità.

Ma la pressione della realtà rendeva sempre piú chiaro l'interesse di Belgrado a trovare un'intesa con la Chiesa cattolica e con la Santa Sede. Ragioni di ordine interno, nella complessa situazione confessionale ed etnica del paese, e necessità di migliori rapporti con il mondo occidentale si univano per spingere il governo a cercare una rappacificazione. Restava, come un obice difficilmente superabile, la figura non dimenticata del cardinal Stepinac, silenziosa testimonianza di una situazione di ingiustizia e di profondo malessere che si andava protraendo dal 1946. Diffusa era la convinzione che finché il cardinale fosse rimasto nel paese, non ci sarebbe stato nulla da fare.

L'indomito arcivescovo moriva il 10 febbraio 1960. In qualche modo ciò veniva a togliere un ostacolo, ma avrebbe anche potuto rinfocolare, almeno al momento, discussioni e ostilità. Cosí non fu, almeno nella misura in cui si sarebbe potuto prevedere. E la salma del cardinale poté trovare tranquilla sepoltura nella sua cattedrale, meta di venerazione e di continue visite da parte dei fedeli.

Nel frattempo, qualche incerto tentativo di approccio s'era già avuto, ma senza seguito. Finché, dopo la loro conferenza del settembre 1960, «considerando che le autorità civili competenti hanno ripetutamente dichiarato che il governo desiderava la regolarizzazione delle relazioni fra lo Stato e la Chiesa cattolica», i vescovi fecero ufficialmente sapere che tale era anche il loro unanime desiderio, convinti com'erano che ciò fosse nell'interesse vicendevole. Essi si dichiaravano perciò disposti a far loro stessi tutto il possibile, ma mettevano subito nuovamente in chiaro che era competenza esclusiva della sede apostolica la conclusione dell'auspicabile *modus vivendi*. Intanto i vescovi si dicevano pronti a esortare clero e fedeli alla lealtà verso l'autorità civile e a compiere i loro doveri di cittadini. Essi si sarebbero sforzati di ottenere che clero e fedeli amassero cordialmente il loro paese e la loro nazione; che lavorassero coscienziosamente al progresso del bene comune e aiutassero del loro meglio e dappertutto all'edificazione di un miglior avvenire nazionale; e infine che evitassero scrupolosamente quanto, materialmente o moralmente, potesse nuocere agli interessi della comunità nazionale. A loro volta esprimevano la speranza che le autorità applicassero in maniera liberale e comprensiva le prescrizioni della Costituzione e della legge sulle comunità religiose che, secondo il documento dei vescovi, contenevano «in nucleo tutto ciò che è necessario per uno sviluppo armonioso dei rapporti tra la Chiesa e lo Stato secondo il principio della libera Chiesa nel libero Stato».

È interessante ricordare questa prima parte del documento della Conferenza, intesa evidentemente a guadagnare la fiducia e ad assicurarsi le buone disposizioni del governo: ciò rispondeva particolarmente allo spirito irenico e tollerante del facente funzione di presidente della Conferenza, l'arcivescovo di Belgrado monsignor Ujčić.

C'erano, proseguiva il documento, «numerose deficienze» nell'applicazione delle prescrizioni di legge: senza dubbio, osservavano i vescovi, ad opera di autorità subalterne. Perciò essi le segnalavano all'attenzione del governo federale, nel desiderio che fossero eliminate «con l'intento di promuovere il bene della Chiesa e anche quello della Patria, perché noi siamo figli devoti dell'una e dell'altra».

Le diciotto segnalazioni di «deficienze» che seguivano costituivano da sole un'eloquente testimonianza di una situazione generale non molto cambiata da quella denunciata nel promemoria del 1951, promemoria che il governo aveva respinto come offensivo e quasi fosse un *ultimatum*.

Questa volta la reazione governativa fu diversa. Il fatto, osservava monsignor Ujčić, che la risposta ai vescovi portasse la firma del vicepresidente del governo, Kardelj, e non di qualche ufficiale subalterno, indicava che il documento episcopale era stato preso sul serio ed esaminato *in alto loco*. Il tono della risposta, poi, appariva assai piú positivo che in passato; essa sembrava rimandare un po' la palla all'episcopato, attribuendo a lui il compito di agire per «creare un'atmosfera, la quale renderà possibile che gli organi statali risolvano con piú successo le questioni ricordate nel promemoria». Ad ogni modo le segnalazioni dei vescovi, numerose e piuttosto pesanti, non venivano senz'altro respinte (alcune delle molte richieste – osservava il governo – potevano essere risolte favorevolmente, altre dovevano essere studiate da ogni parte per cercarne la soluzione...); il governo assicurava il suo contributo per giungere alla normalizzazione dei rapporti e proponeva già di cominciare i colloqui fra i rispettivi rappresentanti.

Munito del promemoria episcopale e della risposta governativa, monsignor Ujčić quasi si precipitò a Roma, dove trovò però assai meno ottimismo di quanto forse si aspettava.

Intanto, non era molto piaciuto quel richiamo cosí positivo e senza alcuna riserva che i vescovi avevano fatto alla Costituzione e alla legge per le comunità religiose. E qualche riserva aveva sollevato anche l'impegno preso dai vescovi di concorrere, e di spingere i fedeli a concorrere a loro volta al «bene comune», in un contesto comunista come quello jugoslavo, senza alcun accenno alle esigenze della coscienza cristiana anche in tale campo.

La stessa questione di dare inizio a colloqui in vista di un *modus vivendi* doveva essere ancora ben studiata. Certo, qualche segnale di distensione sembrava lasciar sperare in un miglioramento della situazione della Chiesa in Jugoslavia, ma c'erano ancora troppe cose da mettere in regola per poter dare il via a un vero negoziato, sia pure iniziale. Il governo incominciasse dunque con l'accogliere le domande dei vescovi, che in maggior parte riguardavano irregolarità da sanare e anormalità da riparare piuttosto che materie da negoziare. Poi, se ne fosse stato il caso, la Santa Sede avrebbe giudicato come dare il via a trattative con il governo, d'intesa e con la collaborazione dei vescovi.

### 4. *Il ghiaccio si rompe*.

Quest'atteggiamento di Roma lasciò piuttosto deluso e scoraggiato il buon monsignor Ujčić, cosa di cui si accorsero anche le autorità di Belgrado. Esse non nascondevano un crescente desiderio di trovare qualche via d'uscita, ma le cose continuarono di fatto senza sostanziali modificazioni e soprattutto senza gli auspicati miglioramenti.

Nel settembre del 1961 l'annuale Conferenza episcopale, sotto la presidenza del nuovo arcivescovo di Zagabria monsignor Šeper[87], rivolse al governo un altro documento, questa volta di forte lagnanza per i Regolamenti emanati dai Consigli esecutivi della Bosnia-Erzegovina, della Croazia e della Slovenia per l'esecuzio-

---

[87] Franjo Šeper (1905-81) fu coadiutore (1954-60) e quindi arcivescovo di Zagabria (1960-68); creato cardinale nel 1965, fu poi prefetto della Congregazione per la dottrina della fede (1968-81).

ne della legge sulla posizione giuridica delle comunità religiose: regolamenti che, osservavano i vescovi, oltre ad andare oltre le norme della legge attribuendo quasi ai Consigli esecutivi una competenza che era propria del potere legislativo, aggravavano le disposizioni della legge nei campi del battesimo dei bambini, della istruzione religiosa e del controllo statale sulle scuole per la formazione degli ecclesiastici.

Il «dialogo», se cosí lo si poteva chiamare, andava quindi avanti fra episcopato e governo, a livello federale, ma anche nelle singole Repubbliche o sul piano personale, con disuguale regolarità e con diverse fortune.

Nella loro conferenza del settembre 1962, «alla vigilia dell'emanazione della nuova Costituzione», della quale però l'episcopato non conosceva ancora il disegno, i vescovi si rivolsero nuovamente al governo esprimendo il voto che non fossero approvate disposizioni in contrasto con i diritti inalienabili della Chiesa e dei fedeli e insistendo sulla necessità che fosse garantita la piena libertà di religione nella sua integrità, e non solo l'esercizio del culto. E a questo proposito essi segnalavano nuove lagnanze, in particolare circa gli ostacoli posti all'adempimento dei doveri religiosi da parte dei fedeli, soprattutto per l'assistenza dei militari alla messa domenicale (pur riconoscendo che ultimamente erano divenuti piú rari i casi di formale proibizione fatta, in questo campo, ai «coscritti») e per la regolare partecipazione all'istruzione religiosa. Lamentata anche, fra l'altro, la nazionalizzazione o la continuata occupazione di alcuni seminari.

La risposta del governo volle essere tranquillizzante per quel che riguardava la nuova Costituzione. Quanto alle lagnanze, faceva rilevare che nei colloqui con le autorità locali i singoli vescovi non si mostravano cosí negativi: piú che gli invii di promemoria di carattere generale giovavano, osservava il governo, gli incontri su questioni e situazioni concrete e gli sforzi da entrambe le parti per normalizzare i mutui rapporti.

La presenza di Giovanni XXIII sulla cattedra di Pietro non poteva non avere, anche per la Jugoslavia, un influsso pacificante, ma effetti notevoli tardavano a farsi sentire; senza dubbio come motivo di disagio pesavano la presenza, prima, poi il ricordo del cardinal Stepinac, per la cui scomparsa il papa aveva espresso alcune parole che, in Jugoslavia, non erano piaciute a tutti. Ad ogni modo, Belgrado aveva voluto esser presente, anche se ancora in tono minore, alla celebrazione dell'ottantesimo compleanno di Giovanni XXIII nell'ottobre 1961.

Solo all'inizio del 1963, poco prima della scomparsa del papa, le cose incominciarono a muoversi piú decisamente. Tramite il giudice costituzionale italiano Nicola Jaeger, un cattolico noto anche al papa e conosciuto in particolare dal cardinal Montini, arcivescovo di Milano, città dove il giudice abitualmente abitava, l'ambasciatore jugoslavo a Roma, Ivo Vojevoda, aveva espresso nel gennaio e confermò poi nell'aprile il desiderio del suo governo di avere qualche contatto con la Santa Sede. I primi incontri, però, slittarono a fine maggio e furono affidati, da parte jugoslava, al ministro consigliere dell'ambasciata a Roma, Nicola Mandić. Paolo VI, succeduto nel giugno seguente a Giovanni XXIII, autorizzò la prosecuzione dei contatti, che ebbero tuttavia carattere solo esplorativo e ufficioso, sino a che, nel giugno dell'anno seguente, 1964, essi non vennero ufficializzati, mediante lo scambio di promemoria con l'indicazione dei punti che le due parti desideravano fossero presi in considerazione nelle trattative.

Approfittando delle possibilità offerte dal passaggio a Roma di quasi tutti i vescovi jugoslavi a motivo del concilio ecumenico Vaticano II, la Santa Sede non mancò di tenersi in contatto con essi per sentirne il parere e avere suggerimenti.


I problemi da affrontare, benché anch'essi gravi e difficili e troppo spesso rimasti poi senza soluzione, non presentavano però alcune delle difficoltà quasi insuperabili che si incontravano invece in Ungheria e nella Cecoslovacchia.

Anche dopo lo strappo da Mosca del 1948, la Jugoslavia continuava a rivendicare orgogliosamente la sua fedeltà all'ideologia marxista e a ispirare a questa buona parte dei suoi orientamenti anche nei confronti della religione e delle comunità religiose. Essa però non aveva forse fatto in tempo a riprendere dalla legislazione sovietica – in particolare – il principio di quel pesante intervento statale nelle nomine ecclesiastiche – dipendenza del consenso statale – che dal 1949 stava invece soffocando la vita della Chiesa cattolica, ad esempio, in Ungheria e nella Cecoslovacchia.

Cosí, senza ingerenze da parte dello Stato, la Santa Sede aveva potuto, nel corso degli anni, nominare in Jugoslavia numerosi vescovi; a loro volta, i vescovi potevano nominare sacerdoti per le parrocchie e per altri uffici ecclesiastici senza dover chiedere il «consenso» di organi statali.

Tutto ciò permise alla Chiesa cattolica in Jugoslavia di affrontare, forte e unita, tempi eccezionalmente duri, preparando l'avvento di tempi migliori. Oltre al resto, questa indipendenza nelle nomine ecclesiastiche tagliò alle radici il possibile prepotere delle «associazioni professionali del clero», sostenute e promosse dal regime e da una parte di ecclesiastici piú legata a esso. Esse creavano grosse difficoltà alla gerarchia, che cercò, non sempre vittoriosamente, di combatterle con il suo *non licet* o *non expedit*, ma non avevano certo la possibilità di condizionare o di impedire, le nomine dei vescovi: ciò che riusciva tanto bene, purtroppo, ad analoghe associazioni di preti «patriottici» o «della pace» in altri paesi.

Con questo non si poteva certo dire che la situazione della Chiesa in Jugoslavia fosse «normale», né nella pratica (e i vescovi, come ho detto, anche riuniti in Conferenza avevano piú di una volta inviato al governo elenchi dei loro *gravamina*), né sotto l'aspetto legale, benché la situazione fosse molto meno negativa che negli altri paesi comunisti.

Lo Stato jugoslavo aveva rivendicati a sé il diritto di regolare con una apposita legge la vita e le attività delle comunità religiose nel loro insieme, sulla base della Costituzione. Le singole repubbliche, poi, procedevano a precisarne l'applicazione con propri regolamenti (che talvolta, come s'è visto, avevano introdotto qualche disposizione restrittiva alla stessa legge).

La Jugoslavia teneva a sottolineare che anche in questo settore aveva proceduto e intendeva procedere «democraticamente», chiedendo e offrendo la possibilità di una collaborazione da parte delle comunità interessate. Il governo si lagnava, anzi, che a differenza delle altre comunità religiose l'episcopato cattolico non aveva accolto nel 1953 l'invito governativo a fare osservazioni e a presentare eventuali suggerimenti e richieste in merito al progetto di legge, allora in preparazione, sulla situazione giuridica delle comunità religiose.

Nel gennaio del 1965, invece, la Conferenza episcopale riunita a Zagabria in sessione annuale prese in considerazione il progetto di legge, allo studio in quel momento, sulle modificazioni e il completamento della legge del 1953. Essa fece poi avere le sue osservazioni e proposte alla Commissione federale incaricata di studiare «l'armonizzazione delle leggi e altre prescrizioni con la Costituzione». Naturalmente i vescovi non mancarono di sottolineare la riserva già avanzata in passato sui limiti delle proprie competenze canoniche in materia di definizione giuridica dei rapporti fra Chiesa e Stato. Ad ogni modo, i rilievi e le richieste dei vescovi sui vari punti del progetto di legge di revisione erano di grande rilievo, ed essi si auguravano che fossero accolti favorevolmente.

Ciò era tanto piú importante in quanto lo Stato continuava a insistere ricordando che principio fondamentale dei suoi rapporti con le diverse confessioni religiose esistenti nel paese restava l'assoluta uguaglianza giuridica delle comunità presenti in Jugoslavia fra di loro (era stata proprio tale pregiudiziale a impedire la ratifica del Concordato firmato il 25 luglio 1935 fra la Santa Sede e il Regno jugoslavo).

Questa osservazione fu subito sollevata, e in seguito ripetuta, quando si discusse l'idea di un accordo o di un *modus vivendi* fra la Santa Sede e la Repubblica di Jugoslavia: lo Stato non poteva concedere nulla che modificasse per la sola Chiesa cattolica le disposizioni generali, valide per tutte le comunità religiose del paese.

Quale senso, allora, poteva avere, una partecipazione della Santa Sede, desiderata sia dal governo sia dall'episcopato, al processo di «normalizzazione» dei rapporti fra Chiesa e Stato in Jugoslavia?

Mostrando il suo vivo interesse per arrivare a qualche intesa con la Santa Sede, il governo aveva certamente i suoi scopi. Quali? L'episcopato aveva tutti i suoi buoni motivi per non sentirsi sicuro.

Ma mentre mettevano in guardia la Santa Sede, i vescovi consigliavano, come molto pericoloso per gli interessi della Chiesa, di non rifiutare o interrompere le conversazioni; incoraggiavano anzi a proseguirle con pazienza e prudenza. I vescovi giudicavano molto utile per la Chiesa cattolica la ripresa dei rapporti diplomatici interrotti alla fine del 1952, o almeno (ma, per alcuni, ancor meglio) la possibilità, per la Santa Sede, di inviare in Jugoslavia un delegato apostolico, ossia un suo rappresentante senza carattere diplomatico, e a tale fine raccomandavano di orientare, o forse anche di limitare, l'oggetto della trattativa. Dall'altra parte, il governo insisteva invece per arrivare a una qualche forma di accordo o di *modus vivendi*, pur escludendo la possibilità di un cambiamento delle disposizioni generali – e unilaterali – riguardanti la posizione giuridica della Chiesa cattolica, come delle altre confessioni religiose. Esso legava a tale accordo, come a condizione necessaria, la ripresa dei rapporti ufficiali con la Santa Sede. I punti di trattativa indicati dal governo corrispondevano quasi del tutto a quelli sui quali l'episcopato aveva manifestato i suoi timori.

5. *Le prime trattative: Belgrado, gennaio 1965.*

Passata la pausa estiva, fu possibile dar inizio alle vere e proprie trattative. A tale scopo, accompagnato da monsignor Luigi Bongianino, mi recai il 14 gennaio 1965 a Belgrado, ritornando poi a Roma il 24. Dieci giorni di lavoro intenso con la delegazione jugoslava presieduta dal sottosegretario alla presidenza della Repubblica Petar Ivičević, membro della Commissione federale per gli Affari religiosi, accompagnato dal signor Boris Kocijančič, presidente dell'analoga Commissione della Repubblica slovena, e dal signor Dobrila, già conosciuto da noi a Roma, dove era segretario dell'ambasciata jugoslava.

Quattordici sedute, piuttosto prolungate, di trattative o di colloqui: colloqui che diventavano facilmente degli animati e vivaci confronti o scontri di posizioni e di idee, mettendo a prova le grandi qualità della nostra interprete, la migliore, forse, che io ricordi nella mia lunga esperienza di colloqui internazionali.

Debbo dire che il tono e l'atmosfera delle conversazioni, nonostante la loro vivacità, furono sempre di un'apertura e quasi di una cordialità fuori dell'ordinario, il che permise anche a me e al mio valente collaboratore di dire tutto, con molto tatto ma con non minore franchezza, senza che nessuno se ne mostrasse offeso o che fosse turbato il buon andamento del negoziato. Le riunioni avevano luogo in una villa della zona di Dedinje che il governo ci aveva offerto ad alloggio, in un ambiente ospitale che contribuiva al clima di distensione nel quale i nostri colloqui si svolgevano. Esso accompagnò anche i due incontri non di lavoro che avemmo, allargati ad altri rappresentanti governativi, fra i quali il signor Moma Marković, ministro della Sanità ed Edilizia e presidente, allora, della Commissione federale per gli Affari religiosi.

Spesso questa facilità di rapporti personali mi provocava un po' di scrupolo. Come se non fossero tenuti abbastanza presenti i lunghi anni di forti tensioni, specialmente nei riguardi dell'episcopato o di singoli vescovi, culminate in non pochi episodi di tragico conflitto, primo fra tutti quello relativo al cardinal Stepinac. E come dimenticare che i rapporti fra lo Stato e la Chiesa, nonostante un innegabile alleggerimento, continuavano a essere sostanzialmente insoddisfacenti, ancor piú per i fedeli che per la gerarchia e lo stesso clero?

Ma anche l'atmosfera generale della città, per quanto mi pareva di potermene rendere conto, specialmente nelle passeggiate che con monsignor Bongianino solevo fare nel tardo pomeriggio, generalmente in una zona verso il Kalemegdan affollata a quell'ora di giovani, mi appariva notevolmente diversa – piú aperta e leggera – di quella di Budapest o di Praga. Illusione? Di fatto, la permanenza a Belgrado, anche nelle successive visite, non dava quel senso di oppressione che pareva quasi di respirare in altre capitali comuniste.

## 6. *Le richieste governative*.

In primo luogo, il tentativo di ottenere qualche possibilità d'intervento nelle nomine vescovili, ad esempio nella forma della cosiddetta «prenotificazione ufficiosa», concessa dalla Santa Sede in vari concordati dell'epoca moderna. Essa aveva rappresentato, a suo tempo, un grande passo avanti sulla strada della progressiva libertà della Chiesa in questo campo delicatissimo, nei confronti di privilegi ben piú limitativi di tale libertà che la Santa Sede aveva concesso, in particolare ai sovrani cattolici dei secoli passati, e ai quali il concilio Vaticano II si era decisamente dichiarato contrario. La Santa Sede avrebbe dovuto, cioè, prima di procedere alla nomina, notificare il nome del candidato prescelto e il governo avrebbe potuto, entro un tempo determinato, far sapere se avesse qualche obiezione di carattere politico (carattere politico «generale», come era stato in un secondo tempo precisato) contro la persona indicata. La Santa Sede aveva sempre sostenuto con fermezza che l'eventuale obiezione non aveva valore di «veto», riservandosi di valutarne il fondamento e il peso; ma era innegabile che, se il governo avesse tenuto fermo sulla sua obiezione, sarebbe stato assai piú difficile per la Santa Sede procedere alla nomina. Questa possibilità di intervento non creava, normalmente, grossi problemi con i governi di paesi democratici; poteva invece crearne quasi di insuperabili con regimi dittatoriali.

In mano, poi, a regimi comunisti un privilegio del genere sarebbe diventato quasi sicuramente fonte di continue difficoltà e intralci; di qui il timore dei vescovi jugoslavi che la Santa Sede potesse cedere su questo punto.

Timore piú che giustificato, ma non fondato, la Santa Sede era già per conto proprio piú che convinta dell'assoluta inopportunità di un'eventuale concessione del genere: essa avrebbe potuto mettere in pericolo l'incalcolabile vantaggio di cui la Chiesa provvidenzialmente godeva, in Jugoslavia, nei confronti degli altri paesi comunisti e di cui nessuno piú della Santa Sede era in grado di apprezzare il valore.

Il governo jugoslavo non mancò, come era prevedibile, di avanzare la richiesta; lo fece con insistenza ma senza, tuttavia, farne una *conditio sine qua non*, rendendosi certamente conto di chieder molto... meritando poco. Esso teneva a sottolineare che voleva, in ogni caso, continuare a distinguersi chiaramente dai governi di Ungheria e della Cecoslovacchia; invocava però le concessioni fatte di recente dalla Santa Sede ad altri Stati in questo campo e il fatto che il concilio Vaticano II, pur auspicando una completa libertà della Chiesa, non le aveva esplicitamente escluse. I rappresentanti governativi cercavano anche di far valere l'utilità di poter prevenire, cosí, eventuali malintesi o urti...

La Santa Sede era decisa a non accedere a tale desiderio, disposta a lasciare piuttosto cadere l'idea stessa di un accordo; aveva anzi chiesto al governo di non porre neppure questo punto nell'elenco di quelli da trattare. Ad ogni modo il governo, consapevole senza dubbio della debolezza della sua posizione, si arrese senza insuperabili resistenze alla considerazione della Santa Sede che le concessioni da esso invocate erano state fatte ad altri governi nel quadro di concordati o di *modus vivendi* tendenti a regolare bilateralmente l'insieme, o almeno punti sostanziali della situazione giuridica della Chiesa: il che non era certo il caso, ora, con la Jugoslavia.

Del resto, mi venne fatto di osservare per parte mia che, ove si fosse giunti a un'intesa per la permanenza in Jugoslavia di un rappresentante pontificio, questi avrebbe avuto modo di dare alla Santa Sede oggettive notizie circa situazioni, problemi e persone in modo da poter procedere piú sicuramente alle nomine di vescovi che non solo fossero idonei sotto l'aspetto canonico, ma non si prestassero a ragionevoli obiezioni quanto alla correttezza del loro contegno come cittadini e nei loro rapporti con le autorità civili.

Alla fine si giunse a escludere questo punto del documento finale, facendone oggetto solo di una dichiarazione verbale che esprimeva la speranza del governo, per un futuro difficilmente prevedibile.


Altro punto proposto dal governo alla discussione e del tutto inviso all'episcopato si riferiva al collegio di San Girolamo in Roma. L'istituto, fondato dal papa Leone XIII nel 1901, previa la soppressione di vari enti preesistenti, rappresentava e continua a rappresentare nel centro della cattolicità una specie di isola religiosa croata: due caratteristiche, specialmente la seconda, che attiravano l'attenzione sospettosa del regime. Naturalmente, negli anni di maggiore tensione fra lo Stato e la Chiesa il collegio era diventato punto di riferimento e di incontro per parecchi ecclesiastici croati usciti o fuggiti dalla Jugoslavia comunista; la politica anticattolica del governo prestava argomenti piú che giustificati di critica, che Belgrado accusava volentieri di opposizione e di lotta «politica»; e in questa vedeva confluire, insieme a motivi innegabilmente religiosi, atteggiamenti e sentimenti nazionali (o, secondo il governo, nazionalistici) croati. In realtà, sarebbe stato difficile separare nettamente e completamente i due aspetti, attesi i legami secolari fra popolo croato e cattolicesimo, ed essendo tutt'altro che spenti i ricordi e i risentimenti dei contrasti fra serbi e croati e fra cattolici e ortodossi che avevano avvelenato gli anni della guerra e del dopoguerra, trovando nel processo e nella condanna dell'arcivescovo Stepinac un'espressione che gravava ancora come una ferita sanguinante nel cuore dei croati.

Dal 1960 era ricominciato l'arrivo di sacerdoti dalla Croazia al collegio, nonostante qualche lentezza burocratica nella concessione dei visti di uscita, e la situazione si era lentamente normalizzata; gli emigrati ecclesiastici prima ospitati nel collegio l'avevano lasciato, anche per problemi di capienza.

I vescovi, dopo che era stato loro consentito di ricominciare a venire a Roma per la visita *ad limina* (come poi nel quadro della preparazione e dello svolgimento del concilio Vaticano II), poterono occuparsi piú da vicino della vita e dei problemi del Collegio, purché si mantenesse accuratamente fuori da iniziative di carattere anche solo in apparenza politico, attenendosi alle finalità religiose ed ecclesiastiche indicate nei suoi statuti. Difficilmente il governo avrebbe potuto disconoscerlo. Tuttavia esso avanzò la richiesta: 1) che l'istituto venisse aperto anche a sacerdoti delle diocesi non croate e senza discriminazioni (con esplicita allusione agli iscritti alle «associazioni professionali» del clero); 2) che il rettore fosse cittadino jugoslavo, nominato con l'approvazione del governo; 3) che in occasione della festa nazionale il Collegio issasse la bandiera jugoslava; e, naturalmente: 4) che fossero tenuti lontani gli ecclesiastici ritenuti ostili alla «nuova Jugoslavia».

La Santa Sede aveva, da parte sua, buone ragioni da opporre, tanto piú che già la prudenza e il senso di opportunità pastorale dei vescovi avevano provveduto a eliminare, nella misura del possibile, i motivi di scontento o di sospetto di un governo, in ogni caso, ben difficilmente accontentabile. Nessun mutamento, in particolare, appariva possibile quanto al carattere «croato» del collegio stabilito negli statuti di Leone XIII (avrebbero, semmai, dovuto proporlo i vescovi, ai quali spettava anche designare gli ecclesiastici da inviare a perfezionare a Roma i loro studi).

Per il resto, la Santa Sede non aveva difficoltà ad assicurare la propria volontà che il Collegio rispondesse sempre ed esclusivamente alle finalità ecclesiali e religiose fissate dagli statuti. Trovava però del tutto inopportuno, in una situazione ancora tanto delicata e sensibile, fare di tale assicurazione oggetto di un formale impegno in un documento di carattere bilaterale. Il governo non si mostrò molto contento di questa prudente posizione della Santa Sede; garantiva tuttavia che, finché restasse immutata la situazione venutasi a creare, non vi sarebbero stati cambiamenti neppure nella concessione dei visti per gli alunni del collegio.

Un altro punto stava fortemente a cuore del governo e riguardava le associazioni professionali del clero. L'animata discussione, che prese due giorni pieni dei nostri colloqui, dimostrava quale importanza il regime attribuisse a quello che i vescovi, pur con certe diversità nei toni e nelle posizioni disciplinari, consideravano come un elemento gravemente negativo per l'unità e la compattezza della Chiesa di fronte alle prepotenze e alle insidie del regime. Di fatto, benché in una misura e con delle conseguenze ben differenti da quelle lamentate per le analoghe associazioni di altri paesi comunisti, anche per le diversità del comunismo jugoslavo dal comunismo di obbedienza sovietica, le associazioni professionali del clero segnavano una specie di spartiacque fra sacerdoti (e religiosi) più legati al governo o a esso favorevoli e quelli che, uniti alla gerarchia, volevano mantenere la loro piena autonomia, rinunciando a certi vantaggi di ordine «sociale» assicurati dalla appartenenza alle associazioni, per non essere e per non apparire davanti ai loro fedeli in qualche modo dipendenti dalla autorità civile.

Il governo vedeva senza dubbio nelle associazioni un mezzo per ricevere dal clero un appoggio di fronte alle resistenze che sentiva persistere (o rafforzarsi...) in una parte sempre crescente della popolazione, anche se esse non si manifestavano, o non potevano manifestarsi, in aperta opposizione. Ma ciò che per il regime costituiva un titolo di benemerenza era per la gerarchia motivo di sospetto o di rifiuto, anche perché le associazioni, sorte fuori dalle norme canoniche, mantenevano nelle loro strutture «democratiche» e nelle loro attività un'indipendenza dalla autorità gerarchica nettamente in contrasto con l'ordinamento ecclesiastico: un corpo estraneo, con orientamenti propri che potevano anche non essere in consonanza con quelli indicati dai vescovi.

Pertanto i vescovi decretarono la proibizione dell'appartenenza alle associazioni. La disobbedienza a tale divieto aveva portato in qualche caso addirittura alla sanzione canonica della «scomunica».

Ora il governo insisteva affinché la Santa Sede intervenisse per far togliere sanzioni e proibizioni. Il governo si appellava al suo dovere di tutelare il diritto costituzionale di ogni cittadino jugoslavo (ecclesiastici compresi) ad associarsi, nelle forme previste dalle leggi, per scopi – appunto – «professionali». La Santa Sede, da parte sua doveva sottolineare la speciale posizione di chi, liberamente scegliendo il sacerdozio come stato di vita, aveva accettato le esigenze e le limitazioni che tale scelta comportava, rinunciando in certi casi, non ai propri diritti di cittadino, ma al loro esercizio: come, ad esempio, proprio per quel che riguardava il diritto di associazione, materia nella quale un sacerdote era tenuto a osservare le norme canoniche, prime fra tutte la dipendenza dalla gerarchia e l'obbedienza alle sue legittime disposizioni. Per la Santa Sede non erano in questione la lealtà o l'amore dei cittadini verso la patria, ma principî fondamentali per la Chiesa, come la tutela della legittima autorità dei vescovi e della disciplina sacerdotale.

Le lunghe discussioni non portarono ad alcun accordo. Il governo premeva. I vescovi, del canto loro, temevano che la Santa Sede potesse mostrare qualche cedimento, compromettendo la linea di fermezza che avevano assunta davanti a un fenomeno che giudicavano molto negativo e pericoloso (anche se ormai, cambiati i tempi, aveva forse perduto alquanto del suo peso per i rapporti fra Chiesa e Stato in Jugoslavia).

La Santa Sede era bene al corrente del pensiero e dei timori dell'episcopato, ed era ben decisa a resistere alle pressioni governative. Ma per porre finalmente un qualche termine alla infinita schermaglia, mi decisi a proporre una dichiarazione verbale, nella quale la parte jugoslava avrebbe preso atto «che la Santa Sede era disposta a riesaminare, in modo approfondito, d'intesa con l'episcopato cattolico di Jugoslavia, la questione per ricercarne le possibili appropriate soluzioni». La parte jugoslava esprimeva la speranza che a queste soluzioni si sarebbe potuto addivenire in un prossimo futuro.

Poteva apparire un mezzo cedimento, non molto gradito ai vescovi, ma conoscevamo abbastanza bene l'episcopato jugoslavo per poter prevedere che quel futuro non sarebbe stato molto prossimo.

Quanto forte era l'appoggio del governo alle associazioni di clero e agli ecclesiastici giudicati favorevoli al nuovo corso politico-sociale, altrettanto decisa si dimostrava la sua opposizione ai sacerdoti che, a suo dire, si valevano della loro posizione per svolgere un'azione politica ostile (la formula consacrata nella terminologia governativa era di «abuso delle funzioni ecclesiastiche per scopi politici»: ovviamente, era sottinteso, per scopi contrastanti con la politica governativa).

Il divieto di abusare d'una funzione che ha scopi puramente religiosi e spirituali per servire a finalità, sia pure lecite o addirittura lodevoli, relative alla vita politica, è principio chiaramente sostenuto dalla Chiesa, anche se le sue applicazioni pratiche non sono sempre semplici. Quando «la politica tocca l'altare», secondo una nota espressione di papa Pio XI, chi ha missione e dovere di difendere l'altare può dare l'impressione, ed è facilmente accusato, di entrare in politica. Quando si tratta di affermare e di promuovere valori morali che toccano la persona, la famiglia, la società, contro i programmi e l'azione di un partito, o anche contro la politica e certe leggi di uno Stato, non sempre il buon diritto e il dovere della Chiesa e dei suoi ministri sono riconosciuti; anzi, i regimi autoritari, e soprattutto quelli totalitari, reagiscono con accuse di indebita o addirittura intollerabile ingerenza in campo politico, sino a farne l'estremo di un reato penalmente perseguibile.

Le lagnanze del governo jugoslavo nei riguardi del clero cattolico spaziavano da casi di «turbamento dell'unità dei popoli della Jugoslavia», di provocazione e istigazione all'intolleranza religiosa e nazionale (i due termini andavano volentieri d'accordo), a casi di violazione dei diritti e della libertà dei cittadini e a casi di abuso della religione e della Chiesa per scopi legalmente illeciti.

Richiesti di precisare piú concretamente e con qualche esempio, i rappresentanti governativi riconobbero che gli episodi lamentati si riferivano in maggior parte al passato, affermando però che i casi continuavano talvolta a verificarsi ancora e chiedendo che vi fosse posto rimedio.

Era facile una risposta: per molti anni, durante e dopo la guerra, le tensioni erano state tante e cosí gravi, sia sul piano religioso e ideologico, sia su quello della vita concreta (con le complicazioni di contrasti etnici, esplosi nei periodi piú caldi e rivelatisi poi difficilmente superabili del tutto) che, se il governo aveva trovato motivi di lamento, la Chiesa non ne aveva avuto certo di meno e di meno giustificati. Occorreva guardare decisamente al futuro, con buona volontà e con generosa comprensione.

La Santa Sede, per parte sua, non aveva difficoltà a riaffermare il principio dell'estraneità della Chiesa, e quindi degli ecclesiastici in quanto tali, da attività di carattere politico: purché avessero realmente carattere politico.

I rappresentanti governativi andavano oltre, e chiedevano una condanna del «terrorismo». Anche qui era ovvio che i principî della Chiesa, chiaramente e ripetutamente enunciati, erano di netta riprovazione di ogni atto di terrorismo, anche se compiuto a servizio o a difesa di cause ritenute giuste, e forse non senza ragione. Ma perché la Santa Sede avrebbe dovuto procedere a una rinnovata pubblica condanna, come insisteva il governo, nel quadro delle trattative intese a ricercare una normalizzazione, o almeno un miglioramento dei rapporti fra Stato e Chiesa in Jugoslavia? Episodi di terrorismo v'erano certo stati, e che il governo temesse il loro ripetersi era comprensibile. Il dito del regime era puntato contro i fuorusciti croati e non risparmiava qualcuno dei sacerdoti dell'emigrazione. Che questi non avessero sempre esercitato la loro influenza per calmare, orientare, eventualmente dissuadere decisamente i piú esagitati dei loro connazionali all'estero, poteva anche essere. Che poi qualcuno di loro avesse addirittura incoraggiato, o peggio ancora partecipato ad azioni terroristiche, era piú facile affermarlo che provarlo. La Santa Sede lo escludeva anzi, in linea di principio, come cosa troppo aliena dallo spirito e dalla coscienza di un sacerdote, per quanto preso dalla passione anticomunista e nazionalistica, per poter essere creduta. Perciò la Santa Sede, chiara e ferma sui principî, chiedeva che su eventuali accuse concrete il governo fornisse, semmai, convincenti elementi probatori. Erano ancora vivi il ricordo e le domande sollevate da un grave episodio di terrorismo verificatosi a Bonn, nel quale era rimasto ucciso un funzionario di quel consolato jugoslavo. Il governo

affermava che nell'attentato era coinvolto, addirittura come organizzatore, un sacerdote croato, il reverendo Medić; aveva quindi chiesto all'episcopato jugoslavo, non solo la pubblica condanna del fatto e del
terrorismo in generale, ma un'azione disciplinare, o
penale, contro il Medić. Quando poterono riunirsi in
Assemblea straordinaria, il che comportò un certo ritardo, i vescovi emanarono un documento che il governo aveva trovato non soddisfacente, ma che alla
Santa Sede parve buono, benché necessariamente molto prudente e attento a non prendere impegni, sul piano giuridico; infatti i vescovi non avevano la possibilità di seguire come sarebbe stato necessario le attività
dei loro sacerdoti riparati all'estero e di valutare ef-
fettive responsabilità in fatti a essi addebitati, al punto di poter intervenire con eventuali misure canoniche. La giurisdizione su quei sacerdoti, affermavano i
vescovi, spettava alla Santa Sede, alla quale, semmai,
avrebbe dovuto esser portata la grave accusa contro il
reverendo Medić. Ciò, com'è ovvio, alleggeriva le
pressioni sull'episcopato, ma rendeva ancor piú difficile per la Santa Sede opporre un rifiuto assoluto all'insistente richiesta fattale dal governo di impegnarsi,
cioè, a prendere in considerazione eventuali denunce
di asserita partecipazione di ecclesiastici dell'emigrazione ad atti di terrorismo.

Al di là di eventuali accuse di partecipazione ad azioni terroristiche, le quali evidentemente – e fortunatamente – non potevano rappresentare che casi del tutto
eccezionali, il governo lamentava fortemente una piú
generica, ma continua e sistematica attività «propa-
gandistica» di gruppi dell'emigrazione sacerdotale, soli o in collegamento con altri gruppi, contro la nuova Jugoslavia (radio, inclusa in primo luogo quella Vaticana,
stampa, mostre, pubbliche manifestazioni e campagne
di vario genere). La situazione jugoslava e la politica di
quel governo offrivano, in realtà, ampio materiale per

quelli che le autorità continuavano a definire attacchi politici o nazionalistici contro un paese «membro dell'Onu» e contro la sua integrità o la sua unità.

La Santa Sede, per favorire il miglioramento dei rapporti fra la Chiesa e lo Stato, poteva adoperarsi perché le istituzioni direttamente dipendenti da essa (in particolare «L'Osservatore Romano» e la Radio Vaticana, che però, nelle sue diverse sezioni linguistiche non era sempre agevole seguire del tutto) moderassero i toni nel trattare delle cose jugoslave: senza tradire, naturalmente, la verità e la giustizia. Per altre istituzioni e anche con i sacerdoti emigrati, sarebbe stato piú difficile esercitare un'efficace e sicura azione moderatrice, senza dar l'impressione di voler negare o tacere i problemi della Chiesa in Jugoslavia.

Equilibrio non facile per la Santa Sede, stretta fra le insistenze, da una parte, di un governo sensibilissimo alle resistenze interne e alle valutazioni negative da cui si sentiva circondato all'esterno, e un'opinione pubblica portata spesso a interpretare la prudenza, anche la piú oculata, come cedimento o calcolo opportunistico, dall'altra.

Qualche altra questione specifica fu sollevata dai rappresentanti governativi, in particolare quella della possibile beatificazione del cardinal Stepinac e della canonizzazione del beato Tavelić[88] (religioso croato medievale morto lontano dalla patria, caro all'emigrazione croata). Ma il punto non creò, in pratica, grosse difficoltà.

## 7. Le richieste della Santa Sede.

Come i rappresentanti governativi, anche quelli della Santa Sede cercarono di approfittare degli incontri di Belgrado, anzitutto per esporre con ampiezza e con franchezza le posizioni della Chiesa sui punti che era-

---

[88] Nicola Tavelić (1340-91), francescano, fu ucciso a Gerusalemme dai musulmani con altri tre confratelli; i quattro martiri sono stati canonizzati da Paolo VI nel 1970.

no stati indicati a Roma dall'una e dall'altra parte, ma anche per cercare – sia pure nelle strettoie imposte dalla posizione di fondo del governo che non prevedeva alcuna disposizione speciale per una comunità religiosa rispetto alle altre – di assicurare nel miglior modo possibile maggiori spazi e maggiore rispetto per i diritti e per la vita della Chiesa e dei cattolici in Jugoslavia.

Fondamentale, a questo proposito, era il principio della libertà di coscienza e di religione (o «di confessione», come amava dire il governo). Il principio era affermato nella costituzione e nella legislazione statale; la Santa Sede sottolineava che esso doveva intendersi: libertà per tutti. E in questo «tutti» essa ricordava in particolare certe categorie che un'esperienza ampia e costante indicava come praticamente escluse, o quasi, dall'applicazione del principio: insegnanti, funzionari o impiegati dipendenti dallo Stato o da enti pubblici, militari, ricoverati in ospedali, asili o internati, carcerati; una menzione speciale, anche per il loro peso numerico, andava fatta degli operai, come anche dei soldati in servizio di leva.

Non si poteva negare che, soprattutto per merito delle insistenze dei vescovi, singoli o in gruppo, la situazione avesse ultimamente conosciuto dei miglioramenti, almeno parziali. Ma, da parte cattolica, era comune il lamento che si fosse ancora ben lontani da una piena applicazione della libertà costituzionalmente assicurata. Cosí pure veniva messo fortemente in dubbio, se non negato, che fosse realmente applicato l'altro principio, sostanzialmente collegato al primo, quello cioè dell'uguaglianza di tutti i cittadini, nei doveri ma anche nei diritti, indipendentemente dalla pratica o non pratica religiosa.

I rappresentanti governativi reagivano vivacemente anche a una semplice allusione all'affermazione, ampiamente diffusa, che i cattolici o i credenti in genere fossero in Jugoslavia cittadini di seconda classe: anche se, riconoscevano, in passato c'erano stati abusi e ingiustizie. Nell'VIII congresso della Lega dei comunisti – ricordavano – era stata anzi eliminata dagli Statuti l'incompatibilità prima sancita fra religione e appartenenza alla Lega. Restava il problema di come garantire nella pratica l'osservanza dei principî, ottenendo anche che, come il governo era pronto a intervenire contro asseriti abusi della religione, si impegnasse a farlo a difesa della libertà di coscienza e di religione e contro abusi a suo danno. Essendo poi in corso proprio allora, come ho già detto, la revisione della legge del 1953 sulla posizione giuridica delle comunità religiose, i rappresentanti della Santa Sede appoggiarono la richiesta dell'episcopato che non se ne peggiorassero le norme, ma che si cercasse piuttosto di introdurvi i miglioramenti proposti dall'episcopato stesso.

Vescovi e Santa Sede vedevano, ad esempio, come un pericoloso attacco alla libertà religiosa la progettata innovazione di richiedere, per l'ammissione al battesimo e alla frequenza dell'insegnamento religioso, il consenso di entrambi i genitori e quello dell'interessato quando si trattasse di chi aveva compiuto i 14 anni. Ragioni del governo: la pari responsabilità dei genitori nell'educazione dei figli e i diritti riconosciuti ai giovani dopo il quattordicesimo anno. Praticamente, tale disposizione poteva creare piú di un problema, venendo a dare un diritto di veto a ciascuno degli interessati. Il pericolo non era immaginario: pur nelle responsabilità educative, maggiori condizionamenti erano generalmente esposti gli uomini (operai, impiegati o altro) nei confronti delle madri di famiglia. E che dire nel caso di un ragazzo quattordicenne che avesse voluto ricevere il battesimo o frequentare l'istruzione religiosa, contro l'opposizione anche di uno solo dei genitori?

Se la prima preoccupazione della Santa Sede era di vedere tutelati e di difendere i diritti dei cittadini in materia di coscienza e di religione, non minore impegno essa doveva dedicare al libero esercizio delle sue funzioni da parte della Chiesa cattolica, a servizio appunto dei cittadini che le appartenevano. Poteva esservi il pericolo che confrontandola con la grave situazione della Chiesa in Ungheria e soprattutto con quella veramente impossibile della Cecoslovacchia, si fosse portati a giudicare buona la situazione della Chiesa in Jugoslavia. Per tale motivo sentivamo ancor piú il dovere di tenerci, il meglio possibile in contatto, e di procedere il piú possibile in sintonia con l'episcopato del paese.

Durante i colloqui del gennaio 1965 potei vedere una volta, insieme, gli arcivescovi di Zagabria e di Belgrado, e poi quest'ultimo da solo. Ciò mi fu molto utile; inoltre la già ricordata possibilità che i vescovi jugoslavi avevano di venire di frequente a Roma, per le visite *ad limina* o a motivo dei lavori conciliari, facilitava naturalmente l'auspicato contatto. I promemoria, poi, che i vescovi riuniti in Conferenza episcopale inviavano al governo per presentare le loro lagnanze e le loro richieste fornivano un elenco a mano a mano aggiornato di quanto ancora mancava a una meno imperfetta «normalizzazione» dei rapporti fra lo Stato e la Chiesa in Jugoslavia; ad esempio, per quel che riguardava i controlli statali sui seminari e istituti di formazione dei religiosi, la possibilità di tenere cerimonie religiose fuori delle chiese, la stampa della Chiesa, e soprattutto la possibilità, non solo del culto e dell'amministrazione dei sacramenti, ma anche dell'insegnamento della dottrina dommatica e morale della Chiesa cattolica.

Però la preoccupazione piú grande e piú grave della Santa Sede, come dei vescovi – e qui si tornava ai diritti dei cittadini –, piú che della Chiesa come istituzione riguardava la scuola, ossia l'educazione della gioventú. La scuola era monopolio dello Stato, che in essa imponeva la «visione scientifica» del mondo, ossia la propria ideologia. La scuola statale era la sola disponibile per tutti non essendovi altra scuola, dopo l'istruzione primaria a tutti comune, all'infuori degli istituti destinati alla formazione degli aspiranti allo stato ecclesiastico o religioso. La Costituzione riconosceva i diritti della famiglia nell'educazione dei figli e molte famiglie erano notoriamente cattoliche. Perché imporre praticamente ai ragazzi, quasi come un dogma scientifico, una dottrina contrastante con le profonde convinzioni delle loro famiglie?

La Santa Sede, durante le trattative, chiese pertanto appropriate garanzie circa il rispetto della libertà di coscienza e delle convinzioni religiose degli alunni cattolici nelle scuole dello Stato, facendo presente l'importanza che essa annetteva al problema: al punto di chiedersi se, in mancanza di tali garanzie, valesse la pena di addivenire agli accordi in progetto.

I rappresentanti governativi, in tutti gli incontri, si mostrarono assolutamente impermeabili alle nostre richieste. Essi basavano formalmente la loro risposta soprattutto sul fatto di non poter dare a nessun gruppo di cittadini – in questo caso ai cattolici – garanzie «speciali» oltre a quelle che assicuravano a tutti i cittadini, senza distinzioni, la piena applicazione delle leggi e altre disposizioni relative al rispetto della libertà di coscienza e della libertà di praticare la religione, garantite dalla Costituzione jugoslava. Unica assicurazione che il governo si sentiva di dare, in piú, era che neanche in futuro sarebbero state istituite nelle scuole associazioni speciali aventi come scopo la lotta antireligiosa: assicurazione che alla Santa Sede apparve, in realtà, insufficiente se non addirittura quasi irrisoria.

8. *Nuovo incontro: Belgrado, maggio-giugno 1965.*

Il lungo incontro del gennaio 1965 era stato ricco di idee e di discussioni, ma si chiudeva con scarsi o nessun risultato sul piano delle intese. Ad ogni modo, tornati a Roma, si cercò di precisare in qualche formulazione concreta le rispettive posizioni, della Santa Sede e del governo, sui vari punti che erano stati trattati. Tali progetti restavano però ben lontani ancora da quello che sarebbe poi stato il documento finale delle conversazioni con il governo jugoslavo.

Avvenuto un riassetto della compagine ministeriale, il governo si dichiarò pronto a riprendere i contatti ufficiali con la Santa Sede, manifestando la sua preferenza per Belgrado, anziché per Roma. Non opposi difficoltà e il 28 maggio feci di nuovo ritorno, con monsignor Bongianino, nella capitale jugoslava. Come nuovo presidente della Commissione federale per gli Affari religiosi era stato nominato il generale Milutin Morača, ma la delegazione governativa per le trattative era rimasta immutata.

Dei vescovi vidi allora solo quello di Belgrado, monsignor Bukatko[89], la domenica 6 giugno (e casualmente, trovandosi egli presso di lui, il vescovo di Skopje, monsignor Čekada[90]); il 9 giugno poi, fermandomi a Zagabria nel viaggio di ritorno verso Roma, mi intrattenni con il cardinal Šeper. Tutto sommato, dovendo io continuamente contrastare le richieste e le argomentazioni dei rappresentanti governativi e conseguentemente opporre molti «no», fu forse preferibile evitare che il governo potesse attribuire tale atteggiamento direttamente a suggerimenti dei vescovi, e particolarmente dall'arcivescovo di Zagabria, accusato notoriamente di essere piú rigido della Santa Sede e contrario alle trattative.

Al cardinal Šeper lasciai riservatamente copia dei testi approvati *ad referendum* a Belgrado, con preghiera di sentire, sempre confidenzialmente, il pensiero degli altri vescovi per informare poi la Santa Sede: la quale, tornai ad assicurare per il caso che ve ne fosse stato bisogno, non aveva altro movente o interesse che di aiutare la Chiesa e la gerarchia nella loro difficile situazione.

Le discussioni erano state anche questa volta molto prolungate e vivaci, pur restando sempre nei limiti della correttezza, anzi della personale cordialità. Solo una

---

[89] Gabriel Bukatko (1913-81), amministratore apostolico e vescovo di Križevci (1952-61), fu poi coadiutore (1961-64) e arcivescovo (1964-80) di Belgrado.

[90] Smiljan Franjo Čekada (1902-76), fu vescovo ausiliare di Sarajevo (1939-40), poi vescovo di Skopje (1940-67), quindi coadiutore (1967-70) e dal 1970 arcivescovo di Sarajevo.

volta, per quel che ricordi, dopo un confronto sulla scuola talmente serrato e acceso da diventare quasi estenuante, stavo perdendo la pazienza, e in una pausa non ufficiale dell'incontro interruppi un po' bruscamente la conversazione dicendo piú o meno: «Io ho insistito e insisto tanto per dovere d'ufficio; personalmente, potrei dire che sono piú contento che voi manteniate le vostre posizioni». Sorpresa del mio interlocutore: «E perché?» «Perché, conoscendo i giovani, sono sicuro che, piú insisterete per imporre le vostre idee, piú essi reagiranno chiudendosi in sé stessi, anche se esternamente faranno mostra di accogliere le posizioni ufficiali, per spirito di adattamento e per quieto vivere. Parecchie volte, per un interesse piú o meno consapevole, se ne faranno anzi sostenitori e propagandisti, ma non fatevi illusioni: in un futuro piú o meno lontano vi accorgerete di aver costruito sul vuoto e di aver ottenuto l'effetto contrario».

Naturalmente, era un'argomentazione «alla disperata». L'azione praticamente ateizzatrice condotta dalla scuola si scontrava certamente con le resistenze dell'animo giovanile, geloso della propria indipendenza intellettuale; ma quante macerie rimanevano poi in animi ancora impreparati a tante lotte! E che dire, in particolare, dei fanciulli delle scuole elementari e medie e degli adolescenti delle prime classi superiori?

Ad ogni modo, si trattava piuttosto di schermaglie dialettiche che non potevano però incidere sui risultati del negoziato. D'altronde il governo si difendeva continuamente affermando che quanto la Santa Sede chiedeva era già assicurato per tutti, e quindi anche per i cattolici, dalla Costituzione e dalla legislazione generale.


Giunti alla fine delle nostre fatiche fu possibile riassumerle in una specie di «trittico», nel quale, affiancato alle proposte governative e alle controproposte della Santa Sede, appariva il testo risultante dalle comuni discussioni e quindi, in qualche misura, concordato, anche se sempre *ad referendum*, sottoposto cioè alla decisione delle rispettive autorità superiori.

Il testo, una volta approvato, avrebbe dovuto poi essere firmato sotto forma di «protocollo», quale base bilaterale per assicurare un piú corretto rapporto fra la Chiesa e lo Stato: una base, per la verità, molto ristretta e insufficiente, limitata ai pochi punti sui quali si era potuto raggiungere faticosamente un accordo. Su alcuni altri punti, in mancanza e in attesa di qualche risultato piú concreto, fu mutuamente concordato di scambiarci delle «dichiarazioni verbali», non destinate alla pubblicazione: documenti unilaterali ma autentici, portati alla vicendevole conoscenza a ricordo di richieste non accolte ma che le parti continuavano a mantenere, o come dichiarazioni d'intenti, del valore quasi di un *gentlemen agreement*. Documenti, dunque, di valore ben diverso dal protocollo, ma che qualcosa avrebbero pure significato, come dimostrava il lungo e non facile lavorio al quale era stato sottoposto anche il loro testo. Su altri punti, neanche a questo si era potuto arrivare e tutto aveva dovuto essere rimandato a quando, maturati e sperabilmente migliorati i tempi, e grazie agli ulteriori contatti permessi dal ristabilimento di rapporti permanenti fra la Santa Sede e il governo, risultasse possibile ampliare le intese.

Il risultato dell'incontro del maggio-giugno 1965, con alcune successive integrazioni o modificazioni, costituí di fatto il testo definitivo del protocollo che fu poi sottoscritto e del grosso delle «dichiarazioni verbali» che fu contestualmente scambiato. Il governo avrebbe desiderato giungere alla firma già prima dell'estate, ma la cosa non risultava possibile per noi, soprattutto per la difficoltà di conoscere tempestivamente il pensiero dell'episcopato.

Intanto si poté però sottoporre e avere il voto favorevole dei cardinali della Congregazione degli Affari ecclesiastici straordinari in merito alla forma dei rapporti fra Santa Sede e Jugoslavia, escogitata in luogo dei tradizionali rapporti diplomatici: la nomina di un delegato apostolico con missione anche di inviato della Santa Sede presso il governo, e di un inviato del governo presso la Santa Sede. Una forma inedita ma che piacque ai cardinali, come buona soluzione pratica per una situazione nuova e come un utile precedente per le eventuali analoghe situazioni che si annunciavano.

### 9. *Posizione dell'episcopato.*

Che tra i vescovi ci fossero diversità di pareri era scontato. Tanto piú doveroso rimaneva per la Santa Sede sentire con attenzione, per cosí dire, il polso della Chiesa in Jugoslavia, per poter prendere con piena consapevolezza una responsabilità che presumibilmente avrebbe dato luogo a varie perplessità e critiche.

Verso la metà di novembre il cardinal Šeper rese noto il pensiero suo e di altri membri dell'episcopato, aggiungendo che a suo avviso la maggioranza dei vescovi sarebbe stata di quello stesso parere, mentre clero e fedeli, sempre a suo avviso, guardavano con diffidenza, per il momento, a un eventuale accordo, temendo che la Santa Sede potesse essere ingannata.

Nella sostanza, il cardinale rilevava una cosa già ben nota e assai ovvia, attesa l'impostazione che il governo, sin dal primo inizio, aveva dato alle trattative o conversazioni intese a «giungere a un regolamento dei rapporti fra la Chiesa cattolica e la Repubblica Socialista Federativa di Jugoslavia». Tale impostazione, come teneva a ricordare il proemio del protocollo (nel quale il governo avrebbe voluto inserire anche la rivendicazione delle «competenze e sovranità della Rsfj di regolare la posizione giuridica di tutte le comunità religiose sul suo territorio», affermazione che accettò poi di ritirare) aveva come punto di partenza «l'uguaglianza e la parità di diritti di tutte le comunità religiose», sulla base della Costituzione e delle leggi. Alla redazione della Costituzione e delle leggi, trattandosi di un paese a regime democratico, aveva osservato il governo, cittadini e organismi politici e civili erano stati chiamati a dare il loro concorso. Una volta fissate le norme generali, nessuno poteva però pretenderne di speciali.

Che senso poteva avere allora, si chiedeva il cardinale, come ce l'eravamo chiesto anche noi, una solenne intesa bilaterale che non avrebbe aggiunto nulla di sostanziale a quanto stabilito per legge, se non forse l'impressione che la Santa Sede accettava, o addirittura approvava, una legislazione che, pur contenendo molto di positivo, esigeva varie riserve e non riconosceva in pieno i diritti della Chiesa? Osservazione giusta, ovvia appunto, ma che avrebbe dovuto essere opposta immediatamente, bloccando sin da principio le trattative, mentre i vescovi stessi erano parsi sconsigliare, come inopportuno o pericoloso, un rifiuto della Santa Sede alla proposta di conversazioni avanzate dal governo.

Questo governo continuava a respingere le richieste della Santa Sede circa la scuola o il riconoscimento della festa di Natale (cosa che stava tanto a cuore dei vescovi croati ma che, in realtà, si scontrava col fatto che in Jugoslavia non tutti i cittadini erano cristiani e che non tutti i cristiani celebravano il Natale lo stesso giorno). Da parte sua, però insisteva perché la Santa Sede riaffermasse pubblicamente, in un solenne documento bilaterale, principî tanto tradizionali da essere quasi ovvii, come quello che gli ecclesiastici cattolici devono limitare l'esercizio delle loro funzioni sacerdotali e all'ambito religioso ed ecclesiastico, evitando finalità di carattere politico; cosí come la disapprovazione e la condanna di «ogni atto di terrorismo o analoghe forme delittuose di violenza politica». Tali impegni il governo li voleva assolutamente come parte del protocollo, in parallelo con alcune assicurazioni da darsi dal governo alla Santa Sede.

Difficile sottrarsi all'impressione che l'insistenza governativa, anziché al reale timore di una politicizzazione dell'attività del clero o d'una sua partecipazione ad azioni terroristiche e quindi al desiderio di assicurarsi l'appoggio della Santa Sede contro tali pericoli, rispondesse a ben altro intento: alimentare cioè l'atmosfera di sospetto contro il clero cattolico che il governo da anni andava diffondendo e che l'episcopato stava doverosamente procurando di dissipare.

Il cardinal Šeper ritornava quindi sulla vecchia idea: convincere il governo – se possibile – a limitarsi per il momento alla ripresa dei rapporti interrotti nel dicembre del 1952, nella forma che sarebbe apparsa possibile e opportuna nella nuova situazione. L'episcopato, nella sua stragrande maggioranza, si era detto d'accordo, infatti, sulla grande utilità della presenza nel paese di un rappresentante pontificio. Questo rappresentante, pensava il cardinale, avrebbe poi potuto condurre sul luogo, con piú calma, le trattative per giungere a un equilibrato accordo sui rapporti fra la Chiesa e lo Stato nella nuova Jugoslavia (ma quale accordo, sia pure equilibrato sarebbe stato possibile raggiungere in seguito, meglio che ora, se fosse rimasta immutata la posizione governativa escludente qualsiasi speciale disposizione per una determinata confessione religiosa nei confronti delle altre?) Se il governo avesse insistito sull'idea di arrivare subito a un accordo, facendone una condizione per la ripresa dei rapporti con la Santa Sede e la permanenza di un rappresentante pontificio in Jugoslavia, sarebbe stato almeno necessario migliorare il testo del protocollo. Al cardinale spiaceva anche qualcuna delle dichiarazioni verbali da farsi dalla Santa Sede (circa le associazioni professionali del clero e il clero emigrato: in realtà, anche a prescindere dal carattere speciale delle dichiarazioni verbali, sopra spiegato, il testo relativo a quei due punti era stato studiato in maniera tanto prudente da renderlo completamente innocuo; ma il fatto stesso di parlarne risultava da solo ostico ai vescovi).


10. *Nuovo incontro: Roma, dicembre 1965.*

Sul finire di novembre, in ogni caso, conchiusa ormai da tempo la pausa estiva, la Santa Sede doveva dare una risposta al governo, anche perché si attendeva la venuta a Roma del sottosegretario Ivicević quale capo della missione jugoslava alla cerimonia conclusiva del concilio Vaticano II.

Informai dunque l'ambasciata della nostra posizione: nessuna difficoltà per la ripresa dei mutui rapporti; gravi difficoltà, invece, per il progetto di protocollo e anche per qualcuna delle dichiarazioni verbali. Le difficoltà fondamentali erano quelle ben note e già fatte presenti alla conclusione dei colloqui di giugno: il fatto che nessuna speciale concessione sarebbe stata fatta in favore della Chiesa cattolica oltre a quanto garantito per tutte le comunità religiose nella Costituzione e nelle leggi; mentre, invece, la Santa Sede avrebbe dovuto assumere impegni in materie sulle quali l'episcopato, il clero e l'opinione pubblica cattolica erano molto sensibili. Nuovamente sottolineavo, in particolare, la pena vivissima per il rifiuto di una specifica garanzia in materia di scuola.

Il 9 e 10 dicembre ci si trovò con la delegazione jugoslava, alla quale ripetei, ampliandole, tali considerazioni. Nulla da fare – fu la risposta – circa la possibilità di una ripresa dei rapporti bilaterali senza la firma di un documento d'intesa.

A questo punto non restava altro che: o lasciar cadere la trattativa (cosa che ai vescovi sembrava pericolosa) e rinunciare alla presenza di un rappresentante della Santa Sede in Jugoslavia (cosa che invece continuava ad apparire sommamente auspicabile all'episcopato); o cercare di migliorare il tormentato e discusso e ridiscusso risultato delle nostre trattative, come suggerito dal cardinal Šeper. Ci si mise dunque a un ultimo riesame del testo.

Ridotte all'osso, le nostre richieste riguardavano in primo luogo l'introduzione nel protocollo della precisazione che le garanzie costituzionali coprissero, non solo il fatto di appartenere a una confessione religiosa, ma anche la pratica e la professione della propria religione (precisazione che ai vescovi sembrava tutt'altro che superflua...); come pure che la deplorazione e la condanna del terrorismo da parte della Chiesa riguardavano ogni atto di terrorismo o analoghe forme delittuose di violenza politica da qualunque parte compiuto (la cosa a rigore, poteva apparire superflua, ma nel clima di diffuso e insuperabile sospetto e di tensione regnante poteva avere un effetto psicologico lenitivo). La Santa Sede chiedeva inoltre l'inserimento di una terza precisazione sulla quale già avevamo molto insistito nel corso delle trattative, e cioè che «non può essere considerato attività di carattere politico l'insegnamento delle verità dommatiche e morali della Chiesa cattolica».

Di tutto informai il cardinal Šeper, in procinto di far ritorno a Zagabria. Questa la risposta del cardinale: nel caso che fosse assolutamente necessario giungere alla firma di un documento, gli sarebbe parso piú che opportuno non pubblicarlo (ragione: vi si parlava, sia pure in forma estremamente controllata e prudente, di terrorismo e di possibile attività politica del clero, «argomenti oltremodo delicati»). Quanto al documento, il cardinale riteneva necessario che vi fossero inserite le modifiche da me suggerite.

Ricevuto questo voto autorevole, attendevamo la risposta del governo alle nostre richieste. Tale risposta giunse a fine febbraio. Il governo confermava ancora una volta che considerava inseparabili la ripresa dei rapporti interrotti nel dicembre 1952 e la firma del protocollo. Esso accettava le aggiunte o precisazioni da me richieste, meno quella circa il carattere non politico dell'esposizione della dottrina dommatica e morale della Chiesa (il governo obiettava che a volte tale insegnamento, per il modo, la forma, le circostanze può anch'esso assumere carattere e rilevanza politica). Il governo insisteva molto, da parte sua, perché il protocollo contenesse le assicurazioni desiderate circa il Collegio di San Girolamo a Roma (assicurazioni che per noi, a dir vero, non avrebbero presentato difficoltà, rispondendo esse del tutto alle nostre intenzioni, indipendentemente da richieste governative).

Un'idea si affacciava alla nostra mente: forse si sarebbe potuto andare incontro al desiderio del governo a due condizioni: non limitarsi al Collegio di San Girolamo, quasi si trattasse di un «sorvegliato speciale» (cosí era in realtà per il governo, il che sollevava le reazioni dell'episcopato), estendendo invece le assicurazioni a tutti gli istituti specificamente destinati ad accogliere all'estero studenti ecclesiastici jugoslavi; a patto però che fossero date le richieste assicurazioni contro la propaganda antireligiosa nelle scuole. Ma si poteva purtroppo prevedere che questa idea fosse condannata a non avere – come non ebbe – fortuna, anche perché nessun'altra comunità religiosa, a quanto pare, aveva sollevato il problema che stava invece tanto a cuore alla Chiesa cattolica.

Ormai una decisione era indilazionabile e veniva a ricadere pesantemente sulla Santa Sede.

Le conversazioni con il governo si erano protratte nel tempo, con la discussione, in largo e a fondo, di tutti i punti segnalati, in particolare, dall'episcopato. Questo, per il tramite del presidente della Conferenza episcopale, era stato informato e consultato il piú e il meglio possibile, nel desiderio di poter procedere in sintonia con esso.

L'insieme dei vescovi si era mostrato d'accordo sulla opportunità di evitare rotture con il governo, che avrebbero potuto pregiudicare per la Chiesa una situazione legale e di fatto, non ideale ma che era sostanzialmente migliore di quella degli altri paesi a regime comunista; mentre una ripresa di rapporti con il governo avrebbe potuto offrire alla Santa Sede la possibilità di essere d'aiuto per la Chiesa, pur nel quadro generale della Costituzione e delle leggi jugoslave.

Nella prolungata e faticosa trattativa con il governo, la Santa Sede era riuscita almeno a eliminare dal protocollo certe richieste che giustamente piú preoccupavano i vescovi: intervento governativo nelle nomine vescovili e approvazione delle associazioni professionali del clero; bloccata anche la richiesta di un qualche controllo sul Collegio di San Girolamo a Roma.

Salva la possibilità di cercare nelle dichiarazioni verbali una qualche forma sia pure imperfetta di piú ampia intesa, il contenuto dell'accordo formale, il protocollo, sarebbe venuto a ridursi cosí a pochissimi punti, per di piú di disuguale valore. 1) Per quel che interessava la Santa Sede, il governo, dopo aver precisati i principî costituzionali e legali sui quali si fondava la posizione giuridica delle comunità religiose in Jugoslavia, avrebbe garantito alla Chiesa cattolica, nell'ambito di tali principî, il libero esercizio delle attività religiose e del culto; gli organi competenti della comunità politico-sociale, dalla federazione al comune, avrebbero assicurato a tutti i cittadini, senza alcuna distinzione, la piena applicazione delle disposizioni circa il rispetto della libertà costituzionale di coscienza e di pratica religiosa; il governo si sarebbe dichiarato disposto a prendere in esame i casi che la Santa Sede avesse ritenuto di dovergli segnalare in relazione a tali questioni. Il governo avrebbe poi riconosciuto le competenze della Santa Sede nell'esercizio della sua giurisdizione sulla Chiesa cattolica in Jugoslavia in questioni spirituali e di carattere ecclesiastico e religioso e garantito anche per il futuro la possibilità dei contatti fra i vescovi e la Santa Sede. Facendo salve le richieste presentate per il completo regolamento dei rapporti Chiesa-Stato, la Santa Sede avrebbe preso atto delle dichiarazioni e delle assicurazioni date dal governo. 2) Per parte sua la Santa Sede, in risposta alle richieste del governo, avrebbe dovuto confermare la posizione di principio della Chiesa contro eventuali «abusi» delle funzioni ecclesiastiche e religiose per fini che fossero *realmente* di carattere politico; dichiarandosi disposta a prendere in esame i casi che il governo avesse creduto di segnalare in proposito. Ugualmente, la Santa Sede avrebbe dichiarato di disapprovare e condannare, in conformità ai principî della morale cattolica, «ogni atto, *da chiunque compiuto*, di terrorismo e analoghe forme de-

littuose di violenza politica». Il governo credeva che
qualche ecclesiastico cattolico avesse partecipato ad
azioni del genere? La Santa Sede sarebbe stata ugualmente disposta a prendere in esame eventuali segnalazioni al riguardo, «in ordine ai procedimenti ed eventuali provvedimenti, previsti per detti casi dal Diritto
canonico».

Questi due punti, i soli rimasti nel protocollo fra
quelli chiesti dal governo, in particolare quello relativo al terrorismo, riuscivano naturalmente sgraditi ai
vescovi (e non appena a loro, certamente!) Il solo fatto di non escludere in maniera assoluta l'eventualità
stessa di un abuso delle funzioni sacerdotali a scopi politici, ma soprattutto della partecipazione di un ecclesiastico ad atti di terrorismo, aveva in realtà un suono
altamente sgradevole. D'altra parte, le lagnanze e le accuse, specialmente di un coinvolgimento di sacerdoti
in politica, venivano continuamente ripetute. Quanto
al terrorismo, il governo lamentava la mancanza di condanne, da parte dei vescovi, delle attività attribuite a
circoli dell'emigrazione; vi era poi stato l'episodio sanguinoso dell'attentato contro il consolato jugoslavo di
Bonn, già ricordato, nel quale un tribunale germanico
aveva ravvisato e condannato la partecipazione di un
ecclesiastico cattolico (è vero che un caso è un caso, anche ammesso che la sentenza del tribunale tedesco fosse giusta; e non sarebbe stato giusto, naturalmente, far
indebite generalizzazioni...)
I due punti previsti nel protocollo enunciavano
principî generali ineccepibili in se stessi. Quanto ai
casi concreti, essi si limitavano ad affermare che la
Santa Sede sarebbe stata pronta a prendere in esame,
senza paure, eventuali accuse presentate dal governo,
per valutarle secondo giustizia e nel quadro del Diritto canonico, cosí come il governo si sarebbe dichiarato disposto a prendere in esame eventuali segnalazioni della Santa Sede sull'osservanza degli im-

pegni governativi circa il rispetto della libertà di coscienza e di pratica religiosa. Sicché il tutto poteva anzi esser visto quasi come una garanzia contro possibili e purtroppo ricorrenti calunnie a danno di ecclesiastici.

Non tutti, certamente, erano disposti a vedere cosí le cose, in un'atmosfera sempre molto tesa, nella quale, oltre a genuine preoccupazioni religiose, agivano anche, piú o meno consapevolmente, sentimenti non illegittimi ma di altro ordine. Lo stesso cardinal Šeper, pur tanto controllato e misurato, all'avvicinarsi del momento della decisione rifletteva sempre piú chiaramente il nervosismo dell'ambiente che lo circondava e dell'emigrazione ecclesiastica, specialmente croata, che gli faceva arrivare la sua voce.

Primo vantaggio naturalmente, riconosciuto anche dall'episcopato come s'è visto, la ripresa di un rapporto regolare con lo Stato, dopo dodici anni di separazione. Ripresa tanto piú significativa in quanto accompagnata dal riconoscimento delle competenze della Santa Sede nell'esercizio della sua giurisdizione sulla Chiesa cattolica in Jugoslavia in questioni spirituali e di carattere ecclesiastico e religioso. Si era ben lontani dal clima di continue accuse, rivolte alla Santa Sede, di «ingerenze negli affari interni della repubblica» che avevano avvelenato i primi anni di vita della nuova Jugoslavia e avevano condotto alla rottura del dicembre 1952.

Nella stessa linea era la garanzia data ai vescovi della Chiesa cattolica di poter anche in futuro mantenere contatti con la Santa Sede, considerando che tali contatti hanno un carattere esclusivamente ecclesiastico e religioso: questa precisazione poteva suonare per qualcuno come un'indiretta limitazione, ma era anzitutto il riconoscimento del carattere e delle finalità proprie dell'attività della Santa Sede e della Chiesa.

Benché le assicurazioni date dal protocollo non andassero oltre quelle contenute nella Costituzione e nelle leggi jugoslave, esso conteneva una formale garanzia bilaterale di carattere internazionale circa l'applicazione e il rispetto degli impegni costituzionali e legali da parte degli organi responsabili delle comunità politico-sociali del paese. E, quel che piú conta, alla Santa Sede era garantito di poter segnalare possibili abusi e inadempienze, che il governo si impegnava a prendere in esame. Quali efficaci conseguenze pratiche potesse avere questa disponibilità, era certo da vedere; ma il principio era importante e metteva su un nuovo piano di chiarezza i rapporti fra Santa Sede e Chiesa, da una parte, e lo Stato jugoslavo dall'altra.

La Santa Sede doveva ora giungere a una valutazione finale, quasi a un bilancio dei pro e dei contro: tenuto conto, con ogni comprensione, dei sentimenti dei quali si era fatto interprete il cardinal Šeper, ma tenendo presenti soprattutto gli interessi della Chiesa e il bene delle anime, in una prospettiva storica, guardando cioè non solo al presente, ma anche al futuro. La conclusione, sofferta ma convinta, fu che non ci si poteva sottrarre alla conclusione del paziente e faticoso negoziato.

11. *La decisione del papa. La firma del protocollo*.

Il 1° maggio il Santo Padre, «dopo aver ben considerato e soppesato i motivi favorevoli o contrari» (cosí scriveva lui stesso), dava il via ufficiale all'ultima fase delle «conversazioni». Questo termine era preferito dal Santo Padre; con il consenso della parte jugoslava, esso sarebbe apparso nel protocollo in luogo di «trattative» o «negoziato». Ci si incontrò, ancora a Roma, dal 18 al 23 aprile.

Dei problemi ancora restanti, dopo i precedenti colloqui, il piú fondamentale era quello riguardante le speciali garanzie richieste per gli alunni cattolici delle scuole pubbliche: garanzie rifiutate dal governo, formalmente – appunto – perché «speciali», per un gruppo di cittadini. Il governo, però, si diceva pronto a rilasciare una «dichiarazione verbale» per confermare «nuovamente che le garanzie generali di cui al punto 1/1 del protocollo garantiscono a tutti i cittadini, senza alcuna distinzione, la piena applicazione dalle leggi e dalle altre disposizioni con cui si assicura il rispetto della libertà di coscienza e della libertà di praticare la religione garantita dalla Costituzione della Rsfj». E in realtà, attesa l'impostazione di fondo data alla ricerca di un'intesa, sarebbe stato difficile, se non impossibile, al governo andare oltre. Restava poi in piedi la precedente «dichiarazione verbale» governativa circa l'esclusione dalle scuole di «associazioni speciali che abbiano come scopo la lotta antireligiosa».

Nella impossibilità di ottenere di piú, il Santo Padre volle che, in un'apposita «dichiarazione verbale», la Santa Sede esprimesse la sua vivissima pena per il rifiuto governativo, dichiarando che essa considerava indispensabile far rimanere chiaramente agli atti di voler mantenere la sua richiesta e che «non potrà dirsi soddisfatta fino a che, e nella misura nella quale verrà accolta».

Anche le note assicurazioni circa il Collegio di San Girolamo, desiderate dal governo ma spiacenti all'episcopato, furono rimandate a una «dichiarazione verbale». A una «dichiarazione verbale» furono però rinviate, di conseguenza, anche le assicurazioni e promesse governative riguardanti il diritto di proprietà della Chiesa su immobili e l'acquisto o la costruzione di nuovi edifici, come anche il ritorno alla disposizione e all'uso della Chiesa stessa di immobili di sua proprietà utilizzati da altri. La materia era stata inserita di comune accordo nel protocollo, fra i tre punti di interesse della Chiesa; essendo però rimasti ridotti a due i tre punti di interesse del governo (con l'omissione, appunto, di quello relativo al Collegio di San Girolamo), vennero ridotti a due anche i primi, con il sacrificio di quello che parve di un'importanza relativamente inferiore.

L'ultimo serrato e approfondito confronto con i rappresentanti governativi, pur non eliminando tutte le esitazioni create da considerazioni di ordine generale e dall'uno o dall'altro punto particolare, confermò il Santo Padre nella convinzione che fosse nell'interesse della Chiesa procedere alla firma del protocollo. Ne fu anzi, concordata la data: seconda metà di giugno, a Belgrado.

Il 26 maggio il papa riceveva il cardinal Šeper, che gli consegnò un suo esposto, ribadendo le sue considerazioni e le sue proposte contro la firma del protocollo, ma sembrò poi – come rendeva noto il papa – di arrendersi alle ragioni, espostegli da Sua Santità, «per cui si pensa non rifiutare l'occasione di dare alla Chiesa in Jugoslavia qualche sicurezza in mezzo a tante difficoltà e a tanti pericoli». Piú che arrendersi, il cardinale si rimetteva al giudizio della Santa Sede, alla quale, però, egli volle ancora, *in extremis*, prospettare un rinvio della firma; meglio ancora, un ripensamento dell'intera questione.

Questo tentativo di rimandare le cose in alto mare, anche con il pericolo di dover «affrontare possibili o sicure rappresaglie» (erano parole del cardinale), minacciava di creare un problema veramente grave per la Santa Sede e per la Chiesa in Jugoslavia. Nessun fatto nuovo, infatti, era emerso che potesse spiegare il cambiamento di un atteggiamento a cui si era giunti – come già detto – attraverso un lungo travaglio, del quale l'episcopato era stato informato, con l'invito a dare il proprio apporto. Nello scritto del cardinal Šeper, un'osservazione colpiva per la sua novità nei confronti di quelle da lui fatte in passato. Essa si riferiva all'impegno della Santa Sede a prendere eventuali provvedimenti per asseriti abusi delle attività sacerdotali a scopi politici o per asserita partecipazione ad azioni terroristiche; tale impegno, scriveva il cardinale, «apparirà come un tentativo riuscito del governo federale di piegare la Santa Sede ai suoi indirizzi anticroati». Questo inatteso ricorso agli indirizzi anticroati del governo (perché anticroati e non antireligiosi o anticattolici, come si sarebbe potuto aspettare?) appariva abbastanza significativo e metteva l'opposizione al protocollo in una luce che non poteva non suscitare qualche perplessità e che ne indeboliva la forza.

In linea subordinata il cardinale chiedeva nuovamente che i documenti, quand'anche firmati, non fossero pubblicati; chiedeva anche che i vescovi potessero dichiarare che i documenti stessi non erano stati formulati secondo proposte e d'intesa con l'episcopato.

Quanto alla pubblicazione del protocollo, già si era osservato che, trattandosi di documento bilaterale, sarebbe stato praticamente impossibile evitare che esso fosse fatto conoscere, almeno dall'altra parte; che se poi si fosse riusciti a mantenerlo riservato, ciò avrebbe dato luogo a chissà quali illazioni e supposizioni, che sarebbe stato inevitabile poi chiarire e rettificare. Per la seconda richiesta, si fece ufficialmente sapere al cardinale che il Santo Padre non aveva difficoltà a che, se i vescovi l'avessero desiderato, potessero far sapere che l'episcopato aveva fatto «presenti alla Santa Sede i propri rilievi e le proprie richieste... rimettendosi poi al giudizio e alle decisioni della sede apostolica». Con ogni riguardo si fece insieme notare che a questo punto chiedere all'altra parte un rinvio della firma sarebbe riuscito incomprensibile e immotivato.

La firma ebbe luogo, cosí, il 25 giugno, a Belgrado. L'arcivescovo di Belgrado, monsignor Bukatko, fu anche in quella occasione molto gentile e, vincendo qualche esitazione provocata dall'atteggiamento abbastanza conosciuto del cardinal Šeper, accettò di partecipare alla colazione offertami dal governo il giorno dopo la firma. Questo e alcuni altri gesti di cordialità usatimi dall'arcivescovo servirono a farmi sentire un po' meno a disagio, in una situazione nella quale era divenuta quasi palpabile una certa tensione, proprio con alcuni rappresentanti di quella Chiesa che si era voluto aiutare con tanta buona volontà e non senza sacrifici.

Durante il breve soggiorno nella capitale jugoslava approfittai della cortesia di quel rappresentante e francese per visitare l'edificio della nunziatura apostolica, affidato dal dicembre 1952 alla custodia della sua ambasciata. Mi complimentai con le due anziane suore che ne avevano tenuta cosí bene la cura; una era lí da una ventina d'anni e mi rispose con molta semplicità: sono quasi 14 anni che aspettavamo questo giorno!

Si chiudeva cosí un capitolo non breve e non facile della mia attività al servizio della Santa Sede: abbastanza tormentato, ma che poi il seguito mostrò non privo di frutti.

12. *Le relazioni diplomatiche. L'incontro con il presidente Tito (1970)*.

Il mio capitolo jugoslavo non era però definitivamente chiuso; attendeva, anzi, un completamento, che giunse quattro anni dopo, nel 1970.

Nel frattempo, come ho già ricordato, io ero stato nominato segretario della Congregazione per gli Affari ecclesiastici straordinari, e in quella veste avevo continuato naturalmente a seguire anche le questioni della Jugoslavia e le attività del delegato apostolico inviato presso quel governo, monsignor Mario Cagna[91], là trasferito dalla nunziatura apostolica in Giappone: una persona di intelligenza superiore, che io stesso avevo suggerito come uno dei piú preparati nei nostri servizi per una missione di cosí singolare importanza e difficoltà.

I primi quattro anni passati dalla firma del protocollo avevano permesso di valutare concretamente le possibilità che esso aveva offerto per lo sviluppo di migliori relazioni fra lo Stato e la Chiesa nel paese, come anche l'utilità dei rapporti ripresi fra la Jugoslavia e la Santa Sede, sia pure in una forma diplomaticamente

---

[91] Mario Cagna (1911-86), diplomatico, fu rappresentante pontificio in Jugoslavia (1970-76) e in Austria (1976-84).

singolare. L'esperienza fatta permetteva ormai di superare le esitazioni presenti nel 1966 e di arrivare, espletata da parte del governo federale la formalità della richiesta del consenso delle sei Repubbliche federate, allo stabilimento di normali relazioni diplomatiche.

Prendendo occasione da quello che poteva quasi apparire un coronamento dei colloqui iniziati nel 1963, il ministro degli Esteri Mirko Tepevac mi invitò per una visita ufficiale, che compii volontieri dal 24 al 26 agosto del 1970, accolto con calorosa cortesia, a Belgrado dapprima, e poi a Zagabria e a Lubiana. Il 26 mattina, accompagnato dal ministro Tepevac, raggiunsi con un aereo governativo l'aeroporto di Pola, e di là l'isola di Brioni dove si trovava il presidente Tito. Sull'aereo avevano preso posto anche gli ambasciatori dell'Ungheria e della Cina popolare che dovevano presentare le loro lettere credenziali al presidente. Ci trovammo però in comparti ben separati, tra i quali il ministro, da buon padrone di casa, faceva la spola. La presenza dell'ambasciatore cinese e un leggero cenno di saluto scambiato tra noi nell'incrociarci casualmente a Brioni diedero poi spunto a qualche fantasia giornalistica, sfiorita come un arboscello estivo senza radici.

L'incontro con il presidente Tito fu disteso e cordiale. L'apprezzamento del maresciallo per l'azione del papa in favore della pace e della collaborazione internazionale era evidente e appariva sincero. Il discorso toccò naturalmente, senza estendersi molto, il punto che a me stava piú a cuore, quello dei rapporti tra la nuova Jugoslavia e la Chiesa cattolica.

All'anziano presidente le lotte, prima, e poi i problemi e le difficoltà dei decenni passati apparivano evidentemente superati. Il protocollo del 1966, nella sua scarna essenzialità, riaprendo un dialogo diretto e continuato fra la Santa Sede e il governo jugoslavo, aveva in realtà creato il presupposto per la discussione e per la sperabile progressiva soluzione delle non poche questioni rimaste ancora aperte nei vari angoli di un paese che continuava a dichiararsi socialista.

Il maresciallo Tito, sembrando non avere idea di quella che si preparava a essere poi la realtà, si mostrava convinto di poter lasciare una società saldamente basata sul principio della autogestione e una Federazione destinata a rimanere unita anche dopo la sua scomparsa, grazie a un sistema di parità etnica e di equilibrio di poteri resistente alle spinte dirompenti che ne minavano, invece, mortalmente la consistenza.

Cosí egli dedicava le cure maggiori dei suoi anni piú maturi al sogno di un'attività al servizio delle grandi cause della vita internazionale, nelle file del movimento dei paesi non allineati, in cui era giunto a imporsi come una delle guide piú ascoltate.

In questa attività gli era facile trovare consonanze e assonanze con quella sviluppata, nel proprio campo e seguendo i propri principî, da quella sede apostolica con la quale era stato per tanti anni in acerbo conflitto. Giovanni XXIII e poi Paolo VI mostrarono di apprezzare, nei limiti di un'ispirazione diversa, ma non necessariamente in contrasto con quella cristiana, l'impegno del vecchio combattente partigiano diventato uomo di Stato e approdato, in molti dei suoi atteggiamenti in campo internazionale, a sponde che apparivano di genuina preoccupazione umana, pur senza abbandonare certe preferenze o pregiudizi legati alle sue origini ideologiche e storiche.

Il presidente Tito si preparava cosí all'incontro ufficiale che di lí a non molti mesi avrebbe avuto con il papa Paolo VI in Vaticano.

Passando da Brioni a Zagabria, potei venerare la tomba del cardinal Stepinac (mentre il protocollo mi fece trovare, in occasione del pranzo ufficiale offerto dal governo della Repubblica di Croazia, vicino a colui che dell'arcivescovo Stepinac era stato l'implacabile accusatore nel processo intentato contro di lui nel 1946).

Da Zagabria a Lubiana e poi a Roma: la vita riprendeva il suo ritmo normale. Avrei atteso altri quindici anni prima di rimettere piede in Jugoslavia, quale legato del papa per le celebrazioni dell'undicesimo centenario dalla morte del grande apostolo degli slavi, san Metodio.

### 13. *Di nuovo in Jugoslavia quale legato pontificio (1985)*.

La sera del 2 luglio del 1985 giungevo a Belgrado. Il giorno seguente fu riservato agli incontri con personalità politiche e con il patriarca serbo-ortodosso German, che visitai nella sua residenza e che restituí cortesemente la visita nella nunziatura. Del governo jugoslavo vidi in mattinata la signora Milka Planinc, primo ministro, con il viceministro degli Esteri, signor Lončar. Donna energica e decisa, la Planinc tornava da un viaggio negli Usa e si accingeva a compierne uno nell'Urss; questo orientò la nostra conversazione, fra lei esponente di un paese non allineato e un rappresentante della Santa Sede, che sul piano internazionale intendeva muoversi senza legami o condizionamenti nei riguardi dei due grandi blocchi mondiali o di altre potenze, ispirandosi solo a criteri di giustizia e di solidale collaborazione fra i popoli.

Quanto ai rapporti fra Stato e Chiesa la primo ministro, di nazionalità croata, trovava modo di lamentarsi acerbamente dello spirito nazionalistico che, secondo lei, avrebbe animato anche certi ecclesiastici cattolici, mettendo in pericolo la pacifica convivenza dei popoli della Jugoslavia. «Potremmo immaginare che cosa accadrebbe se ognuno di questi popoli volesse portare avanti le sue rivendicazioni, in favore per esempio di una Grande Croazia, di una Grande Serbia, di una Grande Macedonia, a scapito del territorio di altri popoli...» Questa osservazione della signora Planinc mi torna naturalmente alla mente, osservando quanto va accadendo in Jugoslavia e quanto potrebbe annunciarsi per il suo futuro.

Nel pomeriggio, incontro con il signor Sinan Hasani, vicepresidente della presidenza della Rsf di Jugoslavia. Il signor Hasani, musulmano, fu molto cortese e positivo nel giudizio sulla situazione maturata dopo la firma del protocollo, nonostante l'esistenza di certi problemi e difficoltà: casi rari, assicurava il vicepresidente, dovuti all'azione di alcuni individui che cercavano di far uso della religione per fini politici o nazionalistici. Il vicepresidente usava una mano piú leggera della signora Planinc, ma andava nello stesso senso; per cui non volli mancare di chiedere se ciò che il governo giudicava gesti politici non fossero invece, spesso, una reazione di difesa di fronte ad atteggiamenti di organi di uno Stato ispirato pur sempre a una pregiudiziale ideologica non favorevole alla religione.

Messo un po' in imbarazzo da questa diretta rievocazione di una realtà di fondo che il protocollo non aveva potuto superare, il signor Hasani cercò di riassicurarci della sincerità del rispetto del governo per la libertà religiosa dei cittadini e per la loro uguaglianza sul piano politico e sociale. Assicurazioni che ripeté nel brindisi pronunciato alla fine del pranzo da lui offerto in mio onore.

La peculiarità della situazione jugoslava, cosí diversa da quella dei paesi non ideologicamente segnati dal marxismo, eppure tanto diversa anche da quella dei paesi del «socialismo reale» o delle «democrazie popolari» dell'Europa dell'Est, riusciva quasi palpabile, specialmente nella vita religiosa della Croazia. Pur nel persistere o nell'insorgere di molteplici difficoltà, la constatazione di tale situazione mi convinceva sempre piú dell'opportunità della contrastata e spesso criticata decisione del 1966: non quale punto di arrivo, ma come piattaforma per poter lavorare, benché faticosamente, al suo superamento. Però, naturalmente, non tutti coloro che erano costretti a vivere, spesso dolorosamente, i problemi e le delusioni della vita d'ogni giorno ne erano convinti. E spesso lo mostravano, non sempre, per la verità, contribuendo ad affrettare il miglioramento desiderabile. Il 4 luglio proseguii il mio viaggio alla volta di Djakovo, dove ebbi un incontro con la Conferenza episcopale jugoslava e, alla fine della giornata, potei partecipare alla «Sessione accademica» preparata per l'occasione del centenario. Alla sessione, come, il mattino seguente, alla solenne concelebrazione nella cattedrale di Djakovo, erano presenti anche vari cardinali e vescovi europei, in rappresentanza anche delle rispettive Conferenze episcopali. Ciò sottolineava la peculiarità jugoslava, al confronto, ad esempio, della Cecoslovacchia che stavo per visitare.

Lasciando nel pomeriggio la Jugoslavia per Praga, il mio cuore era pieno di contrastanti sentimenti: gioia, speranza, un po' di preoccupazione, e anche una vera nostalgia per un paese con tanti problemi latenti, ma tanto caro, e oggi ancor piú caro, dopo che molti di tali problemi sono violentemente esplosi.

Capitolo undicesimo

Polonia

Nella «famiglia» dei paesi comunisti, ciascuno con il proprio passato e con le proprie caratteristiche, la Polonia si distingueva fortemente per la storia e per un carattere nazionale forgiato in lunghi secoli di glorie e di tragedie.

Stalin stesso avrebbe affermato un po' scherzosamente – o forse un po', e anche molto, stizzosamente – che sarebbe stato piú facile riuscire a sellare una mucca che a fare di un polacco un vero comunista. Una battuta non molto riguardosa, né molto fine, ma che sembrava rispecchiare abbastanza la verità circa il rapporto fra comunismo e popolo polacco. Un po' sulla stessa linea, Lech Wałęsa[92] disse una volta in un'intervista al giornale italiano «La Stampa», d'aver conosciuto in Polonia un solo vero comunista: non era un dirigente del Poup, ma un operaio di Danzica, tanto comunista che alla fine era stato espulso dal partito.

Battute a parte, era evidente che un carattere cosí indipendente e individualistico (alcuni dicevano anarchico), insofferente di gioghi e di costrizioni come quello polacco non era il piú disposto a lasciarsi irreggimentare in un sistema collettivistico e totalitario, sotto un regime autoritario di stampo sovietico, senza spazio di libertà e di iniziativa personale. Quel che era

[92] Lech Wałęsa (1943), dal 1967 ha lavorato ai cantieri navali di Danzica. Fervente cattolico, è diventato alla fine degli anni Settanta il leader del sindacato spontaneo, avverso al regime, Solidarność. Premio Nobel per la pace nel 1983, ha trattato con Jaruzelski la transizione pacifica della Polonia alla democrazia. Dal 1990 al 1995 è stato presidente della Repubblica.

vero per tutti i popoli «affratellati» all'ombra dell'Urss, scossi anch'essi da fremiti di ribellione, qualche volta sfociati in aperta rivolta e subito repressi, valeva in maniera speciale per la Polonia.

Questa, poi, dopo le amputazioni territoriali all'Est, l'esodo forzato di milioni di protestanti tedeschi all'ovest e, purtroppo, l'eccidio di milioni di cittadini ebrei da parte hitleriana, si era trovata alla fine della guerra con una popolazione compattamente cattolica nella sua quasi totalità. L'attaccamento alla religione cattolica e a quello che di questa religione era da secoli quasi il simbolo per i polacchi, la Madonna di Częstochowa, si manifestò in Polonia non solo un elemento unificante per la grande massa estromessa dalle decisioni e dal potere, ma una forza di resistenza tenace contro le pressioni del regime, soprattutto nel campo dell'ideologia e della coscienza.

Cosí il governo, in simbiosi con il partito, con i mezzi e gli strumenti a sua disposizione, entrava da dominatore in tutti i settori della vita privata e sociale, ma non riusciva a imporsi nel santuario delle anime, dove pure – come negli altri paesi comunisti – cercava in mille modi di insinuarsi; e neppure – a differenza degli altri paesi – era in grado di impedire le espressioni esterne della fede religiosa e la sua organizzazione.

Infatti il quadro che la Polonia presentava, a questo rispetto, era ben diverso da quello del resto del mondo sovietico, pur avendo con questo ben piú d'una rassomiglianza, sia sul piano della legislazione, sia su quello delle iniziative dei vari poteri dello Stato.

I primi anni del dopoguerra furono di fortissima tensione; durante quel periodo, fra l'altro, furono poste le basi legali per i rapporti della nuova Polonia con la religione e con la Chiesa cattolica (a cominciare dalla denunzia del Concordato del 1925 con la Santa Sede). Poi governo ed episcopato giunsero a un «accordo», firmato il 14 aprile 1950. Le ostilità continuarono però, parallelamente alle tensioni interne che turbavano la vita del regime, culminando, in certo modo, con la relegazione del cardinal Wyszyński, che fu allontanato dalla sua sede alla fine del 1953, in seguito alla sua protesta per la condanna inflitta al vescovo di Kielce, monsignor Kaczmarek[93]. Nello stesso periodo fu allontanato dall'incarico e relegato anche il segretario generale del Poup Władysław Gomułka, comunista con tendenze nazionalistiche. Nel 1953 il governo aveva emanato anche un decreto per regolare l'«investitura alle funzioni ecclesiastiche», ossia per dar veste legale all'ingerenza del potere governativo nelle nomine, particolarmente dei vescovi. Furono gli anni della massima pressione contro la Chiesa, le persone e le istituzioni ecclesiastiche.

Ma la Chiesa, con l'appoggio del popolo, resisteva. Il 26 maggio del 1956, nel terzo centenario della difesa del santuario di Częstochowa dai Turchi, un pellegrinaggio nazionale vedeva riunito presso quella cittadella mariana oltre un milione di persone, con tutti i vescovi allora liberi e moltissimi sacerdoti. Anche la situazione politica andava cambiando. Nell'ottobre di quell'anno, dopo le agitazioni di Poznań, fu liberato e tornò al potere Gomułka, e anche il cardinal Wyszyński poté far ritorno alla sua sede. Il decreto del febbraio 1953 fu sostituito, alla fine del 1956, con altra disposizione meno dura nei termini, ma ancora lesiva dei diritti della Chiesa. È da notare peraltro che né l'uno né l'altro decreto, pur complicando molto le cose, riuscì a impedire, quasi in nessun caso, la nomina di nuovi vescovi, come accadeva invece in Ungheria, e specialmente in Cecoslovacchia.

L'ondata di provvedimenti contro ecclesiastici, religiosi, religiose e contro le istituzioni della Chiesa riprese ben presto, e con crescente asprezza, benché già nel 1957, e poi nel 1958, vi fossero incontri confidenziali tra il cardinale primate, il primo ministro Cyrankiewicz[94] e lo stesso segretario generale del partito

---

[93] Czesław Kaczmarek (1895-1963) fu vescovo di Kielce dal 1938.

[94] Józef Cyrankiewicz (1911-89), socialista, nel 1947 si schierò per la fusione con i comunisti nel nuovo Partito operaio unificato polacco (Poup). Fu presidente del Consiglio dal 1947 al 1952 e di nuovo dal 1954 al 1970. Dal 1970 al 1972 fu presidente del Consiglio di Stato.

Gomułka per «normalizzare» i rapporti fra Chiesa e Stato.

Altro incontro del cardinale con il segretario generale nel maggio del 1963. Tornato, poi, a Varsavia da Roma, dopo aver riferito alla Santa Sede circa il desiderio di normalizzazione manifestatogli dal governo, il cardinale ebbe un nuovo colloquio con Gomułka, ma, informava poi, con esito negativo.

Fino ad allora non avevo avuto occasione di occuparmi delle cose di Polonia, sulle quali ero informato, ad ogni modo, come sottosegretario per gli Affari straordinari. Solo all'inizio del 1965 ebbi l'incarico di portare avanti, da parte della Segreteria di Stato, i contatti con la parte polacca.

Il panorama della Chiesa in Polonia si presentava allora, nelle grandi linee cosí: un episcopato praticamente al completo, con ordinari presenti in tutte le diocesi, almeno in qualità di amministratori apostolici, con numerosi vescovi ausiliari.

La grande arcidiocesi di Cracovia era stato provvista poco prima, il 13 gennaio del 1964, con la nomina di un giovane presule, allora quasi ignoto fuori dai confini della patria, Karol Wojtyła. Nonostante i continui tentativi del governo di introdurre elementi di divisione, l'episcopato restava saldamente unito e compatto, sotto la ferma direzione di un primate come il cardinal Wyszyński. Rare e quasi in sordina le voci di qualche dissenso fra i vescovi. Non sempre tutti erano in pieno accordo con i criteri del cardinale, almeno in certi casi. E pesava ad alcuni il fatto stesso dell'esistenza di un'autorità che sembrava limitare e condizionare quella dei singoli vescovi. Tutti però si rendevano conto che questa situazione, certo non normale, era giustificata, o imposta, dalle molteplicità e dalla gravità dei problemi davanti ai quali solo il fronte comune dei vescovi, del clero e dei fedeli lasciava sperare di poter resistere alle pressioni del regime. Questo era guidato da una chiara finalità e da una lucida idea strategica, anche se in realtà era debole – e alla fine si manifestò impotente – nonostante l'appoggio del blocco sovietico e soprattutto dell'Urss, di fronte alla resistenza e all'opposizione compatta di un'intera nazione.

Sulla fedeltà del popolo polacco alla religione cattolica, anche nelle sue implicazioni in campo morale e sociale, e sulla sua ubbidienza alla guida della Chiesa anche nella costruzione della città terrena sono ultimamente emersi vari motivi di dubbio. Essi sono stati sollevati specialmente dopo le vicende politiche che hanno visto in Polonia manifestarsi, almeno all'inizio, un favore popolare maggioritario verso forze poco ossequienti, quando non in contrasto con palesi principî cristiani, soprattutto in materia di famiglia e di rapporto fra Chiesa e Stato. Facilmente soltanto gli anni futuri potranno dare risposte piú sicure. Ma le mie esperienze passate, pur tenendo nel debito conto che allora la Chiesa appariva l'unica forza capace di resistere all'egemonia di un potere inviso alla piú gran parte della popolazione, non mi lasciano dubbi sulla sincerità e sulla profondità dell'attaccamento di cuore dei polacchi, nella loro immensa maggioranza, alla religione e alla Chiesa che li hanno accompagnati nei secoli, e specialmente nei momenti piú duri della loro storia travagliata.

L'unanimità morale della popolazione attorno ai vescovi e al primate obbligava governo e partito alla cautela, specialmente nel prendere provvedimenti vistosi, che avrebbero provocato le piú forti ed estese reazioni, anche nel ceto operaio dei cantieri navali e delle miniere, del cui consenso il regime sentiva maggiormente il bisogno. Cosí per quel che riguardava la presenza dei vescovi nelle diocesi. Cosí per le grandi manifestazioni religiose, alle quali le popolazioni restavano tanto attaccate. Se ne accorse il governo quando volle ostacolare il «pellegrinaggio» dell'effigie della Madonna di Częstochowa attraverso il paese, pellegrinaggio organizzato dall'episcopato in occasione del millennio del

Battesimo della Polonia. Quando era impedita la presenza dell'immagine, in «pellegrinaggio» veniva portata una cornice vuota e la risposta emotiva della gente assumeva anche un carattere di protesta contro chi teneva «prigioniera» l'immagine tanto venerata.

Il governo si rifaceva poi, in cento modi meno appariscenti, ma non meno dannosi talvolta, che costituivano un assillo quotidiano per i vescovi e per il clero. Oggetto speciale dell'attenzione del regime e di preoccupazione da parte della Chiesa, evidentemente, la gioventú: e la scuola, e le organizzazioni giovanili di ogni genere, e il servizio militare... Tante armi nelle mani di chi voleva costruire per il futuro una umanità nuova, collettivistica e senza Dio.

Un insieme di cose che manteneva uno stato costante di forti tensioni. E se queste creavano continui, grossi problemi per la Chiesa, non erano senza contraccolpi negativi per lo Stato e per il regime, che di problemi ne aveva già tanti per proprio conto: a cominciare, se si vuole, da una situazione economica in via di crescente peggioramento, un peggioramento legato, d'altra parte, a una situazione sociale minata da irrequietezza e da profondo scontento. La politica antireligiosa del governo e i suoi continui scontri con la Chiesa non miglioravano certo le cose.

Ciò poteva spiegare la volontà espressa dal governo, o meglio le sue velleità, di cercare qualche accordo che assicurasse una «normalizzazione» dei rapporti fra Chiesa e Stato.

L'episcopato, dopo tante amare esperienze, manifestava poca o nessuna fiducia nella reale volontà del governo di trattare seriamente, e soprattutto di osservare lealmente eventuali intese. D'altra parte, neppure il governo era molto, o forse per nulla, convinto che l'episcopato, e soprattutto il cardinal Wyszyński, desiderassero davvero una rappacificazione. La mutua sfiducia era paralizzante.

L'idea di un negoziato con la Santa Sede ritornava a galla. Essa sembrava sempre piú sostenuta dal governo e da certi cattolici: con quali scopi? Era facile sospettarlo. Ciononostante, i vescovi e il combattivo primate non si manifestavano contrari a che Roma rispondesse alle eventuali aperture governative, intervenendo direttamente in discussioni riguardanti le relazioni della Chiesa con lo Stato comunista (nonostante restasse sempre nell'aria, una frase attribuita a Pio XII: «La Polonia farà da sé»). Non nascondevano però il timore che gli incaricati della Santa Sede, non potendo forse conoscere pienamente la concreta o le concrete situazioni polacche, e non avendo sufficiente esperienza dei metodi dei regimi e dei negoziatori comunisti, potessero cadere in qualche tranello.

Anche per questo, ma non solo per questo, la nostra posizione fu costantemente di dare assicurazione che la Santa Sede avrebbe proceduto sempre in contatto con l'episcopato (grazie a Dio, al contrario che in Ungheria e in Cecoslovacchia, vi era in Polonia un episcopato al completo, unito, e in realtà libero – nonostante le molte pressioni – nel valutare e nell'esprimere alla Santa Sede, senza complessi, le sue valutazioni sui vari problemi).

Confortata quindi dal consenso, sia pur condizionato, dei vescovi, la Santa Sede decise di aprire questo nuovo capitolo delle conversazioni con il mondo al di là della Cortina.


L'inizio ufficiale dei miei contatti con la Polonia avvenne il 5 aprile del 1965 quando, alla nunziatura apostolica a Roma, incontrai confidenzialmente l'ambasciatore polacco in Italia, Willmann. Il lungo colloquio si mantenne sempre su un piano di grande correttezza, ma quanto al contenuto apparve subito la difficoltà di proseguirlo. Infatti l'ambasciatore mise immediatamente avanti la «condizione» che il suo governo poneva per poter giungere alla normalizzazione dei rapporti con la Santa Sede: il riconoscimento dei nuovi confini occidentali della Polonia con la Germania, sulla linea Oder-Neisse.

Era, questo, un punto che stava fortemente a cuore a tutti i polacchi: governo comunista, emigrati anticomunisti con il loro governo di Londra, anticomunisti in patria. La Chiesa non era la meno decisa nel sostenere la tesi del carattere polacco dei territori passati, alla fine della guerra, dalla Germania alla Polonia: restituiti, secondo i polacchi, sottratti alla Germania sconfitta, secondo i tedeschi (o rapiti, per i numerosi «revanscisti», e specialmente per gli antichi abitanti, che avevano dovuto abbandonarli).

In realtà, circa otto milioni di persone erano state obbligate a lasciare le terre polacche dell'Est, annesse all'Unione Sovietica al termine del conflitto, per essere insediate a occidente, in luogo di un numero non minore di cittadini tedeschi, espulsi a loro volta, con una trasmigrazione di proporzioni bibliche. Un ritorno alla situazione territoriale prebellica appariva praticamente impensabile: a meno di una nuova guerra Est-Ovest, fortunatamente improbabile, o di un non meno improbabile consenso delle nazioni vincitrici, Polonia compresa, per un radicale sconvolgimento dei risultati del gigantesco sforzo sostenuto contro la Germania nazista.

La Santa Sede si rendeva conto, non meno di altri, della irreversibilità della nuova configurazione territoriale in quella parte di Europa. Questa comportava gravissimi problemi, non solo di carattere pastorale, per assicurare l'assistenza religiosa a tanti milioni di persone sradicate dalla loro patria, ma anche per la ridefinizione canonica delle circoscrizioni ecclesiastiche sconvolte dal mutamento dei confini, all'ovest non meno che all'est.

Evidentemente, la Polonia non aveva potuto opporsi alla decisione di ritirare verso ovest le sue frontiere con l'Urss (Lituania, Bielorussia, Ucraina). Toccate le arcidiocesi di Vilna al nord e di Leopoli al sud, e in mezzo la diocesi di Pinsk; tre amministratori apostolici residenti in Polonia furono nominati per le loro parti rimaste entro i confini polacchi. A occidente la Polonia, che a est appariva chiaramente vittima del più forte, faceva la figura del piú forte nei confronti del piú debole, ossia della Germania prostrata dalla vittoria alleata.

A differenza della Polonia, però, la Germania non si dimostrava disposta ad accettare senz'altro le decisioni dei vincitori. È però vero che la Repubblica democratica tedesca (Ddr) – quella parte, cioè, del vecchio Reich, occupata dall'Urss, che la Repubblica federale di Germania continuava a chiamare la «zona» – era addivenuta a un accordo con la Polonia, accettando la nuova frontiera, che d'altronde la toccava direttamente. Ma mancando, da parte della comunità internazionale nel suo insieme, il riconoscimento della Ddr quale Stato, anche il riconoscimento dei nuovi confini da essa effettuato seguiva la stessa sorte. La Repubblica federale di Germania, da parte sua, sostenendo la propria sovranità su tutto il territorio germanico e l'esclusivo diritto di decidere a suo riguardo in eventuali convenzioni internazionali, negava ogni valore giuridico all'accordo stipulato con la Polonia dal governo tedesco-orientale.

Tutto questo metteva in serio imbarazzo la Santa Sede, stretta tra le attese di un popolo tanto caro e fedele come quello polacco e la rigida posizione di un paese, Germania federale, con il quale il Vaticano aveva rapporti diplomatici di antiche radici. Ma aveva soprattutto il vincolo di concordati che avevano resistito alla bufera della guerra e della sconfitta; questi – analogamente a quanto stabilito in altri concordati dell'epoca moderna – concedevano alla parte statale un certo diritto di intervento nella erezione o modificazione delle circoscrizioni ecclesiastiche e nella nomina dei vescovi residenziali (o prelati *nullius*) o di loro coadiutori con diritto di successione: tutti, fra le altre condizioni, dovevano essere cittadini tedeschi.

Per assicurare la cura pastorale e un'ordinata assistenza spirituale dei milioni di nuovi insediati nei territori già tedeschi (anzi ancora tedeschi di diritto, secondo la Germania federale), sarebbe stato necessario provvedere alla costituzione di una regolare gerarchia e possibilmente anche a una ristrutturazione ecclesiastica di quelle vaste regioni, prima abitate in gran parte da non cattolici. Cose impossibili, l'una e l'altra, senza chiedere e ottenere un impensabile consenso del governo di Bonn: richieste e consenso che, d'altra parte, sarebbero stati sdegnosamente – e comprensibilmente – rifiutati da parte polacca, come un riconoscimento della tesi tedesca assolutamente respinta da tutti i polacchi.

Passare oltre era impossibile per la Santa Sede, non tanto per timore di qualche «rappresaglia» del governo tedesco-occidentale sul piano dei suoi impegni concordatari, ma per un principio generale cosí indicato in una nota, parziale e per la verità un po' tormentata, che si poteva leggere nell'Annuario pontificio di quegli anni alla voce «Breslavia, Breslau, Wrocław» (difficile sforzo di equilibrio, anche nella questione dei nomi, fra contrastanti pretese): «Come è noto, la Santa Sede non suole procedere a cambiamenti definitivi circa i confini diocesani, finché eventuali questioni di diritto internazionale concernenti quei territori non siano state regolate mediante trattati che abbiano ottenuto pieno riconoscimento». Nel caso dei territori in parola le questioni di diritto internazionale non erano né eventuali, né regolate come la Santa Sede esigeva.

La posizione della Santa Sede, nonostante i suoi tradizionali rapporti di speciale amicizia con il popolo polacco, non era affatto apprezzata, e neppure ben compresa in Polonia. Qui le sue preoccupazioni di carattere giuridico erano viste piuttosto come una scelta politica, in favore della parte tedesca (con molta amarezza, anche se con un dispiacere evidentemente sincero, un vescovo polacco si era una volta sfogato con me: «Paolo VI passerà purtroppo alla storia come il piú antipolacco dei papi!» L'oscura previsione, fortunatamente, non si è verificata, anche per il mutamento della situazione poi intervenuto). Difficile era spiegare un atteggiamento ritenuto doveroso dalla Santa Sede ma dolorosamente risentito, da un popolo cattolico che aveva tanto sofferto, come un'inspiegabile ingiustizia, dopo le tante già subite nella sua lunga storia e che la conquista (o la «riconquista») dei «territori occidentali e nord-occidentali» gli sembrava aver finalmente parzialmente riparate.

Per provvedere nel miglior modo possibile alle esigenze pastorali senza urtare negli scogli del diritto internazionale, la Santa Sede giunse alla fine dopo un periodo piuttosto confuso e incerto alla decisione di dividere quei territori in tre grandi zone – centrale, settentrionale, meridionale – comprendenti nel loro insieme l'arcidiocesi di Breslavia, la diocesi di Warmia (Ermland), la prelatura *nullius* di Schneidemuhl e parte della diocesi di Berlino. A capo di ciascuna delle tre zone fu preposto un amministratore apostolico *ad nutum Sanctae Sedis*, coadiuvato da vari vescovi ausiliari.

A prescindere dagli aspetti giuridici, tutto funzionava in realtà come se si fosse trattato di vere diocesi. Ma ben diversa era la situazione sotto l'aspetto psicologico. E il passare degli anni poteva sí attutire la sensibilità della popolazione nei riguardi delle anormalità canoniche della situazione, ma non riusciva a vincere l'amarezza della ferita che, specialmente la gerarchia, continuava a risentire in fondo al cuore. Unico conforto la nomina di un vescovo polacco per la vecchia città libera di Danzica, non coperta dall'ombrello concordatario, alla morte del vescovo monsignor Splett[95], allontanatosi dalla sua sede con la popolazione tedesca della diocesi.

Fu solo nel giugno del 1972 che la Santa Sede poté andare incontro alle attese della Polonia, erigendo nei «territori occidentali e nord-occidentali» del paese alcune nuove diocesi in aggiunta alle antiche di Breslavia e di Warmia e preponendo a esse, a cominciare dalla sede metropolitana di Breslavia, vescovi residenziali anziché amministratori apostolici (in seguito le circoscrizioni ecclesiastiche negli stessi territori furono aumentate, con l'erezione anche di due nuove province ecclesiastiche).

[95] Carl Maria Splett (1898-1964) fu dal 1938 vescovo di Danzica.

Nel giugno del 1972 la Repubblica federale di Germania aveva ratificato l'accordo con il quale rinunciava a esercitare sui territori passati alla Polonia i diritti di sovranità che aveva continuato a rivendicare: quindi – concludemmo – anche a esercitare i privilegi riguardanti l'erezione, modifica e provvista delle circoscrizioni ecclesiastiche. E di conseguenza la Santa Sede procedette senza porre tempo in mezzo.

Naturalmente, grandi furono il sollievo e la gioia della gerarchia polacca. Il governo di Varsavia trovò modo di fare un po' il difficile, perché la Chiesa aveva proceduto senza accordo con lo Stato polacco; aggiunse poi di non comprendere perché la Santa Sede non aveva compiuto, insieme, analoga normalizzazione anche per i territori ai confini con l'Unione Sovietica. Non mi fu difficile rispondere; ma, sottovoce, l'ambasciatore polacco a Roma tenne a dirmi che il governo aveva dovuto lamentarsi un poco, per ragioni di principio quanto ai rapporti Stato-Chiesa in Polonia, e per un riguardo verso il grande vicino e fratello dell'Est; ma, insomma, era molto soddisfatto (la normalizzazione dei territori a oriente fu poi compiuta dalla Santa Sede nei primi anni Novanta, parallelamente alla erezione o restaurazione di nuove e vecchie circoscrizioni ecclesiastiche in Bielorussia e Ucraina).

Tornando al mio primo incontro con l'ambasciatore polacco a Roma, esso, per la condizione posta dal governo, minacciava di chiudere subito ogni possibilità di dialogo. L'ambasciatore appariva piuttosto demoralizzato. Ci salvammo in angolo, con la riserva di riferire alle nostre rispettive autorità superiori e con l'assicurazione, da parte mia, di un attento esame di ogni eventuale nuovo elemento di valutazione che fosse portato a nostra conoscenza circa la questione delle frontiere.

Ci incontrammo di nuovo tre mesi dopo, l'8 luglio 1965. Nel frattempo, mi disse fra l'altro l'ambasciatore, c'erano state cerimonie religiose, con la partecipazione del cardinal Wyszyński e di una ventina di vescovi, per celebrare il ventennale del «ritorno» dei territori occidentali e nord-occidentali alla madrepatria; era stata apertamente rinnovata l'affermazione del loro carattere polacco e della necessità che essi ricevessero finalmente una sitemazione definitiva anche sotto l'aspetto ecclesiastico: cosa che toccava alla Santa Sede. Purtroppo io non avevo novità da comunicargli; ma il colloquio non si chiuse con una rottura.

L'ambasciatore aveva parlato anche della persuasione «manifestata autorevolmente a Varsavia», sulla necessità di giungere alla normalizzazione dei rapporti con la Chiesa cattolica. Assicurai che non c'era da dubitare di analoga buona disposizione da parte della Santa Sede. Nessun accenno, invece, fece l'ambasciatore alla questione, allora nell'aria, di un viaggio del papa in Polonia. Intanto l'episcopato stava portando a termine la «novena» di anni in preparazione alla celebrazione del millenario del Battesimo della nazione, nel 1966.

Ma sul finire del 1965 un grosso incidente venne a intorbidire ancor piú gravemente i rapporti già tanto tesi fra l'episcopato e il governo. Il 18 novembre, nel quadro degli inviti rivolti ai vescovi cattolici delle diverse parti del mondo a unirsi spiritualmente alle celebrazioni del prossimo millenario, i vescovi polacchi inviarono a quelli tedeschi una lettera di un contenuto e di un'importanza singolari. Ricordando la lunga storia dei rapporti fra la Germania e la Polonia, fra luci e ombre, specialmente nel tragico periodo dell'ultima guerra, i vescovi polacchi lanciavano un appello: «Cerchiamo di dimenticare!» E tendevano le mani ai fratelli tedeschi «perdonando e chiedendo perdono». Da perdonare ai tedeschi, i polacchi ne avevano molto senz'altro; ma anche i tedeschi avevano avuto poi molto da soffrire per l'espulsione di milioni di loro connazionali dai territori annessi alla Polonia dopo il grande conflitto. La risposta dei vescovi tedeschi, com'era da aspettarsi, fu positiva: «Con rispetto fraterno stringiamo le vostre mani tese [...] mai piú il fantasma malefico dell'odio possa dividere le nostre mani» (sul riconoscimento dei nuovi confini tedesco-polacchi i vescovi tedeschi, in pratica quelli della Germania federale, non avevano potuto e verosimilmente neppur voluto impegnarsi). Nient'affatto positiva fu invece la reazione del regime polacco, che condannava il passo dell'episcopato come un tradimento degli interessi nazionali e come il tentativo di sostituirsi al governo nel fissare le linee della politica estera del paese (anche perché poteva sembrare che i vescovi volessero giustificare l'allontanamento della popolazione tedesca dai territori dell'Oder-Neisse quasi come una necessità imposta dalla forzata trasmigrazione della popolazione polacca dai territori annessi, a est, dall'Unione Sovietica). «Non dimenticheremo e non perdoneremo» era lo slogan contrapposto al «perdoniamo e chiediamo perdono» dei vescovi.

Le ostilità governative contro l'episcopato, e piú direttamente contro il cardinale primate, raggiunsero punte incandescenti, destinate a diventare sempre piú infuocate nel corso del 1966, a mano a mano che procedevano le manifestazioni organizzate dalla gerarchia per il millenario e che vedevano vescovi, clero, masse di fedeli stringersi a turno, intorno al primate nelle diverse città del paese. Parallelamente si svolgevano cerimonie commemorative di carattere statale (scherzosamente si sentiva dire che celebrazioni ecclesiastiche e civili andavano di pari passo: gli stessi giorni festivi, al mattino la Chiesa e nel pomeriggio lo Stato; praticamente gli stessi praticanti; solo che il giorno era scelto dal cardinale). Screzi e urti erano all'ordine del giorno: la Chiesa affermava la sua presa sul popolo; il regime cercava di affermare la sua e, non riuscendoci troppo, si sfogava come meglio gli permetteva la sua posizione di forza, seppur meno assoluta che negli altri Stati comunisti.

Il cardinal Wyszyński era il nemico, sobillatore e organizzatore – secondo il governo – della opposizione politica contro il regime, sotto parvenze religiose.

Le celebrazioni del millenario si prestavano in maniera straordinaria agli screzi e alle recriminazioni. Il 26 giugno, a Varsavia, la misura parve raggiungere il colmo e l'immagine della Madonna di Częstochowa, per ordine governativo, dovette interrompere il suo pellegrinaggio, restando «reclusa» nella cattedrale.

Recluso, in certo modo, era anche il primate: dopo lo scambio di lettere con l'episcopato tedesco, il governo gli aveva tolto il passaporto. Il cardinale, per parte sua trovò modo di far sapere alla Santa Sede che in ogni caso non intendeva uscire dalla Polonia, temendo che non gli sarebbe poi consentito di farvi ritorno; ma la sua assenza dal sinodo del 1967, accompagnata da quella, decisa per solidarietà dagli altri vescovi polacchi eletti all'assemblea sinodale, diede luogo alla pubblica deplorazione del papa.

Le accuse e la minaccia, o il timore, di provvedimenti contro il primate avvelenavano un'atmosfera diventata sempre piú pesante. Si parlava persino del pericolo che il cardinal Wyszyński potesse essere arrestato e isolato come lo era stato dal 1953 al 1956. Ma il cardinale non si mostrava, per questo, meno deciso e meno battagliero.

Difficile per la Santa Sede orientarsi con sicurezza nell'incrociarsi di notizie, per lo piú indirette od occasionali, e nel susseguirsi di richieste e di consigli che le arrivavano da parte di persone o di gruppi preoccupati per il peggioramento della situazione e desiderosi di spingere la Santa Sede – visto che presso il primate non trovavano molto ascolto – a qualche intervento per migliorarla. Roma divenne la meta di parecchie persone «di buona volontà». Quando ne aveva occasione, il cardinale primate metteva in guardia contro la loro credibilità e la loro rappresentatività; ma la Santa Sede, già per conto suo, era molto guardinga nell'ascoltare e, soprattutto, nell'agire.

Il governo, secondo loro, desiderava giungere a una pacificazione, o almeno a un allentamento della tensione, ma con il cardinal Wyszyński ciò era impossibile.

Da parte sua, il cardinale non aveva nessuna fiducia in un regime che, affermava, si era proposto di distruggere la Chiesa, anche se tatticamente cercava di nascondere i suoi veri scopi sotto false dichiarazioni e assicurazioni dirette a ingannare gli ingenui e a dividere i cattolici, il clero e possibilmente anche i vescovi.

In un contrasto cosí acceso e che era sotto gli occhi di tutti, nessuna meraviglia che fra la gente, e anche sulla stampa straniera, trovassero credito voci di iniziative governative volte, ad esempio, a cercar di ottenere dalla Santa Sede una difesa contro le «intemperanze» e le «attività politiche antistatali» del primate: forse la chiamata del cardinal Wyszyński a Roma per ricoprire un incarico curiale, oppure un ridimensionamento della posizione del primate con la nomina di uno o due altri cardinali polacchi.

Nella prima metà di giugno – prima cioè delle manifestazioni del 26 a Varsavia – l'ambasciatore polacco a Roma aveva creduto di poter informare il suo governo che la Santa Sede intendeva mandare a Varsavia un suo messo per cercare di «calmare» (questo il senso, se non la parola) il cardinale primate.

Avevo incontrato l'ambasciatore Willmann nel marzo precedente, per parlare dell'atteso viaggio del papa nel quadro della celebrazioni del millenario; egli aveva comunicato il netto rifiuto del governo, motivato con la situazione interna: per colpa, naturalmente, dei vescovi e soprattutto del primate. Ma non si era fatto alcun cenno di una disponibilità della Santa Sede, ancor meno di un suo desiderio di mandare qualcuno dal cardinal Wyszyński per invitarlo o addirittura per «ordinargli» – come mi disse in seguito lo stesso ambasciatore – di moderare il suo linguaggio e le sue azioni, per non turbare la quiete pubblica.

Venimmo poi a conoscere che l'ambasciatore aveva saputo tutto ciò da un signore italiano molto degno e molto in rapporto con ambienti della Santa Sede (il che era vero) e anche con me (il che era un po' meno vero, quanto alla frequenza dei contatti), anzi mio portaparola nel caso in questione (il che non era vero). Facilmente il volonteroso ambasciatore, divenuto poi mio grande amico, aveva capito secondo i propri desideri. Il governo fu però assai contento dell'insperata notizia e fece immediatamente sapere al proprio rappresentante che era pronto a concedere senz'altro il visto al messo pontificio.

Io dovetti però deluderlo. Evidentemente, i giudizi del governo e della Santa Sede sul cardinal Wyszyński e sulle sue attività erano non solo divergenti, ma quasi agli antipodi. Nel cardinale il papa aveva piena fiducia e non intendeva neppure dare l'impressione di dubitare di lui. In ogni caso, la Santa Sede non poteva prendere un'iniziativa che all'opinione pubblica sarebbe apparsa (e il regime avrebbe provveduto a farla apparire) come un richiamo e un invito al primate a cambiar rotta.

Il signor Willmann, annotavo dopo l'incontro avuto con lui il 15 giugno, rimase «allibito» e mi spiegò un poco come erano andate le cose. Non potei che esortarlo a scegliere sempre le vie dirette, sia pure confidenziali o ufficiose, per parlare con la Santa Sede: o almeno a verificare per tale via quanto gli potesse giungere per altre strade, sia pure molto rispettabili.

La delusione per la risposta della Santa Sede non scoraggiò il regime dal tentare di giungere a una possibile intesa con la Santa Sede per cercare di neutralizzare in qualche modo l'azione antigovernativa del primate, non essendo in grado di affrontarlo con misure troppo impopolari, né di isolarlo dal resto dell'episcopato.

Accenni al desiderio del governo di trattare con la Santa Sede giunsero con una certa insistenza da piú d'una parte. Anche il ministro degli Esteri italiano, onorevole Fanfani[96], rientrando a fine luglio da un suo viaggio in Polonia aveva confidenzialmente fatto sa-

---

[96] Amintore Fanfani (1908-99), deputato alla Costituente, divenne segretario della Democrazia cristiana nel 1954; fu piú volte ministro, presidente del Consiglio e infine presidente del Senato.

pere d'aver trovato ampiamente diffuso tale desiderio negli ambienti governativi e politici di quella capitale.

All'onorevole Fanfani, che prima del suo viaggio ne aveva, sempre confidenzialmente, informato la Santa Sede, ci si era limitati a far conoscere che questa, nonostante l'atteggiamento del governo polacco, anche nei riguardi del papa (rifiuto opposto al suo viaggio in Polonia), desiderava certo la concordia e la buona armonia nel paese; essa però non avrebbe potuto seguire una linea che potesse apparire in contrasto con quella del cardinal Wyszyński e dell'episcopato polacco; quindi, in un eventuale colloquio con il governo, non avrebbe potuto prescindere da loro. Il ministro non aveva avuto modo di incontrare il primate, al quale era stato pregato di confermare questa posizione della Santa Sede.

La mancanza di comunicazione con il cardinale comportava però, fra l'altro, il pericolo che egli potesse credere e angustiarsi anche per notizie false, messe in giro ad arte o forse anche con buone intenzioni (ci risultò, ad esempio, che una volta egli era rimasto piuttosto contrariato per un presunto articolo de «L'Osservatore Romano», che non era mai apparso). Il problema era difficilmente risolvibile. Ci si rendeva sempre piú conto, perciò, della necessità dell'invio in Polonia di qualche persona di fiducia che potesse informare il cardinale, ascoltarlo e poi riportarne fedelmente a Roma il pensiero e i suggerimenti, ma anche per questo occorreva sentire prima l'interessato.

All'inizio di settembre il governo parve voler rompere e far rompere gli indugi, incaricando un personaggio certamente rappresentativo, il deputato Andrzej Werblan, di chiedermi di incontrarlo. Il Werblan era membro del Comitato centrale del Partito e, si diceva, molto legato a colui che era indicato come il numero due del Partito comunista, Zenon Kliszko[97]. Ci

---

[97] Zenon Kliszko, dirigente comunista coinvolto nella repressione staliniana del 1948, fu liberato, nel 1956, assieme a Gomułka, di cui fu un fedele e convinto seguace. Responsabile delle questioni ideologiche del Poup, nonostante le sue posizioni moderate fu costretto a uscire di scena nel 1970.

trovammo a Roma la sera del 5 settembre per un colloquio che avevamo convenuto fosse strettamente confidenziale e di carattere, per il momento, esplorativo. Il lungo incontro e quello del giorno successivo mi confermarono nella convinzione che quanto detto dal Werblan rappresentava sicuramente il punto di vista governativo; egli mi chiese a sua volta quello della Santa Sede, proponendo di ripetere l'incontro tra un paio di mesi, sempre in forma segreta e non ufficiale, per cercare di giungere a una qualche conclusione.

Riassunsi cosí la posizione della Santa Sede: disponibilità a discutere con il governo le difficoltà e i problemi dei rapporti fra Chiesa e Stato in Polonia, ma «d'accordo e con la collaborazione della gerarchia, e segnatamente del cardinale primate». Per giungere a tale discussione la Santa Sede aveva bisogno di prendere contatto con l'episcopato.

Incontrai nuovamente il Werblan il 5 e il 7 novembre. Il governo non aveva difficoltà a concedere il visto a rappresentanti della Santa Sede, tutte le volte che fosse richiesto, per prendere liberamente tutti i contatti desiderati; finché durasse la situazione presente non intendeva invece concedere il passaporto al primate e ad altri vescovi – una decina – che considerava suoi attivi oppositori politici. Se per «collaborazione della gerarchia» si intendeva che il primate o qualche altro vescovo facesse parte della delegazione della Santa Sede alle discussioni, il governo non avrebbe potuto acconsentire; se poi la Santa Sede subordinava le intese con il governo all'«accordo» dell'intero episcopato, e in particolare del primate, tanto valeva neppure incominciare: il cardinale, con una «minoranza» dei vescovi, era a priori contrario a qualsiasi forma di intesa e l'avrebbe boicottata in tutti i modi.

Debitamente autorizzato, risposi che non era nella prassi abituale della Santa Sede inserire vescovi del luogo nelle proprie delegazioni incaricate di negoziare con i governi; ma doveva restar chiaro che eventuali trattative avrebbero dovuto essere condotte, dalla Santa

Sede, in stretta ed effettiva collaborazione con vescovi e primate. Verso quest'ultimo – per debito di lealtà
– ero incaricato di confermare la piena stima e fiducia
della Santa Sede. Se, ciò posto, il governo manteneva
la sua disponibilità, la Santa Sede era disposta, a sua
volta, a profittare della possibilità di inviare, a tempo
debito, un suo rappresentante per prendere i contatti
con l'episcopato (e poi, eventualmente, iniziare contatti ufficiali con il governo stesso).

Il Werblan non poteva che sottolineare anche lui la
sostanziale divergenza di apprezzamenti sulla persona
e l'azione del primate, confermando i timori del governo circa le possibilità di un buon andamento delle
trattative. Ad ogni modo, terminava confermando che
l'offerta del governo restava valida: alla Santa Sede di
prendere, ora, l'iniziativa.

Restava da vedere come preavvertire il cardinal Wyszyński, venuto il momento, che un inviato della Santa Sede sarebbe stato mandato presso di lui (senza parlare subito, anche perché prematuro, di possibili contatti con il governo). Come avrebbe interpretato la cosa
il primate? Ancora in settembre, sempre ribadendo la
sua poca o nessuna fiducia nel reale buon volere del regime, egli aveva trovato modo di far sapere che era consigliabile, a dir poco, un rinvio di eventuali prese di
contatto almeno sino a conchiuse le celebrazioni del
millenario.

A metà ottobre l'ambasciatore italiano a Varsavia,
Enrico Aillaud, aveva scritto a un vescovo ben conosciuto e molto stimato dal papa Paolo VI, monsignor
Franco Costa[98], allora segretario della Commissione
episcopale italiana per l'Azione cattolica (presso di lui
avevo avuto il primo contatto con il Werblan): «una
nota personalità» gli aveva detto che sarebbe stata uti-
lissima una sua visita, in preparazione a un ulteriore

---

[98] Franco Costa (1904-77), amico di Giovanni Battista Montini, fu vescovo di Crema (1963-64) e assistente generale dell'Azione cattolica italiana (1963-72).

prossimo e imprecisato contatto (forse il mio con Werblan?) A Varsavia avrebbe potuto muoversi liberamente e incontrare chi avesse voluto, dal primate a qualsiasi altra persona della Chiesa. L'ambasciatore caldeggiava l'accettazione di questa possibilità.

Dopo un'esitazione iniziale, il papa acconsentí al viaggio di monsignor Costa, non per «trattare» con il governo, ma per incontrare il cardinale.

Monsignor Costa fu a Varsavia il 19 novembre; fra l'altro, egli ebbe un lungo colloquio con Kliszko, ma solo il 22 poté vedere il cardinale. A lui egli consegnò una lettera del segretario di Stato cardinal Cicognani, che lo informava del mio prossimo arrivo nella capitale polacca, il 24 novembre.

Il papa, come si vede, aveva voluto in qualche modo bruciare le tappe, senza attendere conferma di un previo accordo del primate. C'era, per questo, un motivo: nonostante il precedente rifiuto del governo, da lui personalmente molto risentito, Paolo VI non aveva cessato di accarezzare dentro di sé il sogno di compiere una visita, anche brevissima, in Polonia prima che terminasse l'anno del millenario, ormai quasi alla fine. Per questo intendeva incaricarmi di prendere i necessari contatti, con le autorità della Chiesa e dello Stato, per la realizzazione di questo desiderio. La missione era disperata già in partenza, ma il papa voleva fosse svolta, almeno per mostrare ancora una volta, in una maniera che era allora del tutto fuori dell'ordinario, il suo amore per la Polonia in un momento cruciale della sua lunga storia tanto travagliata e nel ricordo di una data, pur lontana di tanti secoli, che ne aveva segnato e continuava a segnarne il volto, nonostante ogni sforzo in contrario. Sarebbe stato il primo ingresso di un papa al di là della Cortina allora ancor ferrea: un segno di nuovi tempi?

Verosimilmente il cardinal Wyszyński non fu proprio entusiasta dell'annuncio del mio imminente arrivo. Difatti monsignor Costa riferí poi che egli gli chiese se non riteneva possibile che la mia visita fosse rinviata al 1967, conchiusa cosí la commemorazione del millenario (infatti egli non poteva neppure sospettare il vero motivo dell'urgenza del papa). Non escluderei neppure che il cardinale fosse un po' perplesso per la scelta della mia persona, essendo io, come disse a monsignor Costa, «noto come negoziatore». Ma ormai era evidentemente tardi per cambiare.

Arrivai il giorno previsto (via Parigi, per cercar di depistare possibili curiosità; il viaggio, infatti, avrebbe dovuto esser tenuto segreto). Mi accompagnava un ecclesiastico polacco da alcuni anni in servizio presso la Santa Sede, monsignor Andrzej Deskur[99], allora nel pieno non solo delle sue capacità veramente molto grandi, ma anche della salute che fu poi inaspettatamente colpita proprio mentre il cardinal Wojtyła, a lui legato da una vecchia stima e amicizia, veniva eletto papa; nel 1985 fu nominato cardinale. Monsignor Deskur mi fu di incalcolabile aiuto, in queste come in successive visite alla Polonia, non solo quale interprete, ma come ottimo conoscitore di situazioni, problemi, persone del suo paese e che, in piú, godeva della piena fiducia di quei vescovi e dello stesso cardinale primate; il governo aveva sollevato qualche difficoltà a concedergli il visto, ma poi desistette dalle sue obiezioni.

Fummo alloggiati nella residenza del cardinale, il quale non segnalò la nostra presenza neppure ai suoi vescovi ausiliari, tranne che al suo principale collaboratore, monsignor Dąbrowski[100] (quanto, poi, questa e altre precauzioni servissero a mantenere il segreto si poteva dubitarne; ma almeno servirono a far sí che tutti mostrassero di non saper nulla).

Al cardinale, ancora molto turbato e preoccupato,

---

[99] Andrzej Maria Deskur (1924), entrato in Segreteria di Stato nel 1952, ha presieduto (1973-80) l'organismo vaticano incaricato delle comunicazioni sociali; molto vicino a Giovanni Paolo II, nel 1985 è stato creato cardinale.

[100] Bronisław Dąbrowski (1917-97), orionino, fu stretto collaboratore del cardinale Wyszyński, vescovo ausiliare di Varsavia dal 1961 al 1993, e per molti anni segretario della Conferenza episcopale polacca.

chiarii subito che non ero venuto per dare inizio a contatti con il governo; lo misi al corrente degli approcci tentati dal regime negli ultimi tempi e della posizione chiaramente presa dalla Santa Sede; e gli confermai la volontà del papa che nulla si facesse, e neppure si incominciasse, senza l'accordo e la collaborazione dell'episcopato, e in primissimo luogo del primate. Ciò parve rasserenarlo, e ancor più si rasserenò quando seppe che cosa, per il momento, stava più a cuore al papa. Un progetto, o un desiderio, (un sogno!) molto semplice, almeno all'apparenza: arrivare nel pomeriggio della Vigilia di Natale a Częstochowa, presso il Santuario della Madonna Regina della Polonia; celebrare lí la messa di mezzanotte; il mattino di Natale ritornare a Roma.

Semplice non voleva dir facile.

Sorpresa, gioia, perplessità: questa, più o meno, la sequenza dei sentimenti del cardinale e del suo ausiliare monsignor Dąbrowski, l'unico, come ho detto, messo al corrente della mia presenza.

La gioia fu grandissima. L'episcopato aveva ardentemente, e inutilmente, desiderato la visita del papa e ora il papa stesso tornava a manifestare il desiderio di venire a coronare, sia pure con una visita lampo, all'ultimo minuto, l'anno millenario del Battesimo nazionale.

Ma la gioia era oscurata sul nascere, e quasi spenta, dalle perplessità che destavano gli aspetti concreti del progetto papale e dalla preoccupazione circa la sua realizzabilità. Il santuario di Częstochowa era isolato dal resto del paese, non aveva nelle vicinanze se non aeroporti militati e offriva uno spazio ristrettissimo; né era possibile pensare a una celebrazione all'aperto in quella stagione («Non per noi polacchi, – osservava il cardinale, – che al freddo e ai disagi siamo bene abituati, ma per il Santo Padre...»): grande delusione, quindi, per i moltissimi fedeli che, senza dubbio, avrebbero voluto vedere e pregare con il papa. L'episcopato, nel fare l'invito al Sommo pontefice, aveva pensato al 3 maggio o, ancor meglio, al 15 agosto, data tradizionalmente consacrata alla Madonna Nera. La scelta di Varsavia in luogo di Częstochowa avrebbe permesso di superare molte difficoltà, ma ne avrebbe presentate altre serissime, di ordine protocollare. E, poi, che atteggiamento avrebbe avuto il governo?

Ad ogni modo, il cardinale si riservava di riflettere ancora; intanto sarebbe andato a Częstochowa, quasi per un sopralluogo (in seguito quando anch'io, passai dal santuario, il superiore dell'annesso monastero mi mostrò, in confidenza, il «menu» che avevano allora preparato con il cardinale per la cena del papa, se fosse arrivato; il cardinale, conoscendo meglio del superiore le abitudini degli italiani, non avvezzi al tè e alle patate polacche, aveva aggiunto a mano: pane e, perché no? un po' di vino...)

Tornato a Varsavia, il primate cosí concretò la sua opinione: tutto considerato, tenendo presente l'inuguagliabile valore simbolico del gesto pensato dal Santo Padre e del luogo da lui indicato, anche lui trovava che la migliore, anzi l'unica, scelta possibile era proprio Częstochowa; sicuramente molti sarebbero rimasti delusi, ma poi avrebbero capito. Il problema restava sempre la risposta del governo per il viaggio, ma anche per l'uso eventuale di uno dei due aeroporti militari posti nelle vicinanze di Częstochowa. Evidentemente eravamo tutti consapevoli che quello del governo era lo scoglio piú difficile da superare. Ma se ci fosse rimasta qualche residua illusione, sarebbe ben presto svanita.

Conosciuto il pensiero del cardinale procurai di mettermi subito in contatto con Werblan, che a Roma mi aveva indicato come avrei potuto raggiungerlo riservatamente al bisogno. Ci incontrammo la sera del 29 novembre. Gli dissi che il mio sondaggio presso di lui non aveva ancora carattere ufficiale. La sua immediata reazione fu un no senza ombra di esitazione; egli era sicurissimo, mi disse, di ben conoscere e interpretare il pensiero del suo governo. La ragione, la stessa che aveva motivato il rifiuto opposto al progettato viaggio del papa nel maggio precedente: la situazione politico-religiosa e, piú precisamente, l'atteggiamento del primate e della parte dell'episcopato che lo sosteneva nella sua politica antigovernativa; sino a che la situazione non fosse cambiata, irremovibile sarebbe stata la decisione negativa del governo.

Dopo qualche precisazione, tanto doverosa quanto destinata a restare inascoltata, gli chiesi di non scordare che stavolta non si trattava di una risposta del papa a un invito dei vescovi, ma di una sua iniziativa personale, di carattere puramente religioso, dettata da un profondo affetto verso il popolo polacco: per cui il rifiuto avrebbe assunto un carattere ancor piú evidente di offesa personale al Sommo pontefice. Io avrei lasciato Varsavia il giovedí 1° dicembre; se entro il mercoledí il governo avesse avuto qualche altra cosa da farmi sapere, Werblan sapeva come rintracciami. Difatti egli mi cercò e ci ritrovammo a casa sua, per una colazione, la vigilia della mia partenza. Non nutrivo illusioni e avevo pienamente ragione. La nuova risposta governativa si ispirava alla vecchia tattica di dire di sí, ma con tali e tante condizioni da obbligare praticamente l'altro a dire di no. Il governo avrebbe trovato possibile prendere in considerazione il nobilissimo desiderio del Santo Padre, ma con qualche cambiamento nel programma, anche per evitare che il gesto, religioso negli intenti del papa, ma con inevitabili aspetti e riflessi di carattere statale e politico, potesse essere interpretato come una «approvazione della politica del primate»; esso avrebbe dovuto piuttosto servire a migliorare il rapporto della Santa Sede con la Polonia. Ed ecco la serie delle proposte: anziché a Częstochowa, piccola e isolata, non potrebbe il papa recarsi a celebrare la messa natalizia in un grande centro come ad esempio Breslavia, in quelle «terre recuperate» che stavano tanto a cuore ai polacchi, con un gesto che li avrebbe conquistati tutti? Inoltre, anche in mancanza di rapporti ufficiali con la Santa Sede, sarebbe stato opportuno che il papa, come sovrano oltre che capo religioso, fosse salutato, all'arrivo e alla partenza dal territorio polacco, da un rappresentante del Consiglio di Stato (organo collettivo di presidenza della Repubblica). Invece si sarebbe dovuto «eliminare la presenza del cardinale primate»: cosa che però, non avrebbe dovuto esser fatta apparire come un'imposizione governativa o dar luogo a rimostranze «ufficiali». Seguivano alcuni altri punti minori: nulla in contrario circa il carattere puramente religioso dell'avvenimento, poco «chiasso» esteriore, annuncio non molto anticipato (ma eravamo già al 1° dicembre!)

Accettate queste «condizioni» (Werblan voleva che il termine fosse evitato accuratamente, ma quella era la realtà), il governo avrebbe offerto volentieri tutte le facilitazioni: aeroporto e, se desiderato, aereo con piloti polacchi.

Naturalmente non ero autorizzato a prendere una posizione definitiva. Feci subito osservare, però, che la condizione riguardante il primate era evidentemenre inaccettabile. Quanto al luogo, il papa aveva scelto Częstochowa per il suo carattere religioso unico in tutta la Polonia; per il problema delle terre occidentali e nord-occidentali, o «recuperate» come amavano dire i polacchi, il governo conosceva i sentimenti, ma anche la posizione imposta alla Santa Sede dalla situazione di quei territori secondo il diritto internazionale: la scelta proposta dal governo al papa non avrebbe avuto, questa sí, carattere politico?

Ci lasciammo e tornai al palazzo primaziale per riferire (tacendo tuttavia quel che toccava la persona del primate). Anche il cardinale, benché non meno buon polacco della gente del governo, riconosceva che non sarebbe stato il caso di pensare a Breslavia: Częstochowa restava l'unica località possibile.

L'amico monsignor Deskur pensava che, di fronte a una chiara e decisa presa di posizione della Santa Sede, il governo avrebbe potuto cedere, senza insistere piú sulle due condizioni circa Breslavia e la presenza del primate. Per parte mia, rimanevo molto scettico, se non sicuro del contrario. Il papa, una volta informato, tagliò il nodo: tutto soppesato, benché con grande dispiacere, finí col rinunciare al progetto. La cosa non trapelò. Muto il cardinale, muta la Santa Sede, muto il governo: d'altra parte, si era trattato di un sondaggio non ufficiale. Fu cosí evitato un motivo di nuove polemiche, ma il governo aveva perso, a mio parere, una buona occasione per anticipare forse, sia pur molto timidamente, una svolta storica in un processo che stava prendendo forma, in una difficile, ma – pensavo – inarrestabile gestazione.

Al papa riferii anche, naturalmente, il pensiero del cardinale circa eventuali trattative con il governo. La descrizione da lui fatta della situazione e dei problemi della Chiesa in Polonia, delle sue difficoltà e delle linee, tattiche e strategiche, del regime nella sua lotta contro la religione e l'istituzione ecclesiastica forniva un quadro oscuro e carico di minacce; ma vi risaltavano anche la resistenza e la forza di un popolo tenacemente attaccato alla fede cattolica e alle sue manifestazioni, modeste o grandiosamente pubbliche.

Una frase del cardinale cosí forte e fiero, ma anche tanto riflessivo e ponderato nei suoi giudizi, mi colpí in modo speciale: «La Chiesa in Polonia, – cosí, almeno, annotai subito dopo il colloquio, – ha la possibilità di sostenere bene il peso dell'oppressione governativa almeno per una decina d'anni ancora». Cosí poco? pensai fra me, riflettendo alla prospettiva, ammessa allora dai piú anche fra i vescovi ed eminenti cattolici polacchi, d'una durata ancora piuttosto prolungata del comunismo, in Polonia come negli altri paesi del blocco sovietico. Facilmente il grande primate aveva voluto quasi abbondare in prudenza o in pessimismo (a meno che si trovasse lui stesso in un momento di qualche stanchezza dopo tante battaglie e tante tensioni: cosa che per la verità sarebbe stata piuttosto sorprendente in lui). Il seguito dimostrò che le forze della Chiesa erano assai superiori o almeno che si erano ben ritemprate nella lotta. Ciononostante, anzi proprio in ragione di ciò, la conclusione fu che lui stesso, il cardinale, con monsignor Dąbrowski, presente al colloquio, e la grandissima maggioranza dei vescovi (esclusi, dissero, sei o sette che per le amare esperienze personali sotto l'occupazione sovietica erano nettamente pessimisti) consideravano utile e necessario non rifiutare eventuali possibilità di serie e ponderate trattative con il governo. «Anche noi desideriamo la pace: purché si tratti di vera pace e non di un inganno da parte del regime».

Questo era il punto! Non solo per l'episcopato, ma anche per la Santa Sede. Come procedere, allora? Il cardinale sottolineava fortemente la necessità d'una conoscenza veramente sicura e concreta della situazione polacca, già prima di dare inizio alle conversazioni con il governo. C'era, in questo, un'ombra di timore che, non vivendo la realtà quotidiana di uno Stato di lotta continua, aperta o subdola, contro la Chiesa, i rappresentanti della Santa Sede potessero lasciarsi trarre in inganno: e non solo dal governo, ma anche da cattolici o ecclesiastici favorevoli al governo e piú o meno in contrasto con la gerarchia, e soprattutto con il primate. Per parte nostra, ci si rendeva conto che il timore non era infondato e avevamo la chiara volontà di procedere con ogni prudenza, procurandoci la necessaria conoscenza della situazione (come si era fatto e si stava cercando di fare con gli altri paesi comunisti) e in collaborazione con i vescovi del posto (cosa che, purtroppo, non era stato e non era possibile fare altrove). Eravamo quindi pienamente in sintonia con il cardinale. In pratica, questi suggeriva che la Santa Sede inviasse una «missione» che stesse due o tre mesi in Polonia per studiare, parlare con tutti i vescovi ed eventualmente anche con altri, in modo da procurarsi una base solida e sicura per trattative che sarebbero state senza dubbio difficili e disseminate di tranelli. Mi dissi subito d'accordo anche in questo, ma come avrebbe reagito il governo a una simile proposta?

Dissi perciò che, salva la sostanza, avrei cercato di presentare le cose in modo da non suscitare o da supe-

rare le prevedibili ombrosità governative. Queste, infatti, si manifestarono subito quando con il deputato
Werblan feci cadere il discorso, come si trattasse di
idea mia, sulla necessità di un periodo di accurato studio sul posto, prima di dare il via a eventuali trattative formali. Forse il Werblan ebbe l'impressione che po-
tessimo pensare a una specie di «visita apostolica» o a
una libera consultazione della «base» e delle forze sociali, cattoliche e non, oltreché della gerarchia. Penso
però che sia lui, sia altri dopo di lui – come apparve
chiaramente in seguito – fossero contenti, in fondo,
dell'iniziativa di un'eventuale consultazione di tutti i
singoli vescovi polacchi: nella speranza, evidentemente, che ne risultasse una discrepanza di atteggiamenti
nei confronti della rigida e combattiva posizione del
primate.

Lanciata l'idea, ci si lasciò con l'intesa di consultare
le nostre autorità superiori. Poi ci si sarebbe risentiti.

L'idea da me lanciata nell'incontro con Werblan si
concretò ben presto, d'intesa con il cardinal Wyszyński
e il consenso del governo: sarei tornato in Polonia per
incontrare tutti i vescovi, separatamente, e alcune personalità cattoliche particolarmente rappresentative, ecclesiastici e laici, a cominciare dai religiosi e dalle religiose. Fu redatto un programma che prevedeva tre soggiorni, tra febbraio e aprile del 1967, sufficienti per
incontrare nelle loro sedi, con i rispettivi ausiliari, gli
ordinari del sud, dell'ovest e del nord del paese, compresi i vescovi incaricati della cura pastorale dei territori ex tedeschi, con sede a Gorzów, Breslavia, Opole
e Olsztyn (Ermland). Per consiglio del cardinale, attesa la delicatezza dei problemi connessi con la divisione
del territorio fra Polonia e Unione Sovietica delle arcidiocesi di Vilna e di Leopoli e della diocesi di Pinsk, ri-
nunciai invece a recarmi nei tre centri di Białystok, Lu-
baczów e Drohiczyn, dove risiedevano i rispettivi ordinari; li incontrai però a Przemyśl e a Łomża. L'unico

altro ordinario polacco che non visitai nella sua sede, per mancanza di tempo, fu il vescovo di Kielce, che venne con il suo ausiliare a incontrarmi a Cracovia.

Un passaggio, a tutto campo, attraverso un grande paese conosciuto da me, sino allora, soltanto attraverso letture e qualche documentario. E l'esperienza, completamente nuova, dell'immersione nella realtà di una parte dell'universo comunista europeo. Essa era diversa certamente, sotto molti aspetti, dalle altre parti, ma non dissimile da esse sotto molti altri, specialmente per le comuni caratteristiche fondamentali che distinguevano quell'universo da quello al di qua della Cortina di ferro.

In Ungheria, in Cecoslovacchia e in Jugoslavia molti contatti avevo avuto con rappresentanti governativi; pochi con alcuni dei vescovi, sempre sotto un controllo non sempre visibile ma non meno effettivo, quasi mai nelle loro sedi (del tutto singolare il caso del cardinal Mindszenty); nessun rapporto con la popolazione e con gli stessi ecclesiastici, anche perché le mie visite si svolgevano in incognito. Solo qualche anno piú tardi, nel 1973, quando mi recai per la consacrazione dei quattro vescovi cecoslovacchi a Nitra e a Olomouc, le cose incominciarono un po' a cambiare; e piú ancora continuarono a cambiare, poi, in connessione con la Conferenza di Helsinki sulla sicurezza e la cooperazione in Europa, ma in una misura e in un modo assai diversi che in Polonia: naturalmente, sino a che il 1989 non venne a cambiare radicalmente la situazione dietro la Cortina.

Secondo le intese, i miei tre viaggi in Polonia, dal 14 febbraio al 3 marzo, dal 13 al 24 marzo e dal 30 dello stesso mese al 7 aprile, dovevano svolgersi in forma discreta e quasi privata, anche se non segreta: ciò che sarebbe stato, del resto, cosa impossibile. Nel corso di un'assemblea della Conferenza episcopale, riunita proprio il giorno del mio primo arrivo, i vescovi furono informati degli scopi e del carattere della mia missione.

Ma quasi impossibile, in pratica, risultò poi evitare alcune manifestazioni pubbliche, alle volte un po' troppo spettacolari per i gusti del governo. Ciò dipendeva un po' da luoghi e da circostanze speciali, ma talvolta anche dall'iniziativa di singoli vescovi, nonostante l'informazione e gli orientamenti ricevuti. A dire dei vescovi, il solo fatto di sapere della presenza di un inviato della Santa Sede bastava per suscitare, non tanto la curiosità, quanto la gioia della gente: una gioia che spontaneamente si traduceva in manifestazioni di entusiasmo non appena se ne presentava una occasione; e occasioni, piccole o grandi, potevano presentarsene – o potevano crearsene – facilmente.

Le autorità statali, dopo qualche iniziale rimostranza, parvero rendersene conto e lasciarono correre, almeno rassegnate, ma qualche volta, forse, anche un po' soddisfatte. Come quando, passando per uno dei territori ex tedeschi, mi trovai in una grande chiesa piena di un popolo plaudente, non a me naturalmente, ma al papa: una manifestazione tanto più emozionante quanto meno attesa, ma che alle autorità locali dovette apparire per lo meno illegale. Fui quindi invitato – e fu l'unica volta – in un ufficio del quale non saprei dire il nome e dove, con cortesia ma anche con una serietà un po' imbarazzata, mi venne ricordata l'intesa riguardante il carattere della mia visita. Potei rispondere, con molta serenità, che ricordavo bene le intese e che ero il primo a trovarmi in imbarazzo quando, senza volerlo, e nonostante l'impegno a prevenirle, ero venuto a trovarmi in situazioni come quella denunciata. Ma trovandomi nei territori già appartenenti alla Germania, oggetto di tante contestazioni soprattutto da parte tedesca, mi era parso poco consigliabile dare l'impressione quasi di un rifiuto o di qualche reticenza di fronte all'entusiasmo così spontaneo dei nuovi abitanti di quelle regioni. Bastò questo a calmare le apprensioni, o almeno così mi parve. Continuai quindi nel mio atteggiamento di prudenza e di riserbo, ma con maggiore tranquillità.

Il primo incontro con i vescovi polacchi, subito dopo il mio arrivo, avvenne nel palazzo primaziale dove la mattina di quel 14 febbraio, come ho già accennato, era riunita la Conferenza episcopale, indetta da qualche tempo senza rapporto con la mia visita. Fu una buona occasione per una prima conoscenza che avrebbe facilitato il futuro dialogo individuale con ciascuno dei vescovi. Il cardinale primate, con il piglio e l'autorevolezza di un vero capo ecclesiastico, mi presentò con parole molto benevole, dando lettura della lettera con cui il papa precisava lo scopo e i limiti della mia missione in Polonia. L'atmosfera amichevole e aperta di questo incontro, continuato anche il giorno seguente, mi fu di non poco incoraggiamento, all'inizio di un giro che avrebbe impegnato anche le mie forze fisiche, in pieno inverno polacco.

Lasciata la residenza primaziale, mi installai con monsignor Deskur nell'edificio della vecchia nunziatura apostolica, nell'«Aleja I Armii Wojska Polskiego». L'edificio, distrutto durante la guerra, era stato ricostruito tal quale, secondo il criterio seguito per la rinascita di Varsavia dalle rovine della terribile bufera che si era scatenata su di essa. Il cardinal Wyszyński, a nome dell'episcopato, aveva voluto che risorgesse, come riaffermazione di un passato che avrebbe dovuto ritornare: e di fatto, finite le peripezie dei decenni comunisti, la nunziatura avrebbe poi riaperto le porte al primo rappresentante pontificio dopo mezzo secolo di vuoto.

Intanto io incominciai, in certo senso, a prenderne possesso come inviato della Santa Sede. Ciò mi consentiva una maggiore autonomia di movimento e di contatti, anche se la permanenza nella capitale doveva essere piuttosto limitata, riducendosi all'inizio e alla fine dei tre viaggi in programma. La maggior parte del tempo infatti sarebbe stata destinata al passaggio da una diocesi all'altra con i relativi brevi soggiorni. La programmazione prevedeva infatti che il vescovo da visitare mandasse a prelevarmi presso quello già visitato, e cosí via: scherzando dicevo di sentirmi una specie di fiaccola olimpica passata di mano in mano, o meglio da automobile ad automobile. Per consolarmi, monsignor Deskur mi informò che i vescovi polacchi avevano avuto, mediamente, almeno un incidente automobilistico ciascuno: macchine talvolta un po' vecchie, strade non sempre in ottimo stato, neve, ghiaccio e pioggia frequenti. Ma a me non capitò nulla, e potei fare tranquillamente l'esperienza, non solo di automobili, ma anche di autisti episcopali (compreso uno rimasto sul posto quasi residuo della grande trasmigrazione tedesco-polacca ed evidentemente nostalgico del tempo passato, che in un momento di confidenza si lasciò sfuggire un accenno come di rimpianto per «unsern Adolf», dove il «nostro Adolfo» non consentiva dubbi).

Affrontavo il viaggio dopo essermi preparato il meglio possibile sulla situazione da esplorare e sulle persone da incontrare. Quanto alla prima, il cardinale primate aveva già avuto modo di manifestare il suo pensiero e lo avrebbe poi ancor meglio precisato; sulle persone, egli si era limitato a farmi giungere l'indicazione dei vescovi che secondo lui era indispensabile consultare in modo approfondito, accompagnandone il nome con qualche nota caratteristica (ne ricordo due fra le piú esplicite: quello non ha problemi; quello ha sempre dei problemi...)

Incominciai il mio primo giro da Częstochowa, il 20 febbraio, raggiungendo due giorni dopo Cracovia, dove vennero a incontrarmi anche i vescovi di Kielce (amministratore apostolico e ausiliare). Arcivescovo di Cracovia era monsignor Karol Wojtyła, che nel giugno seguente sarebbe diventato cardinale: *tanto nomini!* Giovane ancora (47 anni), di un prestigio assai superiore all'età, e non solo per la storica dignità della sede, assai legato agli uomini di cultura cattolica, molto popolare specialmente fra i giovani. Tre giorni intensi di contatti e di conversazioni con i vescovi, con provinciali e altri superiori religiosi e religiose e con eminenti rappresentanti di un laicato cattolico assai vivace a Cracovia. Quindi Tarnów e poi Przemyśl; qui venne anche il vicario capitolare dell'arcidiocesi di Leopoli, il cui territorio si trovava, per la maggior parte, in Unione Sovietica. Da Przemyśl a Sandomierz e a Lublino.

A Lublino esisteva ancora (e tuttora esiste, benché in un atmosfera politico-culturale fortunatamente ben cambiata) l'unica università cattolica dell'intero universo comunista: segno, anche questo, della singolarità della Polonia nel mondo d'Oltrecortina. Naturalmente l'università non aveva vita facile. Prima della guerra e subito dopo essa contava cinque facoltà; nel 1952, era stata soppressa la Facoltà di Diritto e delle Scienze economiche e sociali, mentre restavano le Facoltà di Teologia e di Diritto canonico (che, evidentemente, davano meno fastidio al regime), e anche quelle di Filosofia cristiana e di Lettere, guardate con maggior sospetto dalle autorità statali; gli alunni, 3140 alla fine dell'anno scolastico 1951-52, diminuirono allora bruscamente, e poi sempre piú: al momento della mia visita arrivavano a 1968, compresi gli alunni del seminario maggiore, allora sui 140.

Non potevo mancare – e il cardinale primate me l'aveva vivamente raccomandato – di far visita a questa quasi incredibile realtà. Ma si trattò di visita ben diversa da quelle compiute e che avrei continuato a compiere ai seminari delle varie diocesi: i contatti non andavano contro gli impegni assunti; ma la comunità universitaria, oltre a essere piú numerosa, era aperta anche a giovani laici e un incontro con loro avrebbe avuto una risonanza senza dubbio poco gradita al regime. Tuttavia, doveva esser chiaro anche alle autorità che non sarebbe stato possibile per me trovarmi a Lublino senza passare all'università cattolica; e di fatto non mi risultò che ci fossero state forti rimostranze, almeno immediate.

L'incontro, dopo i primi contatti con la direzione accademica e una visita ai locali, si svolse nell'aula magna, piena di giovani ai quali rivolsi la mia parola (in francese, lingua che godeva ancora molte simpatie nella «intelligenza» polacca, anche se sempre piú soppiantata da una lingua non meno ricca, ma meno diffusa nel mondo e certo molto meno amata in Polonia, il russo). Si sentiva l'atmosfera, strana anche se del tutto comprensibile, di un mondo compresso che avrebbe voluto parlare, ma si controllava in pubblico, cercando però di farsi intendere: non posso parlare, ma capitemi... La risposta giovanile fu gioiosa, il piú possibile. L'attaccamento al papa come capo religioso e la gratitudine per lo speciale interesse che mostrava verso la Polonia, anche con il mio invio, non entravano nelle manifestazioni proibite: purché, naturalmente, non superassero il livello di guardia.

Il breve indirizzo del rettore fu molto moderato, anche se gli accenni alle difficoltà dell'istituto e della Chiesa non mancarono, ed erano trasparenti. Essi finivano con un richiamo molto cortese alla mia prudenza, alla mia conoscenza dei popoli e alla mia delicatezza politica quali motivi di speranza: un accenno tra l'elogio e l'esortazione. Ma, giustamente, la speranza il rettore finiva col riporla prima di tutto nella provvidenza; che era senza dubbio la piú sicura!

Piú prudente ancora, e breve, quasi laconico, il saluto letto da uno studente. Sulle difficoltà e sui timori, per la Chiesa e per l'università, si diffondeva invece un promemoria non firmato, presentatomi a nome di rappresentanti dei «giovani intellettuali cattolici della Polonia». Noi – scrivevano – siamo la nuova Chiesa: non nuova però nel senso di una contestazione del passato e della gerarchia, alla quale invece gli scriventi si dichiaravano del tutto fedeli: specialmente al cardinale primate. Il governo, affermavano, considerava l'università cattolica come una istituzione passeggera (il che era da supporre) e, cosa un po' sorprendente per me, come fonte di buon rendimento economico (grazie al cumulo di tasse che l'università non poteva pagare e che portavano poco a poco alla confisca di terreni ed edifici di sua proprietà). Un documento con molte ombre e quasi nessuna luce; ma non privo di illuminanti considerazioni. Per quel che riguardava la mia missione in Polonia, gli scriventi se ne dicevano insieme lieti e preoccupati: e, anche qui, non senza buoni argomenti, visti i risultati dei precedenti accordi firmati dall'episcopato con il regime.

Con questa visita tanto interessante terminai il mio primo giro. Il 3 marzo ero di nuovo a Varsavia e il 7 a Roma. Pochi giorni, per informare e prendere istruzioni, e il 13 marzo riprendevo il mio pellegrinaggio polacco, incominciando questa volta da Gniezno, la sede primaziale della Polonia.

Vi andai da Varsavia in compagnia del cardinal Wyszyński, il quale mi presentò al clero e al popolo in una cattedrale stracolma e festosa (ho ancora nell'orecchio le voci, specialmente dei tanti ragazzi, unite nel canto spiegato del *Te Deum* in polacco). Il governo aveva uno speciale motivo di preoccuparsi, ma non ne fece subito una tragedia: evidentemente il cardinale li aveva abituati ai suoi modi di procedere indipendenti ed essi si erano convinti della inutilità (o della pericolosità) di reazioni.

Dopo Gniezno, Poznań. Di là, ai vasti territori occidentali già tedeschi: Gorzów (con una puntata a Stettino, a un tiro di schioppo dalla nuova frontiera con la Germania), Breslavia, Opole. L'integrazione delle popolazioni polacche nelle nuove terre non era ancora completata. Mi pareva quasi di palpare qua e là, nel percorrerle, un diffuso senso di disagio. Le persone sopra i vent'anni sognavano ancora, e rimpiangevano, la loro vecchia patria a oriente e continuavano a sentirsi poco sicuri nei nuovi alloggiamenti. A quanto alcuni mi dissero, le nuove famiglie neppure osavano apportare modifiche, o anche procedere a riparazioni di qualche rilievo nelle case che erano state loro assegnate (il vescovo ausiliare di una diocesi tedesca, che aveva avuto il permesso di andare a visitare le tombe dei genitori nei territori evacuati dalla Germania, mi raccontò in seguito che, avendo voluto passare a vedere anche la casa della sua infanzia, aveva avuto la sorpresa di trovare intatto persino il mobilio e l'arredamento a suo tempo lasciato: compreso un portaritratti con la fotografia dei suoi genitori). Naturalmente i piú giovani si stavano sempre meglio ambientando; ma un certo senso di insicurezza per il futuro era molto duro a morire.

Una strana sensazione di disagio pareva respirarsi anche nell'entrare nelle chiese; per la piú gran parte esse erano appartenute alla confessione protestante largamente predominante nella parte orientale della Germania nell'anteguerra (è vero d'altra parte che molte di esse, prima della Riforma, erano state chiese cattoliche). La presenza, per la prima volta, di un rappresentante della Santa Sede in quelle zone e in quelle chiese, tra gente ancora sofferente di una specie di sindrome da sradicamento e di forzato insediamento, sembrava essere vivamente apprezzata, come segno di vicinanza e come promessa di un riconoscimento formale, atteso con ansia e con un po' d'impazienza.

Da Gorzów a Breslavia. Il vasto territorio che faceva capo all'antica sede vescovile di questo nome era affidata alle cure pastorali di un prelato con il titolo di amministratore apostolico, il futuro cardinale Kominek[101]: figura già allora eminente nell'episcopato polacco. Egli era conosciuto come l'autore, se non anche il vero ideatore, della famosa lettera dei vescovi polacchi all'episcopato tedesco che tanto rumore e tanti problemi aveva provocati sul finire del 1965. L'incontro con lui e i suoi tre ausiliari fu per me particolarmente utile e interessante. La mattina della Domenica delle Palme, 19 marzo, fui invitato a celebrare la messa in una cattedrale gremita di giovani studenti universitari e di istituti superiori. Il giorno prima li avevo visti seriamente incolonnati in lunghe file, sino a tarda sera, per la confessione pasquale.

Non minore, quando arrivai da Breslavia a Katowice, passando da Opole, fu la mia impressione nell'assistere a un grandioso pellegrinaggio di minatori, nei loro caratteristici costumi, al santuario mariano di Piekari:

---

[101] Bolesław Kominek (1903-73), consacrato vescovo nel 1954 per la diocesi di Breslavia, ne fu nominato arcivescovo nel 1972; nel 1973 fu creato cardinale, ma morí cinque giorni dopo la creazione cardinalizia.

rudi lavoratori e cattolici senza paure, simbolo vivo di una realtà polacca, che si sarebbe manifestata sempre piú chiara, e alla fine vittoriosa, nel ventennio seguente. Con Katowice avevo lasciato i territori occidentali per rientrare in quelli della Polonia prebellica.

Dopo Katowice, Łódź. Ero arrivato qui come a una città e a una diocesi come le altre. Essa mi si presentò, invece, con qualche caratteristica speciale, interessante per me ma che non pareva incontrare una valutazione molto positiva da parte della «direzione dell'episcopato». Vescovo della diocesi era stato fino a qualche tempo prima monsignor Klepacz[102], descritto come uomo di dialogo, convinto e capace, ma forse in opposizione con la maggioranza degli altri vescovi, a cominciare dal cardinale primate. Anche dopo la sua morte Łódź sembrava continuare a vivere dell'eredità da lui lasciata, benché senza il suo prestigio personale e senza reale incidenza sull'andamento della situazione. Ad ogni modo, a Łódź mi venne un convinto incoraggiamento al dialogo con lo Stato. E mi venne anche esposto un originale tentativo di analisi degli aspetti e dei problemi di carattere culturale e ideologico che sarebbero stati alla base degli atteggiamenti politici del regime polacco nei riguardi, tra l'altro, della Chiesa. Tali atteggiamenti – secondo quello·studio – erano dettati, certo, dalla specifica situazione di fatto della Polonia (rapporto della stragrande maggioranza della popolazione con la religione e con la Chiesa cattolica; autorità della gerarchia nella società polacca, non solo nelle campagne, ma anche fra i ceti operai); ma essi sarebbero stati legati anche a impostazioni filosofiche o scientifiche proprie, in certo senso, al pensiero e alle discussioni degli intellettuali marxisti polacchi. Di qui il consiglio che la Chiesa non si limitasse a contatti e a conversazioni con il governo, ma, al di là dei detentori del potere, tenesse debito conto delle attese e delle esigenze del mondo della cultura, che sembrava avere

---

[102] Michal Klepacz (1893-1967) fu vescovo di Łódź dal 1946.

in Łódź un posto privilegiato. È vero però che tanti problemi concreti premevano, quasi monopolizzando l'attenzione dei vescovi; l'invito a seguire, dialogando, il fermento delle idee rischiava perciò di apparire teorico o, almeno, un po' fuori tempo.

Terminava con Łódź, la sera del 23 marzo, il mio secondo viaggio per le terre polacche, compresi i territori già tedeschi a ovest del paese (restava, al nord, il territorio di Olsztyn, o Warmia). Un rapido giro d'orizzonte riassuntivo con il cardinal Wyszyński e poi, il giorno seguente, un incontro con il signor Werblan. Anche con lui uno sguardo al percorso da me ormai compiuto, nella maggior parte della Polonia, incominciando a tirarne le prime conclusioni.

Werblan non rinunciò a ripetere le sue osservazioni su qualche fuoriprogramma intervenuto qua e là; non molti, per la verità, ma che offrivano al governo un motivo per lamentarsi un po', soprattutto perché ero apparso in pubblico a Gniezno insieme al grande nemico, il cardinal Wyszyński (perché mai, si chiedeva Werblan, quando avevo avuto tante altre possibilità di incontro?) L'impressione del governo era stata che si fosse voluto trasformare il mio viaggio in occasione di cerimonie o di manifestazioni esterne piú che di vero studio: istruzioni in tal senso, secondo il governo, sarebbero state impartite dalla «direzione dell'episcopato», anche con l'intento di limitare e di pilotare i miei incontri con personalità di rilievo fra il clero e il laicato.

Però, io feci osservare, i molti contatti che avevo potuto avere fino allora mi avevano convinto che i vescovi, a partire dal primate, e in genere i sacerdoti, i religiosi e i laici cattolici erano favorevoli alla ricerca di una giusta intesa con lo Stato. Naturalmente il «giusto» poteva prestarsi a molte discussioni; ma soprattutto, dovevo sottolineare, mi era apparsa fin troppo evidente una diffusa e profonda mancanza di sicurezza sulla reale volontà del governo di giungere, e poi di dare applicazione a un'intesa del genere.

Io ero arrivato alla convinzione che per aprire la strada a un eventuale negoziato e per tranquillizzare, intanto, gli animi sarebbe stato molto opportuno, se non necessario, una specie di «armistizio». A tale scopo il governo avrebbe dovuto evitare di inasprire la situazione nei punti piú caldi di conflitto con la Chiesa (come il controllo governativo sui seminari e sui centri d'insegnamento catechistico, o la presentazione dei libri di inventario da parte delle parrocchie). In piú sarebbe stato utile, sempre da parte del governo, un qualche segno positivo di buona volontà (specialmente nel permettere l'erezione di nuove chiese od oratori, e non opprimendo in modo insopportabile con tasse e imposte il clero e le istituzioni ecclesiastiche). A titolo di sondaggio personale avanzavo anche l'idea dell'eventuale presenza permanente di un qualche rappresentante della Santa Sede in Polonia.

Werblan si riservò di riferire. Quanto all'«armistizio», ribatté che esso avrebbe dovuto venire piuttosto dalla Chiesa, ripetendo le lagnanze del governo per la politica giudicata ostile e aggressiva del primate.

Restava la terza tappa del mio viaggio. Rieccomi dunque a Varsavia il 29 marzo. Cercai subito di mettermi in contatto con Werblan, anche perché ero interessato a vedere se il governo volesse toccare con me un problema ormai imminente, e cioè la prossima visita in Italia del capo dello Stato Ochab[103]. Ma, con qualche imbarazzo, fui pregato di rinviare l'incontro alla fine del mio terzo viaggio.

Presi perciò la strada per il Nord-Est: Płock, Włocławek, Pelplin, Danzica (abbastanza conosciuta già allora – chi non ricordava il fatale interrogativo: «Morire per

---

[103] Edward Ochab (1906-89), uomo di apparato, nel 1956 fu il successore di Bolesław Bierut nella carica di segretario del Partito operaio unificato polacco (Poup) e si avvicinò a posizioni piú liberali, ispirandosi allo jugoslavo Kardelj. Nel 1968 si dimise dalla presidenza del consiglio di Stato per protesta contro la campagna antisemita che provocò l'emigrazione di ventimila ebrei polacchi. Fu sostituito in questa carica da Gomułka.

Danzica?» – e destinata a esserlo quasi di piú in seguito), Warmia, ossia l'antica prelatura tedesca di Schneidemuhl divenuta la polacca Olsztyn, Łomża, Siedlce. In queste due ultime città, incontrai anche i responsabili ecclesiastici dei territori di Białystok e di Drohiczyn, ossia delle parti dell'arcidiocesi di Vilna e della diocesi di Pinsk rimaste in Polonia. Una settimana di intense consultazioni, che confermarono le conclusioni già emerse nei due precedenti viaggi: valutazione prudentemente positiva circa i contatti con il governo, o almeno sulla opportunità di non respingere eventuali richieste o inviti governativi; poca o nessuna fiducia nella reale volontà del regime e nella possibilità di conchiudere un accettabile accordo; preoccupazione, piuttosto, per il pericolo di fare involontariamente il gioco degli avversari della Chiesa e della religione. Qualcuno degli interlocutori fu particolarmente pessimista: il governo porrà come condizione di allontanare il primate, e allora concederà tutto... per poi non mantenere nulla; unica nostra possibilità reale è la resistenza passiva; morto o messo da parte il primate, non ci sarebbe piú niente da fare!

Con il mio nutrito bottino di informazioni, di valutazioni, di giudizi, di suggerimenti, eccomi di nuovo a Varsavia per tirare le somme. Mai, credo, la Santa Sede aveva potuto, in un paese comunista, raccogliere un tale insieme di dati di prima mano, e tanto significativi, sul reale stato d'animo, i timori, le attese di un grande popolo, rimasto tenacemente attaccato alla fede e alla Chiesa dei suoi padri e sottoposto a un regime che si impegnava a combatterle entrambe. Tutti i vescovi, numerosi ecclesiastici e religiosi o religiose, rappresentanti del laicato cattolico avevano potuto far sentire la loro voce, liberamente e – non ne dubitavo – con piena fiducia. Il timore o il sospetto avanzato dal governo, che si fosse cercato di tener lontano da me chi avrebbe potuto far sentire una voce diversa, fra il clero o i laici cattolici, avrebbe certamente potuto avere qualche fondamento; ma io avevo procurato di completare come meglio possibile, anche da quel lato, la mia informazione (fra l'altro, grazie all'iniziativa discreta dell'ambasciatore italiano a Varsavia, mi era stato possibile avere riservatamente un colloquio piuttosto prolungato con il capo del movimento Pax, conte Piasecki[104], in piena e aperta rotta di collisione con l'episcopato e personalmente con il primate).

Per preparare la mia relazione a Roma e poi un possibile dialogo con il governo procurai di fissare in alcuni punti chiave i risultati del mio periodo polacco.

Meno quattro vescovi, decisamente contrari, tutti gli altri, con il cardinale primate a capo, avevano risposto affermativamente, senza esitazioni, alla domanda se in caso d'una qualche proposta governativa la Santa Sede dovesse accettare di entrare in conversazione o trattative con il governo. In tal senso s'era espressa ugualmente la stragrande maggioranza degli ecclesiastici, delle religiose e dei laici interpellati.

Unanimemente era stata sottolineata la necessità della massima prudenza e cautela; accolta con soddisfazione vivissima la determinazione del Santo Padre di non procedere se non in collaborazione e in accordo con l'episcopato, e specialmente con il primate.

Al solito era stato raccomandato di non aver fretta, cercando di rimandare il piú possibile la conclusione di eventuali accordi formali, sia per studiare meglio tutte le questioni e formulazioni, sia per poter sperimentare la serietà delle intenzioni del governo, e sia anche per una migliore preparazione psicologica della pubblica opinione. Alcuni altri avevano invece consigliato di non perdere tempo: l'occasione favorevole che si presentava avrebbe potuto andare perduta. Ma forse anche questa opinione si riferiva piú all'inizio delle conversazioni che alla loro conclusione con un formale accordo.

---

[104] Bolesław Piasecki fondò, nel 1945, l'associazione Pax, con l'intento di dare vita a un movimento di laici e preti cattolici favorevoli al nuovo regime socialista. Il movimento Pax, visto con diffidenza dall'episcopato, ma sostenuto dal governo, ebbe a disposizione grandi mezzi, specie nel campo editoriale.

Da piú d'uno era stato espresso il timore che un eventuale nuovo accordo con il governo (dopo i due conchiusi dall'episcopato nel 1950 e nel 1957) potesse tornare sgradito ai cattolici del paese, tanto ostili al sistema vigente, e risolversi in un indebolimento del prestigio della Chiesa fra il popolo. L'opinione ampiamente prevalente era però che, ciononostante, se l'eventuale accordo avesse risposto a certe condizioni (nessuna limitazione delle libertà essenziali della Chiesa, nessun appoggio al sistema in vigore, niente privilegi per il clero, ma solo impegno contrattuale al rispetto dei diritti spettanti alla Chiesa), il pericolo prospettato non sarebbe stato tanto grave, né avrebbe dovuto impedire l'accordo.

Qualcuno aveva anche osservato che il pericolo di reazioni o di conseguenze negative, anziché al clero e ai cattolici veramente fedeli, che erano la grande maggioranza, poteva venire piuttosto dai non pochi che si stringevano attorno alla Chiesa soprattutto perché vedevano in essa l'unica forza che continuava a tener testa al regime politico-sociale imposto alla nazione: un accordo, anche se giusto e favorevole, sarebbe apparso a essi come un cedimento, in contrasto con la linea di totale antagonismo che avrebbe dovuto continuare intransigentemente, anche a costo di nuovi gravi colpi contro la Chiesa. Fra l'altro, la loro adesione alla gerarchia, che non era certo da sottovalutare o da respingere, sembrava esser proprio quella che offriva al governo il pretesto per affermare – generalizzando e semplificando – che la Chiesa, e soprattutto il primate, erano a capo di un'opposizione di carattere politico e non religioso. Quanto alla sicurezza di una effettiva applicazione dell'eventuale accordo, le opinioni erano diverse e incerte nei particolari; ma tutte concordavano nel sottolineare che, certamente, con un partner come quello con il quale si doveva trattare, vere e assolute garanzie non si potevano avere. Tuttavia, si sarebbe potuto meglio giudicare nel corso delle trattative se gli interessi del governo e soprattutto la pressione delle circostanze (situazione politica interna e internazionale) potessero giustificare qualche migliore speranza.

La lista dei punti da regolare nell'eventuale accordo e, in ogni caso, da affrontare nelle conversazioni andavano da un massimo auspicabile a un minimo da considerarsi condizione *sine qua non*. A tutti poi era parsa graditissima l'idea che l'eventuale accordo fosse fatto precedere da un congruo periodo di «armistizio», mentre si conducevano le conversazioni e si studiava il modo di giungere a un piú completo regolamento. Auspicata, per condurre le trattative in accordo con l'episcopato e per garantire meglio l'armistizio, la presenza a Varsavia d'un inviato della Santa Sede (con titolo e incarico da determinarsi).

Nel consentire il mio viaggio, il governo aveva veramente sperato che io avrei potuto rilevare una frattura tra il cardinal Wyszyński e una frazione consistente, anche se non maggioritaria, dell'episcopato e dell'opinione cattolica? Non arrivo a crederlo. Ma se mai se ne fosse illuso, avrebbe fatto presto ad accorgersi di essersi sbagliato. Aveva avuto invece ragione nel pensare che, passando attraverso tutto il paese, mi sarei convinto che, nonostante le continue denunce dell'episcopato, la vita cattolica in Polonia era viva e vivace e che le sue manifestazioni, anche pubbliche, non erano impedite dallo Stato: con la sola avvertenza che di quella vitalità la Chiesa non era debitrice alla buona volontà del governo, ma alla sua forza interiore e alla sua capacità di resistenza ai tentativi di oppressione del regime. In realtà, il lungo viaggio mi aveva permesso di toccare con mano quale differenza di situazione e di atmosfera vi fosse fra la Polonia e la Cecoslovacchia o l'Ungheria. E insieme mi aveva mostrato a quali pericoli religione cattolica e Chiesa sarebbero state esposte anche in Polonia, se la pressione governativa avesse potuto continuare, o addirittura aumentare, per un tempo ancora prolungato: e ciò specialmente nel settore giovanile, con scuola, servizio militare, organizzazioni sportive o di svago e simili, tutte nelle mani dello Stato, nonostante la difesa opposta dalla Chiesa e dalle famiglie.

Ma un'altra esperienza mi aveva regalato il mio passaggio a tappeto dal nord al sud e dall'est all'ovest della Polonia; un'esperienza che non avevo avuto né avrei avuto in Ungheria e in Cecoslovacchia, e per la quale ero debitore anche al governo polacco che in certo senso me ne aveva offerto la possibilità: l'esperienza, cioè, dei ripetuti contatti diretti avuti con la gente, giovani e anziani e tanti tanti bambini, senza difficoltà e, praticamente, senza impedimenti. Data anche la mia naturale propensione a simpatizzare e a familiarizzare con la gente, questi contatti mi avevano portato quasi immediatamente a sentirmi, in Polonia, quasi in una seconda patria.

Nell'incontro con Werblan non fu assolutamente toccato il tema in vista del quale io avevo proposto che il colloquio potesse aver luogo all'inizio, anziché alla fine del mio terzo viaggio in Polonia: l'eventuale udienza pontificia al presidente polacco Edward Ochab, in occasione della sua visita in Italia, fissata proprio a partire dal 6 aprile.

Appena annunziata la visita era stato inevitabile, per noi, chiederci che cosa fare!

Il cardinal Wyszyński osservò che, pur trattandosi di un dichiarato comunista, Ochab era formalmente a capo di un paese composto nella quasi totalità da cattolici: un mancato incontro con il papa, indipendentemente da chi ne fosse responsabile, governo o Vaticano, sarebbe risultato cosa molto negativa per il popolo polacco, tanto piú che circa due mesi prima l'omologo sovietico di Ochab, il presidente del Presidium del Soviet supremo dell'Urss, Nikolaj Podgornyj[105], era stato ricevuto da Paolo VI. Il papa si disse d'accordo. Non

[105] Nikolaj Viktorovič Podgornyj (1903-83), entrò nel politburo del Pcus nel 1960, dopo aver svolto ruoli di primo piano in Ucraina. Dal 1965 al 1977 fu presidente del Presidium del Soviet Supremo, cioè capo dello Stato. Dopo la prima visita di Gromyko in Vaticano nel 1966, Podgornyj fu ricevuto in Vaticano da Paolo VI nel gennaio 1967. Furono discussi temi concernenti la guerra del Vietnam e, piú in generale, la pace e la libertà religiosa.

restava quindi che vedere come si sarebbero svolte le cose; si aveva però l'impressione che da parte del governo ci fosse piú imbarazzo che entusiasmo. C'era ad ogni modo da prevedere, come già per Podgornyj, un problema formale o di procedura: una richiesta d'udienza, un governo comunista non l'avrebbe mai fatta; un invito da parte della Santa Sede sarebbe stato del tutto fuori dalla prassi generale seguita dal Vaticano, per assai buone ragioni. Per il capo sovietico la soluzione era stata trovata in quello che avevamo chiamato un «incontro a metà strada»: le due parti si sarebbero trovate d'accordo sulla opportunità della visita. Nessun invito, nessuna richiesta, e contenti tutti (quanto al modo pratico di procedere, le cose non erano sempre molto semplici ma, volendolo, l'ostacolo si poteva superare; a questo, appunto, mirava il mio desiderio di incontrarmi con Werblan prima del viaggio italiano di Ochab).

Ma tutte le nostre ipotesi e ogni superflua perplessità furono di colpo superate da un'estemporanea sortita de «L'Osservatore Romano», organo non ufficiale della Santa Sede, ma che in quell'occasione si dimostrò capace di condizionarne efficacemente le decisioni. Con la data del giorno precedente l'arrivo di Ochab a Roma, 6 aprile («L'Osservatore» è giornale della sera), il quotidiano usciva, il 5 pomeriggio, con un articolo in terza pagina, a firma di un collaboratore esterno, sulla slesiana santa Edvige, canonizzata il 25 marzo di settecento anni prima: «Una santa che unisce nella fede i popoli germanico e polacco». Bello il tema, giustificato il ricordo; ma, a illustrazione dell'articolo appariva una immagine della Elisabethkirche di Breslavia, e qui una bella parentesi: «Germania orientale». Offesa piú grave non avrebbe potuto immaginarsi, non solo per il governo, ma per il sentimento del popolo polacco, episcopato in testa. Il bello è che ben pochi si mostrarono disposti ad accettare per buono l'*errata corrige* subito pubblicato da «L'Osservatore Romano» o a credere che la cosa fosse stata fatta inavvertitamente. Il corrispondente di un grande giornale francese a Varsavia, parlando con me, non aveva dubbi: si era trattato di un tentativo di sabotaggio del paziente lavoro che stavo cercando di svolgere in quei giorni in Polonia; né mi riuscí di convincerlo del contrario.

Al governo non parve vero di poter fare l'offeso: un insulto al popolo polacco; uno schiaffo al suo piú alto rappresentante, proprio mentre stava per mettere piede a Roma! Di udienza, neanche parlarne. Né io ne parlai e neppure Werblan, il quale non fece neppure alcun accenno all'incidente de «L'Osservatore Romano».

L'episodio era assai grave come incidente, ma non poteva da solo aggravare maggiormente una situazione già tanto difficile. D'altra parte, un incontro fra il papa e il presidente, figura di non grande rilievo sul piano politico, avrebbe difficilmente potuto migliorare una realtà talmente tesa.

Dopo i miei viaggi polacchi, i rapporti e i problemi fra Chiesa e Stato continuavano piú o meno sul binario di prima. Nessun accenno a un inizio di colloqui governo-Santa Sede; né a noi conveniva sollecitarli.

Intanto, la situazione generale nel blocco sovietico, e in Polonia in particolare, stava conoscendo i segni di movimenti profondi che i responsabili sembravano incapaci di vedere e tanto meno di prevedere, per tirarne le conseguenze che la prudenza politica avrebbe potuto, o dovuto, suggerire.

Erano i tempi della preparazione, dello sbocciare e poi del soffocamento della Primavera di Praga. La Polonia ufficiale venne associata alla repressione armata decisa nell'agosto del 1968 dal Patto di Varsavia; si disse, anzi, che il segretario generale Gomułka, insieme al collega tedesco-orientale Honecker[106], fosse tra i piú ac-

---

[106] Erich Honecker (1912-94), segretario generale del Partito socialista unificato (Sed) della Repubblica democratica tedesca, nel 1976 fu eletto anche presidente. Nel 1989 fu costretto alle dimissioni dalla grande protesta di massa che chiedeva la riunificazione della Germania e le libertà civili e politiche. Processato a Berlino, fu liberato per le sue gravi condizioni di salute e si rifugiò in Cile.

cesi sostenitori delle maniere forti, per spegnere sul nascere (cosí a loro pareva) un movimento che poteva rappresentare una minaccia anche per i loro paesi. E non senza ragione: il primo a sperimentarlo personalmente fu proprio Gomułka. Sentendosi abbastanza saldo in sella, nel dicembre del 1970 egli cercò di affrontare la disastrata situazione economica con un improvviso rialzo dei prezzi della carne e dei suoi derivati; la reazione della popolazione, operai in testa, a Danzica, Gdynia, Stettino, innescò un processo di repressione e di violenze, che avrebbe portato alla piú sanguinosa operazione di «mantenimento dell'ordine pubblico» del dopoguerra polacco e alla seconda e definitiva caduta di Gomułka, sostituito da Edward Gierek[107].

Gomułka, ad ogni modo, lasciava in eredità un risultato aspettato a lungo e di grande importanza storica: proprio pochi giorni prima dei fatti del dicembre 1970, era stato firmato l'accordo con la Repubblica Federale tedesca – rappresentata dal cancelliere Willy Brandt[108] – sulle frontiere dell'Oder-Neisse. La sua ratifica, a metà del 1972, avrebbe aperte alla Santa Sede le porte per procedere alla sospirata normalizzazione ecclesiastica di quei territori.

Il periodo Gierek sembrò incominciare sotto auspici abbastanza favorevoli, anche per la popolarità e il prestigio che circondavano il nuovo primo segretario

---

[107] Edward Gierek (1913), dirigente del Poup e deputato dal 1948, dopo le grandi proteste sociali del 1970 venne chiamato a succedere a Gomułka nella segreteria del partito. Avviò alcune riforme economiche e inviò segnali d'apertura e disponibilità alle autorità ecclesiastiche. Nel 1990 è stato costretto a dimettersi e, l'anno successivo, è stato anche espulso dal Poup.

[108] Willy Brandt (1913-92), deputato socialdemocratico nel parlamento federale dal 1949, fu borgomastro di Berlino Ovest dal 1957 al 1966, quindi ministro degli esteri e dal 1969 al 1974 cancelliere. Nel 1971 ricevette il premio Nobel per la pace, per la sua politica di distensione e apertura nei confronti dei paesi dell'Est (Ostpolitik), a partire dalla Rdt e dalla Polonia, di cui riconobbe i confini occidentali. Dopo le dimissioni da cancelliere conservò la presidenza della Spd.

del Comitato centrale, il quale inaugurò anche un nuovo stile nei rapporti con gli operai.

Questo non impedí che altri scioperi venissero a turbare la vita nazionale, obbligando il governo ad annullare l'aumento dei prezzi, dapprima mantenuto. Il sollievo provocato da questa decisione, benché forzata, e le nuove iniziative governative in campo di sviluppo economico, come anche lo stile di maggiore apertura della nuova direzione politica, assicurarono alla Polonia alcuni anni di tregua durante i quali, come nelle sue memorie ricorda il personaggio cui toccò di chiudere l'epoca comunista nel paese (W. Jaruzelski[109], *Un cosí lungo cammino*, Rizzoli, Milano 1992, p. 172: «la maggior parte dei polacchi poté scoprire il comunismo e una certa libertà»). Ma la crisi, a cominciare da quella economica, era ben lontana dall'essere superata e, alla fine, si impose. Gli scioperi del giugno 1976 a Radom e a Ursus contro un nuovo progetto di riforma dei prezzi, subito revocato, ne furono il segno. Fortunatamente, questa volta, fu evitato il bagno di sangue del 1970; ma ciò non fu sufficiente, né a sanare le tensioni sociali, né a rimediare al sempre crescente e ormai irrimediabile disagio economico. Nel 1980, scioperi dei cantieri navali di Danzica; il 31 agosto di quell'anno gli accordi detti, appunto, «di Danzica», con l'entrata in forza del libero sindacato Solidarność sulla scena polacca. All'inizio di settembre motivi di salute, secondo quanto fu comunicato, costrinsero Gierek a dimettersi.

Il decennio di Gierek conobbe, fra l'altro, un nuovo rapporto dello Stato con la Chiesa. In proposito, come scrisse il generale Jaruzelski nelle memorie che ho già ricordate: «La guerriglia quotidiana che aveva segnato

---

[109] Wojciech Jaruzelski (1923) divenne capo di stato maggiore (1965-68) e dal 1968 ministro della Difesa nel 1981, al culmine della crisi del regime, divenne segretario del Poup e primo ministro e proclamò lo stato d'assedio. Dal 1985 al 1990, come presidente del Consiglio di Stato e dal 1989 come presidente della Repubblica, ha gestito la transizione alla democrazia e, quindi, si è ritirato a vita privata.

gli anni Sessanta aveva ceduto il posto a una battaglia molto piú attutita. Le spade non erano rientrate nel fodero, ma avevano la punta smussata» (p. 180). Un'affermazione, tutto sommato, accettabile. Il 16 ottobre 1978 fu eletto papa il cardinale di Cracovia, Karol Wojtyła, che nel giugno seguente volle compiere il suo primo viaggio in Polonia; nel clima del periodo Gomułka ciò avrebbe comportato problemi pratici tanto complessi da riuscire, forse, quasi insuperabile.

Pochi mesi dopo l'elezione di Gierek, dal 27 marzo al 7 aprile 1971, era stato possibile un primo incontro di lavoro fra governo e Santa Sede («uno scambio di vedute sulle questioni che interessano le due parti», secondo la cauta espressione del comunicato ufficiale). Mio partner il viceministro Aleksander Skarzyński, direttore dell'ufficio dei Culti, accompagnato da un direttore di dipartimento al ministero degli Affari esteri.

Oggetto delle conversazioni, non le faticose e troppo spesso inutili discussioni sulle provviste diocesane che avevano preso tanta parte delle trattative con l'Ungheria e la Cecoslovacchia; di ciò, come di molte altre questioni concrete della vita della Chiesa, avrebbe continuato a occuparsi, salvi gli aspetti riservati per loro natura alla decisione della Santa Sede, l'episcopato polacco con a capo il cardinale primate e l'apposita commissione episcopale. Il principio delle «conversazioni parallele» (Santa Sede-governo, episcopato-governo) permetteva cosí di concentrare la nostra attenzione sui punti piú importanti o generali dei rapporti Stato-Santa Sede e Stato-Chiesa cattolica in Polonia.

Forse per assicurarsi in partenza una certa posizione di forza, i rappresentanti statali incominciarono col lagnarsi per gli asseriti atteggiamenti «antipolacchi» della Santa Sede, già durante la guerra. Certe sue disposizioni erano state prese in contrasto con il Concordato del 1925; ciò aveva poi portato il governo di Varsavia a dichiarare che il Concordato era stato rotto dalla Santa Sede e quindi non piú in vigore. Dopo la guerra, in primo luogo, il persistente rifiuto di riconoscere la sovranità polacca sui territori nordoccidentali già appartenenti alla Germania. E poi il rapporto che la Santa Sede aveva continuato a mantenere con il cosiddetto governo polacco di Londra, e la presenza, ancora al momento delle nostre conversazioni, del suo antico rappresentante, signor Papee, con il titolo personale (ma non le funzioni) di ambasciatore. A queste e ad altre analoghe lagnanze la risposta, da parte mia, non era difficile, anche se ai rappresentanti governativi non era facile accettarla. La Santa Sede, nei tempi difficilissimi dell'invasione tedesca, aveva cercato di provvedere alle necessità religiose nei territori polacchi cosí come poteva, ma senza andar contro le disposizioni concordatarie e, certamente, senza alcuna intenzione «antipolacca». Per i territori tedeschi passati alla Polonia la posizione della Santa Sede non aveva nessun carattere «antipolacco» o «filotedesco» ma rispondeva solo a esigenze di rispetto delle norme del diritto internazionale; ad ogni modo sembrava ormai avvicinarsi, finalmente, il momento della possibile soluzione dell'annoso problema, con la prevedibile entrata in vigore dell'accordo firmato sul finire del 1970 dalla Repubblica Federale di Germania e dalla Polonia. Anche cosí i rappresentanti governativi non si mostravano contenti; attendere sino a dopo la ratifica dell'accordo da parte del Parlamento e del governo tedesco-occidentale avrebbe tolto alle decisioni dalla Santa Sede ogni importanza politica di fronte al popolo polacco; ma era proprio una presa di posizione «politica» che la Santa Sede riteneva necessario evitare.

Chiuso piú o meno soddisfacente quel capitolo, si apriva quello dei rapporti Stato-Chiesa. Anche qui, seguendo una vecchia e ben nota tattica, i rappresentanti governativi, sapendo che la Chiesa aveva molto di cui lamentarsi, incominciarono a mettere avanti le loro lagnanze. I punti di frizione e di lotta erano parecchi, e naturalmente di disuguale importanza e difficoltà.

I vescovi denunziavano continuamente le difficoltà o l'impossibilità di procedere alla costruzione di chiese o luoghi di culto, specialmente nei nuovi quartieri in continua espansione. Il governo metteva avanti molti motivi per giustificare i ripetuti rifiuti opposti, in particolare la scarsità di materiali e la necessità e l'urgenza di promuovere l'edilizia popolare nei nuovi centri industriali. La Chiesa riusciva a strappare di forza alcune autorizzazioni. Nell'ultimo anno, dicevano i rappresentanti governativi, erano state concesse diciasette autorizzazioni; ma la Chiesa ne chiedeva seicento: una assoluta mancanza di «senso della realtà».

Altra fonte di continui attriti e confronti, le insistenze governative per la consegna dei cosiddetti libri di inventario dei beni ecclesiastici e soprattutto per l'esercizio della vigilanza sull'«aspetto civico» dell'insegnamento e della formazione dei giovani nei seminari.

Secondo i rappresentanti governativi, vi era nella Chiesa in Polonia una specie di «ossessione» nel giudicare l'atteggiamento del governo e le leggi del paese: quasi che uno Stato impostato secondo il materialismo marxista dovesse necessariamente cercare sempre e in tutto di danneggiare la Chiesa e di limitarne le attività. Di questo, in realtà, i vescovi polacchi nel loro insieme erano profondamente convinti, specialmente pensando alle esperienze del periodo appena passato. Stavano quindi sempre sull'attenti e quasi sul piede di guerra, anche di fronte ai segni di relativa distensione che stavano accompagnando il dopo-Gomułka: fino a quando sarebbe durato il «nuovo corso»? E poi, altra cosa era la nuova direzione e altro l'insieme del Partito, inserito pur sempre nel complesso ideologico del blocco sovietico.

In Polonia, a differenza che negli altri paesi fratelli, la Chiesa aveva forza sufficiente per resistere e lottare contro le mosse a lungo o a corto raggio di un regime istituzionalmente nemico. Sicché si aveva quasi la strana impressione che fosse il regime a cercare dalla Santa Sede un aiuto o una difesa contro un'«ossessione» della Chiesa che lo metteva in continue difficoltà: difficoltà all'interno, per evitare urti con una popolazione visceralmente legata alla Chiesa e sempre meno allo Stato; difficoltà all'esterno, per non apparire o troppo debole di fronte ai paesi fratelli, o troppo «stalinista» di fronte a un Occidente al quale la Polonia di Gierek cercava di avvicinarsi.

Ad esempio, osservano i nostri interlocutori, un decreto del dicembre 1956, conferiva alle autorità statali il potere di rimuovere i sacerdoti che svolgessero attività nocive allo Stato; però di tale potere non veniva fatto uso, anche perché i vescovi non avrebbero permesso l'attuazione delle decisioni statali (sic!) La Santa Sede avrebbe dovuto quindi esigere dai vescovi la rimozione degli ecclesiastici convinti di attività antistatali o che violavano le leggi dello Stato; anzi, sempre la Santa Sede avrebbe dovuto punire o addirittura rimuovere i vescovi che disobbedivano alle leggi dello Stato.

La richiesta era messa avanti come una delle «basi» per l'auspicata normalizzazione, ma denunciava un quasi incredibile distacco dalla realtà. Non piú realistica la richiesta che la Chiesa – episcopato in testa – riconoscesse l'«irreversibilità» della trasformazione politica e sociale avvenuta in Polonia dal 1945, accettandola lealmente e rinunciando ad atteggiamenti e ad attività di opposizione.

I rappresentanti governativi andavano avanti. Bisognava cercare di creare una «nuova» gerarchia; la prassi in vigore per le nomine vescovili si era mostrata insufficiente: praticamente il gioco restava nelle mani del cardinal Wyszyński. Al governo avrebbe dovuto esser riconosciuta addirittura la possibilità di presentare candidati. Anche le nomine di ausiliari, cosí diffuse allora in Polonia, avrebbero dovuto essere sottoposte al benestare governativo. Quasi incoraggiati dalla loro audacia, i nostri interlocutori arrivavano a chiedere la stessa cosa anche per la nomina del presidente della Conferenza episcopale. E avanti di questo passo... Ad ascoltarli, poteva sembrare di avere a che fare con rappresentanti dei governi di Ungheria o di Cecoslovacchia, se non addirittura dell'Unione Sovietica.

Mi chiedevo se il signor Skarzyński credesse veramente di poter cambiare le cose attraverso il massimalismo delle sue richieste; queste, semmai, avrebbe potuto spingere la Chiesa, e in particolare il cardinal Wyszyński, a tenere ancor piú duro sulle proprie posizioni: posizioni piú di «forza» – a sentire il governo – che di «legalità», ma rispondenti in realtà, ai diritti della Chiesa disconosciuti dalla prepotenza del regime. Questo non aveva modo di imporsi se non ricorrendo a sua volta a un uso, politicamente inopportuno, della forza; poteva, però, sempre continuare a creare gravi difficoltà e problemi alla Chiesa.

Anche per questo motivo, e in considerazione del nuovo clima che Gierek permetteva di sperare, preferii cercare di mantenere il dialogo piú sul piano del ragionamento che del confronto polemico. Naturalmente non mancai di fare chiaramente presenti i molti motivi di lagnanza e le giuste richieste della Chiesa, ma in modo da favorire possibilmente un qualche accordo, almeno sui punti piú importanti e fondamentali. Impresa tutt'altro che facile, con animi ancora tanto accesi e in un clima di mutua sfiducia che continuava ad apparire quasi insormontabile.

Skarzyński aveva riassunto in quattro princípî le basi che considerava fondamento per una possibile normalizzazione. Risposi che per tre di essi, salva una loro piú precisa formulazione e salve sempre le questioni che potevano nascere nella loro applicazione concreta, si sarebbe potuto trovare un'intesa, accettabile anche per l'episcopato. Per il restante principio (osservanza delle leggi statali da parte del clero) rimaneva una riserva fondamentale: il possibile (e di fatto esistente) urto di alcune di tali leggi con quelli che la Chiesa considerava suoi diritti o interessi vitali. Perciò, se si voleva veramente evitare uno stato di permanente grave conflittualità, erano necessarie intese che cercassero di conciliare le diverse esigenze. Si ripresentava qui il problema, ancor piú fondamentale, del riconoscimento dello status della Chiesa, non nello Stato, ma di fronte allo Stato. Vecchia questione che, naturalmente, metteva in discussione principî basilari dell'una e dell'altra parte. L'episcopato polacco insisteva sull'antica richiesta del riconoscimento della Chiesa come «società di diritto pubblico»; il governo rispondeva che nel nuovo ordinamento statale il concetto stesso di «società di diritto pubblico» non aveva piú cittadinanza. D'altra parte, sempre secondo il governo, la Costituzione della nuova Polonia non contemplava l'ipotesi di un concordato (ma neppur l'escludeva, avevo osservato, pur rendendomi conto che non si trattava tanto della lettera della Costituzione, quanto di qualcosa di ben piú profondo e ben radicato nella realtà comunista).

Ad ogni modo, continuavano e concludevano i nostri interlocutori, l'atteggiamento della Santa Sede da me esposto «li inclinava a continuare i colloqui». Non era molto, ma bisognava pure sapersi accontentare. Tanto piú che la parte polacca manifestava un certo ottimismo e buone disposizioni per la continuazione dei colloqui con l'episcopato.

Ci si rivide qualche mese dopo a Varsavia, dal 10 al 13 novembre 1971, e di nuovo il 17 e il 18 seguenti, dopo il ritorno del cardinal Wyszyński da Roma (nel frattempo era stato informato e consultato il cardinal Wojtyła a Cracovia).

Il cambiamento del clima era stato sottolineato anche dalla partecipazione in forma ufficiale del viceministro Skarzyński alla cerimonia della beatificazione, il 17 ottobre precedente, del padre Massimiliano Kolbe[110], vittima dell'odio nazista e martire della carità ad

---

[110] Massimiliano Maria Kolbe (1894-1941), francescano conventuale, fu ucciso ad Auschwitz; beatificato da Paolo VI nel 1971, è stato canonizzato come martire da Giovanni Paolo II nel 1982.

Auschwitz: presenza che fu oggetto e sorgente di diverse e contrastanti interpretazioni e reazioni in Polonia, in Occidente e nel mondo sovietico.

Nell'estate lo Stato, con gesto non negoziato, aveva attribuito in proprietà alle persone morali ecclesiastiche nei territori già tedeschi gli immobili dei quali erano in possesso il 1° gennaio 1971: ne beneficiò, naturalmente, soprattutto la Chiesa cattolica.

I nuovi colloqui, prolungati e puntigliosi, ricalcarono sostanzialmente quelli di Roma, con qualche allargamento delle problematiche. Ad esempio, era allora allo studio un progetto di riforma scolastica, abbastanza ambiziosa e probabilmente superiore alle possibilità del paese: anche per questo, penso, non fu poi attuato. Esso era sostenuto con molto entusiasmo dal giovane ministro Kuberski, che fu poi capo del gruppo di lavoro polacco presso il Vaticano, ma agli occhi dei vescovi aveva almeno un gravissimo difetto: impegnava anche il sabato pomeriggio, da tempo riservato all'insegnamento religioso nei «punti catechistici» istituiti dopo la soppressione di tale insegnamento nelle scuole statali. Fosse intenzione governativa di creare nuove difficoltà, o semplice conseguenza della progettata revisione scolastica, l'episcopato era deciso a dar battaglia, né io avrei potuto dargli torto, nonostante l'interesse e diciamo pure, la simpatia che avevo manifestata a titolo personale per l'audace e un po' utopistica iniziativa del giovane ministro.

I tempi non erano ancora maturi per qualche passo avanti, neppure per arrivare a stabilire un canale piú regolare di contatti, come io stavo insistendo. La sfiducia dei vescovi nelle reali e durevoli intenzioni del regime non era sostanzialmente scalfita dalle evidenti migliori intenzioni di Gierek. Per parte sua, il governo non era sicuro di non avere piú nella Chiesa l'avversario irriducibile e temibile del passato, anche se non tutti i vescovi erano cosí battaglieri come quel loro confratello, il cui nome ritornava di tanto in tanto nei colloqui come quello di una vera bestia nera del regime; egli, secondo i nostri interlocutori, sarebbe uscito in pubbliche esortazioni del genere di questa: «Uomini sappiate pensare, state bene attenti, tutto quello che vedete crollerà piú presto che tardi, – cosí nella versione dataci. – È tutto falso, è falsa la democrazia, è falsa la giustizia, menzognero è il benessere». Parole forti, ma profetiche!

Era vero che l'episcopato sembrava avere ignorato del tutto gli appelli del governo per qualche efficace intervento contro gli ecclesiastici che non osservavano le leggi o altre disposizioni statali. Alcune di queste erano talmente trascurate che, mi fu detto, ormai il governo aveva rinunciato a esigerne il rispetto; e, a un mio accenno quasi un po' di sorpresa Skarzyński rispondeva: «Si tratta di buona volontà» (da parte del governo); anzi, aggiungeva con un tocco di involontario grottesco, «di magnanimità».

Il lungo incontro si conchiudeva anche stavolta con un sobrio comunicato: «I colloqui hanno avuto per oggetto i problemi di interesse per le due parti, le quali hanno riconosciuto l'utilità di continuarli».

Il comunicato non lo diceva, ma si sarebbe dovuto aggiungere: «senza troppa fretta». A parte infatti ogni altra considerazione, era ormai necessario risolvere prima la questione dei territori ex tedeschi. La Santa Sede si affrettò a farlo, una volta ratificato l'accordo della Germania federale con la Polonia, con una rapidità che a certi circoli tedeschi, naturalmente timorosi di una simile conclusione, diede quasi l'impressione di un «colpo di mano». Chiuso questo capitolo, era venuto a cadere l'ostacolo piú grave e che sino allora era apparso insuperabile, per un'intesa: non fra lo Stato e la Chiesa polacca, che su questo punto erano sempre andati d'accordo, ma fra governo e Santa Sede.

I problemi fondamentali del rapporto fra Chiesa e Stato comunista restavano sostanzialmente immutati e i vescovi sentivano il dovere di contrastare vigorosamente il pericolo che una certa stanchezza o alcuni risultati parziali o di superficie inducessero a dimenticarli o a trascurarli. Il pericolo appariva loro fortemente aumentato per il diffondersi di contatti, anche ad alto livello, messo in moto dal processo della Conferenza di Helsinki sulla sicurezza e la cooperazione in Europa, iniziato nel 1972 e che si sarebbe concluso con la firma dell'atto finale il 1° agosto 1975.

Fu appunto a Helsinki, in occasione della prima fase della Conferenza, svoltasi nel luglio del 1973, che io ebbi un incontro con il ministro polacco degli Esteri Stefan Olszowski. Oggetto dell'incontro naturalmente, come in tutti gli altri svoltisi in quei giorni nella capitale finlandese, i problemi connessi con la sicurezza e la cooperazione in Europa; ma soprattutto il rapporto fra Polonia e Santa Sede e la ripresa dei contatti rimasti in sospeso dal novembre di due anni prima.

Il ghiaccio era rotto. Nel novembre seguente Olszowski era ricevuto in udienza dal papa e tre mesi dopo, su suo invito, io mi recavo in visita ufficiale a Varsavia; la prima del genere dopo tanti anni di separazione, imposta dapprima dalla guerra e dalla prepotenza nazista e poi, a partire dal 1945, dal rapporto aspramente conflittivo fra la Chiesa e il governo comunista. Questa svolta, necessariamente vistosa, suscitò molti problemi.

Non si sarebbe potuto dire che il riavvicinamento fra la Santa Sede e lo Stato polacco, venutosi a profilare dopo l'arrivo di Gierek a capo del partito comunista, fosse visto con entusiasmo, o almeno senza preoccupazione, dall'episcopato e particolarmente dal vecchio lottatore e stratega che aveva sino allora condotto il difficile confronto con il regime marxista, il cardinal Wyszyński. Il ricordo delle vicende dei tanti anni di tensioni e di deludenti tentativi di accordo era ancor troppo vivo: si poteva ora avere davvero fiducia nelle possibilità di un reale e sostanziale cambiamento della situazione?

Questi, piú o meno, i pensieri che si potevano indovinare nell'animo del primate. Il quale trovò anche modo di farli conoscere al papa, alla vigilia della mia partenza per Varsavia, in modo non polemico ma molto chiaro, in nome del Consiglio permanente dell'episcopato. Bisognava evitare di dare ai polacchi l'impressione che alla Santa Sede stesse piú a cuore stringere rapporti diplomatici che assicurare il bene del popolo credente: «I cattolici polacchi guardano questi rapporti con diffidenza, temendo che essi, non contribuendo al consolidamento della Chiesa, rafforzeranno invece il regime comunista». Senza essere contrario per principio ai colloqui, l'episcopato pensava che un partner come il regime comunista mirava soltanto a raggiungere effetti spettacolari e propagandistici; e se anche avesse sottoscritto qualche accordo, non avrebbe avuto intenzione di rispettarlo. Per i suoi stessi presupposti il comunismo mirava a limitare la Chiesa, per poi poterla liquidare; perciò era necessario almeno evitare che un eventuale trattato potesse compromettere lo *status quo*, ossia lo stato di fatto di cui la Chiesa godeva in Polonia, indipendentemente dalle disposizioni legali o anche contro di esse. In ogni caso, un accordo per lo stabilimento dei rapporti diplomatici non avrebbe dovuto essere conchiuso prima della firma di un trattato (preferibilmente sotto forma di concordato) per la vera normalizzazione di rapporti Stato-Chiesa, che avrebbe poi dovuto essere reso esecutivo con un decreto redatto da una Commissione mista governo-episcopato.

Un quadro piuttosto complicato e preoccupato, inteso piú a scoraggiare che a orientare la prevista, o paventata, continuazione del dialogo fra Santa Sede e governo. Questa appariva, però, ormai inevitabile. I timori espressi dal Consiglio permanente circa il negoziato per la conclusione di un trattato e circa il prossimo stabilimento di rapporti diplomatici erano prematuri. E non mancò modo di darne conferma al primate, insieme con l'assicurazione sempre ripetuta che la Santa Sede avrebbe proceduto d'intesa con l'episcopato. Intanto, però, io mi accingevo al mio viaggio in un clima a dir poco freddino: in tono con il febbraio polacco.

A colmare in qualche modo la misura venne ad ag-

giungersi una decisione presa per proprio conto dal cardinal Wyszyński; una decisione che io non avrei certo
potuto suggerire, ma della quale potei avvertire subito
la grande saggezza, insieme però anche alle possibili notevoli interpretazioni. Stavo per recarmi a Varsavia dove per tre giorni sarei stato ospite del governo. Un protocollo ufficiale era stato stabilito e debitamente stampato, come di consueto: accoglienza all'aeroporto da
parte del ministro degli Esteri; visita al ministro, al presidente del Consiglio di Stato, al presidente del Consiglio dei Ministri e ad altri membri del governo; cerimonia alla Tomba del milite ignoto (per la prima volta
nel vasto e chiuso mondo sovietico sarebbero risuona-
te le note dell'inno pontificio: quasi ad aprire una nuova stagione). E il cardinale primate? Il protocollo non
ne parlava, non trattandosi di una personalità dello Stato (e che con lo Stato non era proprio nei termini migliori), ma io mi sentivo nel piú grande imbarazzo, senza sapere troppo come uscirne. La decisione del primate, cui accennavo, venne a togUer di mezzo il
problema. Oltre che di Varsavia, il cardinale primate
era arcivescovo di Gniezno, la sede primaziale appunto. Cosí, egli decise di portarsi in quella sede per una
«tre giorni» di impegni pastorali (impegni già presi prima, fu detto), proprio in coincidenza con i tre giorni
del mio soggiorno come ospite di governo: per poi tornare alla capitale e ricevermi nella sua residenza var-
saviese, come ospite dell'episcopato. Cosí appunto avvenne: congedatomi, ufficialmente dal governo, mi tra-
sferii per tre giorni al palazzo primaziale e di lí ripartii
per Roma.

Semplice ed efficace. Naturalmente era ovvio vedere la connessione fra il mio arrivo e la partenza del cardinale, ma con un poco d'intelligenza era possibile anche capirne la ragione di opportunità, senza vedervi necessariamente una volontà di protesta. Ma qui venne
a inserirsi un piccolo giallo.

Benché il primate fosse bene al corrente della mia
andata a Varsavia, ritenni mio dovere telefonargli il

giorno prima della mia partenza, per anticipargli i miei
ossequi. Il cardinale mi disse allora della sua già pro-
grammata andata a Gniezno. Fu per me motivo di vero sollievo; ma un orecchio indiscreto (di chi? e da dove?) ascoltava la nostra telefonata e non gli parve vero di riferirne subito il contenuto in Germania, a un
gruppo ecclesiastico che si poteva ritenere sfavorevole
alla linea seguita dalla Santa Sede, con un commento
dal tono quasi trionfante: il primate aveva voluto prendere pubblicamente e in modo abbastanza apertamente offensivo, le proprie distanze da quella linea.

Di tutto ciò io venni a conoscenza solo in seguito,
proprio dagli ambienti del primate, che ne era rimasto
molto dispiaciuto e urtato. In conseguenza egli volle
compiere uno strappo protocollare, lui cardinale verso
un arcivescovo, al quale tentai inutilmente di resistere: decise, cioè, di accompagnarmi personalmente
all'aeroporto per congedarmi e manifestare cosí pubblicamente la realtà del suo rapporto con la Santa Sede e con me.

All'aeroporto ci sarebbe stato anche il ministro degli Esteri, per congedarmi a sua volta dal territorio polacco. Cosí Olszowski ebbe occasione di incontrare, per
la prima volta credo, e non senza una certa emozione,
il cardinale. In Polonia, infatti, avevo potuto rendermi conto che il primate era per gli uomini del governo
una specie di «mostro sacro», del quale si poteva parlare e sparlare, farne oggetto di critiche e di attacchi,
ma che restava irraggiungibile, fuorché al presidente
del Consiglio di Stato, al primo ministro e, al bisogno,
al primo segretario del Partito. Credo che Olszowski
non mancò di apprezzare l'insolito privilegio, tanto piú
che il cardinale seppe mostrarsi di un'amabilità, con-
tenuta come era suo costume, ma che il ministro difficilmente avrebbe potuto aspettarsi. E con qualche sorpresa la gente dell'aeroporto di Okecie poté vedere, alla scalette dell'aereo, Chiesa e Stato uniti nel salutare
cordialmente il modesto rappresentante di una grande
realtà, la Santa Sede (ma fra pochi anni si sarebbe do-

vuta abituare a ben altro!) Non so se questo incontro del ministro con il cardinale abbia potuto pesare favorevolmente sugli sviluppi della situazione, ma almeno non dovrebbe avere nociuto.

Il comunicato ufficiale pubblicato alla fine della mia visita al governo aveva calmato un poco le apprensioni del primate. Vi si parlava, sí, di normalizzazione dei rapporti fra lo Stato e la Chiesa ma con la conferma, da parte polacca, della volontà di avere altri colloqui con la Santa Sede e con l'episcopato polacco. La prospettiva di arrivare a rapporti diplomatici sfumava nell'impegno a studiare la possibilità di stabilire contatti permanenti di lavoro. È vero però che anche questi ultimi sollevavano difficoltà, come se essi potessero trasformarsi di fatto e nella coscienza popolare in un surrogato delle relazioni diplomatiche. Prima, si ripeteva, bisognava arrivare a risolvere, con un accordo internazionale e con garanzie formali, i problemi fondamentali esistenti tra Polonia e Santa Sede e tra Polonia e Chiesa cattolica: una strada piú lunga e faticosa, ma l'unica piú sicura, da percorrere d'accordo e con la partecipazione dell'episcopato.

Il cardinal Wyszyński, con la chiarezza di sempre, non mancò di far conoscere tutto al Santo Padre. E al popolo che riempiva la cattedrale di Varsavia la sera del 7 febbraio, in occasione d'una messa solenne che mi aveva invitato a celebrare come coronamento della parte «ecclesiastica» del mio soggiorno polacco, egli tenne a ricordare chiaramente che condizione di una «vera normalizzazione» era il riconoscimento della missione indipendente, essenziale (per la Chiesa) di diffondere il Vangelo: la situazione in Polonia, a questo riguardo, era invece ben lontana da un simile riconoscimento, anzi ora (sembrò voler dire) era ancor piú difficile che mai. Nei miei riguardi, però, e quanto al motivo della mia visita, il cardinale volle avere buone e positive parole. «Perché la Chiesa abbia la possibilità di svolgere la sua missione, – disse, – la Santa Sede deve avere contatti con tutti i paesi e con i loro dirigenti: quindi anche con la "direzione politica polacca"»; una missione difficile, la mia. Bisognava quindi saper apprezzare gli sforzi pazienti che stavo compiendo in obbedienza alla volontà del papa: confidare e pregare. Una fiducia piuttosto condizionata, come si vede, ma non una chiusura.

Ormai l'idea dell'allacciamento di «contatti permanenti di lavoro» era lanciata e il governo non nascondeva il proprio interesse per la sua realizzazione.

I vescovi non erano del tutto fuori strada nel prevedere o nel temere che quei contatti potessero apparire all'opinione pubblica, non solo una preparazione, ma quasi un'anticipazione di rapporti diplomatici veri e propri; tanto più se essi avessero comportato la permanenza di apposite commissioni, o dei loro capi, rispettivamente a Varsavia e presso la Santa Sede. Giustamente i vescovi rilevavano che si trattava di una novità, senza poter contare su precedenti che valessero a indicarne gli sviluppi.

In realtà, la novità di certe situazioni aveva portato a studiare qualche nuova forma nei rapporti fra Santa Sede e governi, al di là delle vie consacrate dalla tradizione; anche queste d'altronde erano state a loro tempo delle novità. Cosí si era fatto qualche anno prima con la Jugoslavia.

Il rapporto con il governo, nonostante la novità rappresentata da Gierek, restava molto difficile: ma non meno difficile, per tutt'altri motivi, era trovare il modo concreto per onorare l'impegno sempre ribadito dal papa e ripetutamente ricordato dal cardinal Wyszyński: di procedere cioè sempre, non solo in contatto, ma d'intesa con l'episcopato. I vescovi infatti restavano profondamente convinti più della necessità di resistere e di lottare che della opportunità, o addirittura della possibilità, di trattare con il governo. Cosí, l'impegno costantemente ribadito nei riguardi dell'episcopato rappresentava certo una specie di condizionamento che poteva venire a rallentare le azioni e le decisioni della Santa Sede. Esso però ci avrebbe meglio garantiti contro i possibili tranelli o trabocchetti del cammino. In ogni caso, la lunga esperienza e la conoscenza delle cose che distinguevano i vescovi, e in particolare il cardinal Wyszyński, avrebbero continuato a fornire alla Santa Sede un aiuto preziosissimo e a volte indispensabile.

Cosí stando le cose, la Santa Sede aveva già piú d'un motivo per preferire un andamento non troppo accelerato del colloquio con il governo. Ma evidentemente, sarebbe stato difficile opporre un rifiuto alla formale proposta del ministro Olszowski di inviare a Roma una delegazione, presieduta dal viceministro degli Esteri Józef Czyrek, per studiare concretamente come giungere all'istituzione dei previsti contatti permanenti di lavoro.

L'incontro ebbe luogo il 4 e 5 luglio; in quell'occasione, tramite il segretario generale dell'episcopato, su invito della Santa Sede, il cardinal Wyszyński ebbe modo di far ascoltare ancora una volta la voce dei vescovi.

Dopo aver letto i verbali delle prolungate discussioni, il papa annotava: «Conversazioni gentili, ma manifestamente difficili. Quale il vero scopo? Perché tanta "fatica procedurale"?» Il papa osservava che il contenuto poteva apparire un po' povero («Ci incontriamo per stabilire di incontrarci»), ma ne indicava anche il pericolo (che all'episcopato appariva molto piú di un pericolo): il tentativo, cioè, di creare un canale diretto di colloquio e di trattativa con la Santa Sede, emarginando i vescovi.

Un protocollo, firmato dai due capi delle delegazioni, riassumeva gli accordi raggiunti: stabiliti formalmente i contatti permanenti di lavoro fra Santa Sede e governo polacco; il gruppo polacco risiederà a Roma per avere regolari contatti con l'organismo della Santa Sede addetto ai rapporti con gli Stati; il gruppo della Santa Sede potrà recarsi in Polonia ogni volta che lo ritenga opportuno, per colloqui con i rappresentanti delle autorità della Repubblica Popolare.

Quest'ultima disposizione escludeva per il momento la presenza permanente di un rappresentante pontificio a Varsavia, sia pure con il carattere di capo di un gruppo di contatti; ciò veniva incontro, almeno in parte, ma proprio nella parte piú importante, a una delle preoccupazioni ripetutamente espresse dall'episcopato. La presenza di una rappresentanza polacca a Roma appariva certamente meno carica delle conseguenze temute dall'episcopato. Gli accordi del luglio furono formalizzati in un nuovo incontro dal 5 al 6 novembre, con la designazione ufficiale dei due capidelegazione, l'arcivescovo Luigi Poggi per la Santa Sede e il ministro Kazimierz Szablewski per la Polonia.

I vescovi continuavano a non sentirsi affatto sicuri della reale volontà del regime di associare l'episcopato ai colloqui di «normalizzazione». In realtà il governo aveva voluto che nel comunicato comune da pubblicarsi alla fine dell'incontro di luglio fosse omessa la menzione dell'intenzione governativa di continuare i colloqui con l'episcopato. Il comunicato si ridusse cosí al semplice annunzio della decisione delle due parti di istituire contatti permanenti di lavoro; nella discussione, tanto lunga quanto asciutto fu l'annuncio dei suoi risultati, scappò detto a uno dei partecipanti polacchi: «Dio, creando l'uomo, non è stato cosí laconico»! A complicare le cose avvenne che per un difetto di coordinazione, il testo precedente, che conteneva il riferimento al dialogo con l'episcopato, era uscito già prima della pubblicazione di quello ufficiale dal quale era stato tolto. Non fu quindi difficile ai vescovi fare il paragone e tirarne le loro conclusioni.

Chi cercava di infondere un po' di ottimismo in un'atmosfera decisamente fredda era il primo segretario Gierek. A fine ottobre del 1977, egli ebbe un incontro personale – il primo – con il cardinal Wyszyński. E il 1° dicembre seguente fu ricevuto in udienza da Paolo VI. Egli assicurò il papa che in Polonia non si sarebbe piú tornati a una situazione di conflitto fra lo Stato e la Chiesa, ricordando l'unità di intenti manifestata insieme con il cardinal Wyszyński a favore della comune patria. Per parte sua il cardinale parve voler sottolineare questa intesa di fondo partecipando – cosa che sarebbe stata prima impensabile – al ricevimento ufficiale offerto da Gierek al Grand Hotel di Roma il 29 novembre e al quale, insieme con molti altri, presi parte anch'io.

Pareva quindi aprirsi un periodo di serenità e di maggiori intese. Ma Gierek non era sufficientemente forte per vincere le resistenze del suo stesso partito e ancor meno per poter superare sospetti o scontenti da parte sovietica.

L'elezione dell'arcivescovo di Cracovia a Sommo pontefice, il 16 ottobre 1978, venne a cambiare radicalmente la scena per la Polonia, ma poi anche per l'intero mondo sovietico. Il cardinal Karol Wojtyła aveva potuto apparire sino allora all'opinione pubblica mondiale come una figura piuttosto defilata, di fronte alla preponderante autorità del primate di Polonia e alla personalità del cardinal Wyszyński; oggi eccolo a capo dell'intera Chiesa cattolica. Presto il mondo avrebbe potuto misurarne la statura.

L'elezione di Giovanni Paolo II avvenne in un momento particolare dell'evoluzione della situazione nel blocco sovietico, e in particolare della Polonia. Sordi scricchiolii, percettibili già da vari anni e che erano andati a mano a mano aumentando, lasciavano presagire l'avvicinarsi di crisi di compattezza e di stabilità nell'edificio grandioso e, all'apparenza, ancora incrollabile del blocco sovietico. Il fenomeno interessava, dove piú dove meno, tutto il vasto impero, soprattutto quelli che erano considerati satelliti dell'Urss. Esso era particolarmente avvertibile in Polonia.

Nel 1978 il processo di rigetto del sistema instaurato in Polonia dopo la guerra era arrivato a un punto di avanzata maturazione specialmente tra le forze operaie dei cantieri navali del nord e delle miniere della Slesia. L'elezione dell'arcivescovo di Cracovia a Sommo pontefice non poteva che dar impulso e incoraggiamento a un movimento già in corso e già tanto robusto. Il governo diviso fra l'orgoglio nazionale, e una comprensibile preoccupazione, si trovava costretto a reagire e lo fece barcamenandosi fra la ricerca di un'intesa con l'episcopato, sostenuta da Gierek, e la tentazione di misure forti quali le avrebbe volute lo zoccolo duro del partito, incoraggiato e spinto dall'Unione Sovietica e dagli altri paesi del Patto di Varsavia. Questi trovavano troppo debole la condotta della direzione del partito polacco e temevano, non senza ragione del resto, l'«effetto domino» delle conseguenze di quella debolezza sulle loro popolazioni.

A pochi mesi dall'elezione il nuovo papa volle compiere un viaggio nella sua patria. Per la prima volta le porte del mondo comunista si aprivano al capo della Chiesa cattolica, cosa che non era stata possibile a Paolo VI. Se anche l'avessero voluto (e alcuni, senza dubbio, l'avrebbero fatto volentieri), le autorità di Varsavia non avrebbero potuto stavolta opporre un rifiuto: si trattava pur sempre di un polacco e, ancor più, la cosa sarebbe riuscita intollerabile al popolo tutto intero; non sarebbe valsa la pena di suscitare le sue reazioni, fin troppo prevedibili e che avrebbero avuto tante risonanze. E, in fondo, molte di quelle autorità si sentivano quasi involontariamente lusingate dalla straordinaria attenzione che il viaggio papale avrebbe richiamato sulla Polonia, distinguendola dagli altri paesi comunisti e da quelli di tutto il mondo: anche se la presenza e le parole del papa avrebbero certamente dato un forte scrollone al loro già vacillante potere.

Io fui incaricato di portarmi a Varsavia, sul finire di marzo, per prendere contatti con il governo in relazione alla visita papale. Incaricato principale per parte del regime era Stanisław Kanja, membro del Comitato centrale e futuro primo segretario del partito in luogo di Gierek. Dopo la morte del segretario di Stato cardinal Villot, a fine aprile, fui nominato prosegretario, e in tale qualità, all'inizio di giugno, presi anch'io parte alla visita papale. Praticamente mi venivo a trovare, anche senza volerlo, fra il governo e il papa; ogni sera il signor Kanja veniva a mettermi al corrente dei rilievi o delle preoccupazioni governative per quel che l'illustre ospite aveva fatto o detto in giornata, o avrebbe potuto fare o dire il giorno seguente. Per la verità i rilievi erano espressi in maniera non polemica, ma quasi come una richiesta di comprensione e di aiuto (l'ombra del grande fratello sovietico, anche se non evocata esplicitamente, incombeva continuamente: non tanto sul papa quanto sui responsabili polacchi). Devo dire che il Santo Padre, senza lasciarsi smuovere da quanto si era proposto di fare e di dire, ascoltava seriamente le mie relazioni, pronto a tirarne le conseguenze che gli fossero parse giuste.

Accompagnai il papa anche negli altri due viaggi polacchi effettuati prima del dicembre 1990. Nel giugno del 1981 mi toccò invece recarmi a Varsavia, accompagnato da monsignor Poggi, per il funerale del cardinal Wyszyński. La sua morte, avvenuta a brevissima distanza dall'attentato di cui era stato vittima il papa, era giunta in un momento di particolari tensioni, legate al grave peggioramento delle condizioni di vita della popolazione polacca e alle conseguenti agitazioni operaie. Queste avevano portato alla costituzione del sindacato libero Solidarność, capeggiato da Lech Wałęsa e riconosciuto dal governo nell'ottobre del 1980, contro i desideri dell'Urss. Dal febbraio di quell'anno al febbraio del 1981 si ebbero tre cambi di capi del governo: Edward Babiuch al posto di Jaroszewicz[111], Pinkowski, il generale Wojciech Jaruzelski al posto di Pinkowski. Cambio della guardia anche al vertice del partito: il 6 settembre del 1980 si dimetteva il primo segretario Edward Gierek, sostituito – come già accennato – da Stanisław Kanja (che sarebbe stato sostituito a sua volta, a distanza di poco piú d'un

---

[111] Piotr Jaroszewicz fu viceministro degli Approvvigionamenti fino all'autunno del 1948, quando fu arrestato con l'accusa di spionaggio. Liberato dopo il 1956, nel 1970 successe a Józef Cyrankiewicz nella carica di primo ministro.

anno, dallo stesso generale Jaruzelski: il quale venne
cosí a accumulare in sé le cariche di primo segretario,
primo ministro e ministro della Difesa).

I funerali del cardinal Wyszyński furono grandiosi,
per concorso di popolo e per manifestazioni di stima e
di compianto («Un primate cosí ogni mille anni» proclamava un grande striscione che campeggiava sulla mol-
titudine radunata in piazza della Vittoria: la stessa dove Giovanni Paolo II aveva avuto il suo primo bagno di
folla due anni prima). Il papa, ricoverato al Policlinico
Gemelli di Roma, era piú presente che mai fra la sua
gente in quel momento, mentre andava preparandosi la
grande crisi che sarebbe scoppiata al dicembre successivo, con la dichiarazione dello «stato di guerra» (o legge marziale) da parte del presidente Jaruzelski.

Il governo era rimasto ufficialmente assente dalle
onoranze funebri. Ma dai contatti avvenuti con i maggiori responsabili statali non mi fu difficile rendermi
conto che la scomparsa del cardinale rappresentava
quasi paradossalmente per il regime la perdita di un solido punto d'appoggio, nella ricerca di una qualche via
d'uscita da una situazione di progressivo marasma, o
almeno per evitare, possibilmente, il peggio.

Nel generale Jaruzelski, capo allora del governo, mi
parve di incontrare un uomo profondamente preoccupato del futuro della sua patria, consapevole della propria debolezza di fronte allo scivolare inesorabile degli
eventi, diviso fra le tentazioni di un certo fatalismo e
l'orgogliosa volontà di lottare. La Chiesa, diceva il presidente, avrebbe potuto, e dovuto, convincere gli operai, specialmente quelli delle miniere della Slesia, a so-
spendere agitazioni e scioperi, nell'interesse della produzione e quindi della salvezza della nazione: «Il
carbone della Slesia è il nostro oro!»

Le cose andarono poi come sono andate. Io, dopo esser stato nuovamente in Polonia al seguito del papa, nel
1983 e nel 1987, vi ritornai un'ultima volta nel giugno
del 1990 per ricevere le insegne della laurea *honoris causa* conferitami dalla Facoltà teologica di Cracovia.

Avevo accettato con piacere quella distinzione come un legame in piú con la Polonia e come riconoscimento, non tanto di un mio lungo lavoro quanto, soprattutto, del grande affetto con il quale l'avevo compiuto.

Le cose erano radicalmente cambiate anche in Polonia con il fatidico 1989. A Varsavia ebbi modo di incontrare nuovamente il generale Jaruzelski; era ancora presidente della Repubblica, dopo la sua elezione del luglio 1989, ma senza effettivi poteri; dal palazzo del Belvedere, dove mi ricevette, sembrava guardare con occhio attento, ma un po' disincantato gli sviluppi di una vicenda storica ormai sfuggita del tutto dalle mani del potere di cui era stato l'ultimo alto rappresentante. Quali prospettive per il futuro? Jaruzelski manifestava fiducia nella preparazione e nel buon criterio politico del primo ministro Mazowiecki, ma purtroppo non c'era accordo fra lui e il leader vittorioso di Solidarność Lech Wałęsa!

Con un misto di incertezza, ma anche di invincibile ottimismo lasciavo, cosí, la Polonia; che continuava però e continua a restarmi profondamente nel cuore.

sociale, quasi disprezzata. Nella sua piccolezza, però, essa era ancora vivace e piena di una serena dignità. Le residenze dei vescovi delle tre circoscrizioni ecclesiastiche esistenti (vicariato apostolico di Plovdiv-Sofia, diocesi di Nicopoli ed esarcato di rito orientale di Sofia) erano quanto di piú misero, per non dire indecoroso, si potesse immaginare: non potei trattenermi dal dire agli uomini del governo che, se non per riguardo al clero, almeno per il buon nome della Bulgaria mi pareva necessario che questo stato di cose fosse modificato; però, da parte dei vescovi stessi o di altri ecclesiastici, nessun lamento o richiesta di intervento mi fu presentata. Anche le suore eucaristine di Sofia vivevano in poveri locali rovinati dall'umidità, presso la piccola chiesa delle carmelitane; se fossimo riusciti a ottenere qualche alleggerimento di simili situazione – mi dissero – sarebbero state grate: pronte però a sostenere i disagi, che avevano riflessi anche sulla salute delle attempate religiose, per amore della Chiesa. Le carmelitane, poi, prendevano i loro problemi di alloggiamento con allegria; in realtà il loro «monastero» aveva qualcosa quasi di buffo. La cantoria posta sopra l'entrata della chiesa e divisa solo da una vetrata dallo spazio sottostante riservato ai fedeli, era stata destinata a sala di comunità, per stare insieme, insieme pregare, insieme lavorare, conversare, prendere i pasti: il tutto – osservavano un po' scherzando le buone suore – sotto lo sguardo del loro Sposo, ospite nel tabernacolo. Di là una scaletta portava – mi spiegarono – a minuscole celle in legno per il riposo delle religiose. Un piccolo capolavoro di microingegneria, imposta dalla mancanza di altre possibili soluzioni, tollerata dal governo e accolta dalle religiose con una grande capacità di adattamento e con un incredibile buonumore.

Segni, tutti, di una superiorità spirituale non spenta, né piegata da una bufera non ancora passata, benché ormai destinata a manifestarsi perdente.

Intanto la Chiesa in Bulgaria continuava a soffrire e, soprattutto, a essere impedita o fortemente limitata nello svolgimento della sua missione. Fra i motivi di qualche speranza per il futuro era giunta, a partire dal 1972, la Conferenza di Helsinki sulla sicurezza e la cooperazione in Europa, con la rete di contatti e di dialoghi promossa e favorita da quella iniziativa.

Legata al nuovo clima creato dalla Conferenza fu l'udienza pontificia al presidente bulgaro Todor Zhivkov[113]. Frutto visibile dell'incontro la nomina di due vescovi: i monsignori Dobranov[114] e Séirécov[115]. Seguí poi l'invito rivoltomi dal ministro degli Esteri Mladenov per una visita ufficiale in Bulgaria: visita alla quale il presidente volle attribuire quasi il carattere di restituzione di quella da lui fatta al papa. Di qui i particolari riguardi protocollari riservatimi (fra i quali il pranzo ufficiale offertomi dopo l'incontro avuto con lui nella fastosa residenza presidenziale di Boiana, come pure l'aereo speciale messo a mia disposizione per il ritorno da Ruse a Sofia il 6 novembre).

Nel colloquio con il Santo Padre, il presidente aveva indicato nel ministro Mladenov l'interlocutore al quale rivolgerci anche per le questioni relative ai rapporti Chiesa-Stato. E di fatto con lui ne parlai; ma poi, lasciando a metà il dialogo per andarne a riferire al presidente prima dell'incontro che stavo per avere con lui, egli ne affidava la continuazione al presidente dell'ufficio per i Culti («presidente del Comitato per la Chiesa ortodossa bulgara e per i Culti presso il ministero degli Affari esteri»), Baranov: un disastro. Se con il ministro si riusciva a dialogare, anche se non sempre a convincere, il presidente dell'ufficio dei culti era il tipico funzionario dell'apparato, privo verosimilmente

---

[113] Todor Christov Zhivkov (1911-98), deputato all'assemblea nazionale, nel 1954 divenne segretario del Partito comunista bulgaro. A partire dal 1962 fu anche capo del governo, contraddistinguendosi per la stretta osservanza sovietica. A seguito degli sconvolgimenti del 1989, fu costretto a dimettersi da tutte le cariche e, in seguito, fu anche processato e condannato agli arresti domiciliari.

[114] Bogdan Stefanov Dobranov (1914-83), consacrato vescovo nel 1959, fu vicario apostolico (1975-78) e dal 1978 vescovo di Sofia e Plovdiv.

[115] Vasco Séirécov (1920-77) fu vescovo di Nicopoli dal 1975.

di potere, certamente di idee e di fantasia: potevo immaginare quali dovessero essere stati e continuassero a essere i suoi rapporti con i vescovi e i sacerdoti cattolici (non molto dissimili, del resto, da quelli in vigore negli altri paesi a regime comunista).

Ad ogni modo, agli incontri con Mladenov, Zhivkov e Baranov si arrivò in un secondo tempo. Contrariamente alle prime intese, infatti, la mia visita incominciò con quella che avrebbe dovuto esserne la sua seconda parte, non ufficiale, il mio giro cioè nelle diverse diocesi del paese. Questo, ci fu spiegato, perché nei giorni precedentemente previsti per la parte ufficiale sarebbero stati contemporaneamente presenti a Sofia i ministri degli Esteri sovietico, Gromyko[116], ed egiziano, Fahmi. Non feci obiezioni, ne fui anzi contento. Cosí, dopo l'accoglienza protocollare il pomeriggio del 3 novembre, partii il giorno dopo insieme con i miei accompagnatori per Plovdiv e per Ruse: messe solenni, incontri con vescovi, sacerdoti e religiose, visita anche a chiese e monasteri ortodossi (Backovo e Rila) e a luoghi di interesse culturale, sempre fatti oggetto di cortesie e di attenzione da parte delle autorità civili.

Il cambiamento di programma mi aiutò di fatto a conoscere ancor meglio, in concreto, vari aspetti di una situazione già nota, certo, ma solo nelle sue grandi linee. Potei quindi affrontare poi il dialogo con i rappresentanti dello Stato sotto l'impressione vissuta della realtà che esso aveva creata e che continuava tenacemente a mantenere.

La prima parte del colloquio con il ministro Mladenov non poteva non essere consacrata ai problemi della pace, della sicurezza, dei buoni rapporti fra i popo-

---

[116] Andrej Gromyko (1909-89), diplomatico, contribuí alla creazione dell'Onu e, dal 1946 al 1948, fu il rappresentante sovietico presso il Consiglio di sicurezza. Come viceministro e poi ministro degli Esteri, per quasi trent'anni, dal 1957 al 1985, fu l'artefice e quasi il simbolo della politica internazionale dello Stato sovietico, sia nella fase distensiva, che in quella dell'inasprimento dei rapporti con l'Occidente. Il suo appoggio fu decisivo nell'ascesa di Gorbaciov, che lo volle presidente dell'Urss.

li, particolarmente in Europa. Pur nella differenza di ispirazione e di criteri, non era difficile trovare qualche punto di incontro e di comuni interessi. Il ministro non nascondeva una certa preoccupazione per i «seguiti» della Conferenza di Helsinki, concretamente per il non lontano incontro di Belgrado, al quale alcuni degli occidentali sembravano prepararsi con spirito e intenti polemici (Mladenov si riferiva in particolare, con sdegno, all'iniziativa degli Stati Uniti di inviare una Commissione senatoriale nei paesi europei – ma evidentemente specialmente in quelli comunisti – per ispezionare come venivano applicate le disposizioni dell'atto finale di Helsinki).

Si passò poi al capitolo dei rapporti fra Stato e Chiesa. I problemi erano molti. Mancava quello che con altri paesi comunisti aveva tenuto il primo posto, cioè la nomina di vescovi. Nel 1976, a seguito dell'udienza papale al presidente Zhivkov, tutte le tre sedi vescovili erano provviste; restavano da risolvere la desiderata elevazione del vicariato apostolico di Plovdiv-Sofia a diocesi e la costituzione di una Conferenza episcopale comprendente le tre diocesi, ma non sembravano da prevedere grosse difficoltà. Delle altre questioni cercai di tracciare un quadro completo, senza potermi fermare a sufficienza su di esse. Su due punti, però, mi premeva richiamare l'attenzione speciale del ministro: il riconoscimento della personalità giuridica della Chiesa cattolica e il problema dell'insegnamento religioso ai giovani.

Già nel 1949 la Chiesa cattolica aveva presentato un progetto di Statuto, che però il governo aveva lasciato senza seguito: per ragioni «storiche» fu detto e il ministro non ebbe difficoltà a far intendere quali. C'erano, cioè delle condizioni fondamentali alle quali anche i cattolici bulgari dovevano attenersi: lavorare per la pace, per la giustizia, per la collaborazione tra i popoli e «tener conto della realtà bulgara»: ossia, anche senza diventare comunisti, almeno collaborare lealmente con il governo (o il regime) per lo sviluppo del paese. Adempiute queste condizioni, la concessione del riconoscimento sarebbe stata naturalmente facilitata. Per il momento, la fiducia non era molta.

Non mi aiutò molto osservare che tutto ciò mi sembrava un indebito allargamento dalle condizioni stabilite dalla legge per il riconoscimento giuridico di una realtà incontestabilmente esistente e operante. Il presidente dell'ufficio per i Culti, al quale il ministro lasciò anche qui il compito di proseguire il discorso, ammise apertamente che non era questione di legge: «Vi sono leggi scritte, – disse, – e leggi non scritte». Del resto anche la legge scritta, da me ricordata, parlava della necessità di non attentare «all'ordine pubblico e al buon costume del paese» (interpretando «ordine pubblico» e «buon costume» a proprio uso e consumo).

Ma il vero motivo delle resistenze governative su questo punto di cosí fondamentale importanza per la Chiesa cattolica in Bulgaria affiorò forse nel mio colloquio con il presidente Zhivkov. Dopo avere espresso la propria soddisfazione perché, a suo tempo, la Bulgaria aveva scelto Costantinopoli invece di Roma («risparmiandoci molti problemi!»), il presidente parlò a lungo dei buoni rapporti fra lo Stato e la Chiesa ortodossa e di quelli suoi personali con il patriarca. Non vogliamo problemi con loro, diceva; mettetevi d'accordo con il patriarca: se non farà difficoltà al riconoscimento della personalità giuridica alla vostra Chiesa, non ne faremo neanche noi. Altrimenti, pareva dire, niente da fare. Questo, almeno, si chiamava parlar chiaro.

Il giorno seguente, in un incontro piuttosto freddo e formale con il patriarca Maxim, avrei voluto introdurre il discorso sull'argomento, ma l'atmosfera e la presenza di varie altre persone impedirono praticamente di stabilire un vero dialogo su questo o simili temi.

I brevi contatti avuti con altri alti rappresentanti della Chiesa ortodossa furono di molta cortesia, ma privi di ogni contenuto sostanziale. Fraterno, in particolare, l'incontro con gli egumeni dei monasteri di Backovo e di Rila, entrambi ancora sotto l'impressione dell'udienza che era stata loro concessa dal Santo Padre.

Dopo la visita al patriarca Maxim, il prolungato incontro (o scontro) con il presidente dell'ufficio per i culti, Stoyko Baranov. Esso si presentò come poco incoraggiante già prima del suo inizio: il presidente, che aveva assistito ai miei colloqui con il ministro Mladenov, incominciò infatti affermando che i problemi da me sollevati erano bene a conoscenza del suo ufficio, che ne aveva già parlato l'anno precedente con monsignor Mario Brini[117], il segretario della Congregazione per le Chiese orientali, e che quindi sarebbe stato inutile perdere altro tempo. Mi ci volle una certa fermezza per impedire che fosse dato per chiuso lí il colloquio, ma il Baranov si comportò poi come chi è costretto a fare controvoglia qualcosa che avrebbe voluto evitare a tutti i costi. Per parte mia, nonostante il fare scontroso e l'atteggiamento sistematicamente negativo del mio interlocutore, procurai di fare il meglio possibile per ribadire cortesemente, ma chiaramente certi punti di principio, rinnovando richieste e insistenze e mettendo in luce le buone ragioni della Chiesa e l'ingiustizia di certe situazioni oppressive, anche in rapporto ai risultati della Conferenza di Helsinki, tante volte evocata dal governo. Nel corso del penoso colloquio non potevo non pensare che le professioni di buona volontà espresse dal presidente Zhivkov al papa e ripetute a me dal ministro Mladenov avrebbero continuato a scontrarsi con le chiusure mentali della vecchia gente di partito, custode di un immobilismo che la Conferenza si era proposta appunto di scuotere. Una piccola prova ne avevo avuto appena prima, proprio dal ministro Mladenov, in occasione della colazione da me offertagli in restituzione del pranzo dato da lui in mio onore il giorno precedente. I numerosi invitati, tra i quali i tre vescovi cattolici e un metropolita ortodosso, erano tutti presenti e il ministro non arrivava: trattenuto, circolava nell'am-

---

[117] Mario Brini (1908-95), diplomatico, fu delegato apostolico in Indocina e nella Repubblica araba unita, poi assessore e segretario della Congregazione per le chiese orientali (1965-82).

biente, da un'importante riunione di partito. Quando finalmente arrivò, la sua faccia non contribuí molto a riscaldare l'atmosfera; ma questa fu addirittura ragge-lata quando, a braccio, rispose al brindisi che come di norma io avevo invece preparato per iscritto. Mi parve come uno uscito da uno scontro violento in cui fosse stato accusato, si fosse difeso, avesse dovuto impe-gnarsi. Difatti le sue parole, pronunziate con tono bru-sco e quasi polemico (ma contro chi?), furono come una professione di fede marxista, con citazioni da Lenin, quasi a volere giustificare sé e il presidente Zhivkov per le loro dimostrazioni di cortesia e di stima verso il pa-pa per la sua opera in favore della pace e della disten-sione internazionale.

Tutto assai poco incoraggiante. Tanto piú era ne-cessario mi appariva fare il possibile per aprire alla Chiesa cattolica un sufficiente spazio di vita e di atti-vità, anche nei riguardi dei giovani, e per garantirle la possibilità di assicurarsi futuri sacerdoti e religiose, cer-cando intanto di risolvere le molte piccole questioni ri-guardanti, non solo la loro residenza, ma soprattutto l'esercizio del loro ministero o l'apertura di qualche nuovo luogo di culto (la riapertura della chiesa nel cen-tro turistico di Varna sul Mar Nero, chiesta quasi co-me un segno di migliorati rapporti, attesa la rinoman-za del luogo anche fuori della Bulgaria, sembrava as-sumere per i miei interlocutori quasi l'importanza e le difficoltà di una questione di Stato).

L'atteggiamento di chiusura del presidente dell'uf-ficio per i Culti fu tale da mettere in imbarazzo i mem-bri del ministero degli Esteri partecipanti all'incontro, a cominciare dall'interprete. Essi credettero quindi ne-cessario parlarne al ministro. Questi, il giorno seguen-te, prima della mia partenza per Roma, trovò il modo per avere con me un altro colloquio a quattr'occhi per chiedere scusa dell'accaduto e per promettere che al suo ritorno da un imminente viaggio in India avrebbe riconsiderato personalmente l'insieme delle questioni.

Una speranza per il futuro! Intanto, con una messa

celebrata solennemente insieme con i tre vescovi e con la presenza di vari rappresentanti del Corpo diplomatico, quasi a ricordare che la Chiesa cattolica, piccola e oppressa in Bulgaria, continuava a essere nel mondo una realtà non trascurabile, conchiusi la mia visita a un paese che era stato tanto caro al papa Giovanni XXIII. Lasciai Sofia con un misto di amarezza e di fiducia; le speranze si sarebbero però realizzate appieno solo tredici anni dopo: un periodo storicamente quasi insignificante, ma anche troppo lungo per chi doveva viverlo giorno per giorno sotto il peso di un passato cosí duro a morire.

Per il momento, un miglioramento dell'atmosfera si stava manifestando prevalentemente nelle alte sfere politiche, piú nei riguardi della Santa Sede che della Chiesa, sul terreno della politica internazionale, ma anche su quello della cultura (sul quale fu chiesta e promessa la concreta collaborazione della Santa Sede).

Sul piano personale, abbandonavo la Bulgaria accompagnato da una qualche notorietà, ma non per quanto detto e fatto durante la mia visita. Essendomi toccato in sorte di presiedere la sessione dell'ultima fase della Conferenza di Helsinki nella quale aveva parlato il presidente Zhivkov, io ero conosciuto come «quello che ha dato la parola al nostro presidente»... Forza della televisione, che può dare un po' di importanza a cose che non ne hanno, trascurando spesso quelle che, almeno un poco, ne avrebbero!

*Indice dei nomi*

*Stampato per conto della Casa editrice Einaudi*
*presso Milanostampa s.p.a., Farigliano (Cuneo)*
*nel mese di giugno 2000*

C.L. 15542

| Ristampa | | | | | | | | Anno |
|---|---|---|---|---|---|---|---|---|
| 0 | 1 | 2 | 3 | 4 | 5 | 6 | | 2000 2001 2002 2003 |

# Gli struzzi